La publication de cet ouvrage
a été rendue possible grâce à l'aide
du Cégep de Sept-Îles

Couverture
Sylvie OUZILLEAU

Les éditions Le Griffon d'argile
3022, chemin Sainte-Foy
Sainte-Foy (Québec) G1X 3V6
(418) 653-6101 • Télex: 051-3786 QBC • FAX: (418) 694-9679

Poésie introduction
ISBN 2-920922-17-3

DÉPÔT LÉGAL
Bibliothèque nationale du Canada
Bibliothèque nationale du Québec
2e trimestre 1989

IMPRIMÉ AU CANADA ©

POÉSIE
INTRODUCTION

VIATEUR BEAUPRÉ

TABLE DES SUJETS

INTRODUCTION

J'ai d'abord écrit *La poésie*, un essai que j'ai publié et que j'ai utilisé pendant quatre ans dans mes cours de poésie; en prenant soin, dans les cours, de rendre plus concrète la théorie du livre. Malgré tout, la plupart des étudiants de mon cégep trouvaient que «ça volait haut», trop haut pour leur réserve d'oxygène.

J'ai donc cru utile de reprendre cet essai, pour le rendre plus accessible. Sans toutefois délayer la poésie en purée pour nourrisson. On n'arrivera jamais à rendre facile cet art souverain, et à le servir en *fast food* McDonald's. La poésie se mérite de haute lutte, comme on paie très cher le plaisir de jouer du violon ou de sauver son âme de l'in-signifiance toujours majoritaire, militante et triomphante. Et si, pour être un bon enseignant bonasse, sympathique et populaire, on veut utiliser des œuvres poétiques de dixième ordre, on fait là, je crois, une œuvre beaucoup plus néfaste qu'utile. Car on développe ainsi pour le médiocre un goût qui n'a pas besoin d'être stimulé pour s'épanouir effrontément.

En me fixant l'objectif d'être plus didactique, j'ai donc évité, autant que j'ai pu, de fournir une matière toute digérée dont raffolent la plupart des étudiants, pour ne pas dire la plupart des professeurs. Ceux-ci, en nombre effrayant, réclament des outils pédagogiques farcis de recettes et de modes d'emploi. Quand ils ne sont plus gênés avec vous, ils iront jusqu'à vous réclamer des plans de cours, un recueil de questions à poser sur les textes et, bien évidemment, des réponses complètes à ces questions, consignées dans un bon *Livre du maître*. Des manuels pratico-pratiques comme des tournevis, du *fast food* pour touristes aussi pressés que désœuvrés.

Un bon médecin est celui qui apprend à ses patients à se passer de plus en plus de lui. Un bon professeur est celui qui enseigne à ses élèves l'art élémentaire et souverain de se passer du professeur. Si vous enseignez la poésie, de quoi l'étudiant a-t-il besoin avant tout? De son intelligence et des textes poétiques. Alors, comment expliquer qu'il compte avant tout sur le professeur? C'est un renversement monstrueux des rôles: l'étudiant accorde alors plus d'importance au professeur qu'à Shakespeare et à lui-même. La préoccupation essentielle du pédagogue doit être de renverser cette pyramide, pour qu'elle tienne sur sa base et non sur sa pointe. Autrement, il cultivera surtout chez l'étudiant la paresse intellectuelle et le manque de confiance en son intelligence; deux vices mortels pour le développement de l'intelligence et de la personnalité.

Or, il faut bien constater qu'à tous les niveaux de notre système d'éducation, c'est la pédagogie de la cuiller et des béquilles qui est d'emblée la plus populaire; avec sa conséquence néfaste: la prolifération d'esprits neutres, anonymes, mous, passifs.

Je n'ai pas voulu descendre là. Non par mépris hautain, mais par respect pour la poésie et pour l'intelligence, la mienne et celle des autres. Les étudiants et les professeurs qui réclament à grands cris des trucs magiques, des routes bien balisées, des recettes infaillibles avec ingrédients pesés au milligramme, eh bien! qu'ils étudient ou enseignent la comptabilité, le notariat, l'entomologie, au lieu d'étudier ou d'enseigner la poésie. Et si, malgré tout, ils tiennent à étudier ou enseigner la poésie, qu'ils s'adressent à Diane Tell ou au catalogue Sears. Ça, c'est du solide! Beau, bon, pas cher, et tout en couleurs, à part ça! Quand on vole ainsi en rase-mottes, on ne risque pas de se casser le cou ou de manquer d'air. Oui, mais alors on contemple surtout des mottons, et, avec les pales de son avion-moineau, on fauche du foin. La poésie n'a pas pour mission de faucher des champs de foin (il y a d'autres outils utiles, inventés à cette fin); elle a pour mission d'explorer l'homme, le cosmos, de franchir et sonder les océans, de survoler l'Himalaya, et d'aller beaucoup plus loin que les navettes spatiales. Si on ne veut pas la suivre dans ces expéditions épiques, qu'on prenne la sage décision de se chauffer à la prose, avec des poêles à combustion lente.

*

Les textes poétiques présentés dans cette étude sont, je crois, de bonne qualité et suffisamment variés. Mon choix est discutable, certes, comme tout choix. D'autres textes, selon toi, seraient plus éloquents pour illustrer tel ou tel aspect de la poésie? C'est bien possible; et rien n'empêche alors que tu suives ta propre pente; à condition, comme disait Gide, «qu'elle monte». Si ta pente monte très raide et que tu trouves que la mienne ne monte pas à ton goût ou qu'elle descend, fais à ta tête, prends-toi comme guide. L'important, c'est de monter, par l'un ou l'autre versant de l'Everest.

*

Ma conscience m'oblige presque à donner trois derniers avertissements, de poids.

— Les textes poétiques sont le fruit d'une pensée à la fois profonde et subtile; de plus, le poète manie la langue en virtuose, une langue aux antipodes du langage banal, conventionnel, stéréotypé. Si donc l'étudiant a une pensée infantile, engendrant très légitimement une langue emmaillotée dans l'incohérence, comment pourrait-il avoir accès à la poésie écrite? Il trouvera tout obscur, incohérent, parce qu'il est lui-même obscur et incohérent; si obscur et incohérent qu'il ne voit pas que l'obscurité et l'incohérence sont d'abord dans sa pensée et sa langue infantiles. En l'année de grâce 1987, une de mes étudiantes abandonne le cours de poésie et donne comme raison à l'API: «Difficulté à comprendre note pas passes.» Un autre étudiant parle de «conflit d'intérêt avec le professeur». Quand on pense et écrit comme ça, mieux vaut cultiver des carottes que bousiller davantage son esprit à suivre des cours de poésie. Qu'on se donne d'abord un minimum de bon sens à faire quelque chose de sensé et d'utile, au lieu d'aller vagir en poésie. Et dans l'état actuel de la civilisation, pensez-vous qu'il se trouve dans nos cégeps plus que deux étudiants sur dix dont la pensée et la langue soient suffisamment cohérentes et déliées pour avoir prise sur les textes poétiques?

— Les professeurs et les étudiants qui, par l'un ou l'autre versant, veulent se hisser au sommet de l'Everest, qu'ils sachent bien ceci: rendus là-haut, et même en cours d'ascension, ils contempleront de ces choses à jamais interdites aux prosaïques assis sur la mousse au pied de l'Everest. Mais ils deviendront pratiquement irrécupérables pour la société efficace-pratique-rentable. Qu'ils renoncent d'avance aux postes qui paient bien, aux oscars, à l'estime de la majorité silencieuse et prosaïque, à la une dans les journaux, bref, à tout ce que leur milieu collégial, universitaire ou social, tient en si haute estime. Autant le dire haut et clair: la poésie, ça ne sert strictement à rien! Sauf à garder vivant hier, aujourd'hui, demain. La poésie n'exclut personne; elle s'offre à tous, à la condition qu'ils acceptent de rester vivants et de monter.

— En essayant d'expliquer sérieusement la poésie, je n'ai pas cru indispensable d'adopter le style sérieux du thanatologue. Le poète, volontiers, aime rire, parce qu'il est resté un homme normal. Moi aussi; sauf si j'ai à parler de la poésie devant des pierres tombales: alors, je peux être sérieux comme tout le monde, comme une tombe. Sérieux et impartial comme le bottin téléphonique; sereinement objectif comme un livre de grammaire wabalou; impeccablement digne et constipé comme le discours d'un président de la Royal Bank of Canada ou le bilan présenté à la nation par le ministre des Finances. Parler en vivant de la poésie vivante comporte des risques, sûrement; mais penser, parler et écrire sur ce sujet comme un beau mort impartial, n'est-ce pas beaucoup plus dangereux, si tu y penses pour de bon? Les Japonais et les autres, grâce à l'électronique, font maintenant parler les voitures; et ces voitures parlent un beau langage objectif, scientifique, impartial, mortuaire. Bientôt, dans les salons funéraires de pointe, on fera parler les morts; et ces beaux morts électronisés parleront comme parle aujourd'hui ta voiture japonaise et comme, depuis toujours, ont parlé la plupart des livres destinés à l'enseignement. Ce mal est-il aussi nécessaire que voudraient bien nous le faire croire les gens sérieux-objectifs-impartiaux-scientifiques-anesthésiés-homogénéisés-aseptisés-constipés-beaux morts?

La formule de la relativité

Il ne s'agit évidemment pas de celle d'Einstein, bien que celle-ci ne soit pas sans rapport avec notre sujet. Einstein a renouvelé la vision de l'univers physique; ce livre s'efforcera de démontrer que la poésie, de tout temps, a visé le même objectif: nous faire voir que l'homme et la vie sont infiniment plus riches et complexes que ce que la routine et les préjugés nous imposent comme vision.

Mais, dès le départ, il importe d'éviter les emballements intempestifs qui nous feraient affirmer bêtement que le salut de l'homme est dans la poésie qu'on écrit soi-même ou dans celle qu'on étudie, écrite par d'autres. La publicité met tout en œuvre pour t'offrir comme lanternes magiques des vessies très flasques. Ce ne serait pas rendre service à la poésie que de la «vendre» par des procédés publicitaires: tôt ou tard, l'enflure publicitaire nuit au produit même s'il est de bonne qualité. Il faut donc, intelligemment, savoir relativiser. Relativiser: «Considérer par rapport à quelque chose d'analogue, de comparable, ou à un ensemble.» Relativisons donc, en disant:

— La poésie, comme toute autre activité humaine, n'a rien d'absolu: on peut s'y livrer passionnément, mais avec la conviction qu'elle n'apporte pas de réponses définitives sur l'homme, sur la vie.

— On peut s'ouvrir à la compréhension de l'homme, de la vie, en étudiant ou pratiquant tout autre chose que la poésie; par exemple, la politique, l'histoire, la danse, la culture de son jardin, la médecine, la philosophie, la menuiserie, le tennis, le service social, la chasse aux papillons...

— Les cours de poésie ne sont pas la poésie. D'abord parce que certains cours de poésie peuvent contenir un peu de tout, sauf de la poésie: de la sociologie, de la linguistique, du structuralisme, de l'histoire, de la psychanalyse... Et aussi parce que, au moment où tu suis un cours de poésie, même excellent, tu peux être accaparé par de tout autres passions que celle de découvrir la poésie; et, en conséquence, tu feras de tout pendant ces cours, sauf de la poésie. Quand un étudiant dit qu'il *fait* ou *suit* un cours de poésie, n'en conclus pas trop vite qu'il *fait* de la poésie, ou qu'il *suit* la poésie: il peut alors faire ou suivre n'importe quoi d'autre: la berlue, son bulletin cumulatif, sa dernière ou sa prochaine *foire,* ta sœur.

— Un échec au cours de poésie ne signifie pas nécessairement qu'on ne soit pas fait pour la poésie, et surtout qu'on soit imperméable à la poésie. La poésie pourra nous rejoindre par d'autres voies que celle des cours de poésie. Un cours de philosophie, normalement, devrait t'ouvrir à la logique, au bon sens; mais il se peut fort bien que pendant ce cours, tu cultives le non-sens, plutôt que le bon sens. Tu sortiras alors de ce cours plus déséquilibré qu'avant. Mais tu retrouveras peut-être ton bon sens après être monté en Yamaha dans un poteau, pour te retrouver dans le plâtre à l'hôpital où, pendant trois beaux mois, bien loin des cours et des livres de philosophie, tu méditeras sensément, utilement, sur ta vie, ton père et ta mère, la vie, les poteaux et ta sœur. La poésie, elle, tu pourras la rencontrer, un matin, assise sur le seuil de ta porte, ou un soir, marchant pieds nus sur la grève; n'importe quand, n'importe où.

— La poésie écrite avec des mots n'est qu'une forme de la poésie. L'état poétique, lui, est commun, accessible à tous les hommes; mais exprimer cet état poétique par de la poésie écrite n'est qu'une spécialité. Comme c'est une spécialité de saisir la musique en jouant de l'orgue. L'organiste serait un impertinent s'il disait que, pour comprendre et goûter la musique, il faut nécessairement jouer de l'orgue.

Ceci, pour ne pas affirmer bêtement que le salut de l'homme est dans la poésie qu'on écrit soi-même ou dans celle qu'on étudie, écrite par d'autres.

Mais si, un jour, on décide d'étudier la poésie écrite, eh bien! il faut le faire, autant que possible, avec le maximum de passion et d'intelligence. En mobilisant toutes ses facultés et en exigeant d'elles un effort autre que celui requis par la sainte loi paresseuse du minimum. Pourquoi perdre son temps à étudier paresseusement la poésie? Toute activité faite paresseusement ne donne que des résultats médiocres. Pour mieux dire: cette molle activité est beaucoup plus nuisible qu'utile. Si on n'est pas décidé à étudier la poésie comme on cultive un jardin, avec tout ce que cela suppose de passion, d'attention et de travail, qu'on cherche ailleurs quelque chose à cultiver avec passion, attention et labeur acharné. Étudier la poésie en touriste, c'est aussi inutile qu'aimer en touriste, en play-boy ou en cover-girl.

Il fallait proclamer ces évidences.

Comment utiliser ce livre?

Ce qui précède et, bien évidemment, surtout ce qui suit, devrait permettre de voir assez clairement quel usage on peut faire de ce livre. «À mon humble point de vue», l'étudiant qui, pendant les quelque 45 maigres périodes réservées au cours de poésie, lirait et comprendrait ce livre, se débarrasserait d'une foule de préjugés polluants et stérilisants, et se convaincrait que la poésie est une nourriture privilégiée qu'il voudra mettre à son menu pour rester vivant le reste de sa vie. Pour atteindre cet objectif, ma prose aura, je l'espère, joué son rôle de fil conducteur; mais c'est surtout le courant qui passe dans les textes poétiques étudiés qui l'aura stimulé. Pour varier l'image: c'est surtout la sève poétique de poèmes authentiques qui aura fécondé son intelligence, sa sensibilité, son imagination, bref, son âme.

Quant au professeur, il pourra, à son gré, insister sur la théorie du livre, sur les exercices proposés, sur la réfutation des idées de l'auteur, ou sur les multiples utilisations possibles des textes poétiques que j'ai moi-même analysés brièvement ou que je donne sans commentaires à la fin du livre. Cette marge de manœuvre l'effraiera? Effroi salutaire: sur le tumultueux océan salé de la poésie, on ne peut avoir la tiède sécurité que donne l'eau douce de son petit bain. Ce qui n'est pas une raison suffisante pour naviguer sur cet océan, sans boussole, avec deux planches de sapin et l'ignorance intuitive pour toute embarcation.

Homme libre, toujours tu chériras la mer! (BAUDELAIRE)
Larguez les amarres, on est embarqué.
Je suis à la barre, c'est pour naviguer. (VIGNEAULT)

CHAPITRE PREMIER

PROSE ET POÉSIE

Qu'est-ce que la prose? Qu'est-ce que la poésie? Pour le savoir, consultons le dictionnaire: peut-être le sait-il mieux que nous.

Voici ce que nous apprend le *Petit Robert*:

> *Prose*: Forme du discours oral ou écrit, manière de s'exprimer qui n'est soumise à aucune des règles de la versification.
>
> *Poésie*: Art du langage, visant à exprimer ou à suggérer quelque chose par le rythme (surtout le vers), l'harmonie et l'image.

Et nous voilà bien avancés! Comme toute bonne définition, celles-là sont extrêmement vagues, bien que très précises, apparemment. C'est à peine si, avec de pareils indices, un homme lucide saurait distinguer un orignal en rut d'une Volkswagen empanachée de boucane.

Pour nous édifier davantage, voyons comment le même dictionnaire définit l'homme et la femme; après quoi, nous saurons mieux quoi penser des belles définitions que tous les dictionnaires du monde donnent de la poésie.

> *Homme*: Être appartenant à l'espèce animale la plus évoluée de la Terre. – Mammifère primate, famille des Hominidés, seul représentant de son espèce (*Homo sapiens*). – *L'homme est un animal très proche des grands singes*. – «*L'homme est l'avenir de l'homme*» (PONGE).
>
> *Femme*: Être humain du sexe qui conçoit et met au monde les enfants (sexe féminin); femelle de l'espèce humaine. «*Ô femme! femme! femme! créature faible et décevante!*» (BEAUMARCHAIS). «*Elle est femme dans toute l'acception du mot, par ses cheveux blonds, par sa taille fine... par le timbre argentin de sa voix*» (GAUTHIER).

Avec de telles définitions, vous savez exactement qui est l'homme Jules et qui est la femme Marie-Louise? Suffisamment pour dire que Jules et Marie-Louise feraient un couple épatant? Que toi, Jules, tu serais aux oiseaux avec cette Marie-Louise de dictionnaire? Et que toi, Marie-Louise, tu filerais un beau coton avec ce Jules, hominidé et mammifère primate?

C'est le cas de dire, avec Saint-Exupéry, que «les mots tirent la langue». Ils font ce qu'ils peuvent, mais n'arrivent pas à grand-chose, quand il s'agit de définir quelque chose d'un peu plus subtil qu'un tournevis ou un thanatologue. (*Thanatologue*: Terme d'invention récente, très élégant, à saveur presque poétique, pour définir ce qu'autrefois on appelait, en termes pompeux et pompiers, «un entrepreneur de pompes funèbres», expression capable de terroriser même un mort. Aujourd'hui, les morts ont de la chance: on les confie aux bons soins d'un thanatologue. Qui soupçonnerait que, sous ce terme parfumé de grec, se cache un vorace croquemort?)

Peut-être, dans le cas de la poésie et de la prose, y verrions-nous plus clair en lisant ce que Molière nous en dit dans *Le Bourgeois gentilhomme*:

> MONSIEUR JOURDAIN.— Au reste, il faut que je vous fasse une confidence. Je suis amoureux d'une personne de grande qualité, et je souhaiterais que vous m'aidassiez à lui écrire quelque chose dans un petit billet que je veux laisser tomber à ses pieds.
>
> LE MAÎTRE DE PHILOSOPHIE.— Fort bien!
>
> MONSIEUR JOURDAIN.— Cela sera galant, oui?
>
> LE MAÎTRE DE PHILOSOPHIE.— Sans doute. Sont-ce des vers que vous lui voulez écrire?
>
> MONSIEUR JOURDAIN.— Non, non; point de vers.
>
> LE MAÎTRE DE PHILOSOPHIE.— Vous ne voulez que de la prose?
>
> MONSIEUR JOURDAIN.— Non, je ne veux ni prose ni vers.
>
> LE MAÎTRE DE PHILOSOPHIE.— Il faut bien que ce soit l'un ou l'autre.

MONSIEUR JOURDAIN.— Pourquoi?

LE MAÎTRE DE PHILOSOPHIE.— Par la raison, monsieur, qu'il n'y a, pour s'exprimer, que la prose ou les vers.

MONSIEUR JOURDAIN.— Il n'y a que la prose ou les vers?

LE MAÎTRE DE PHILOSOPHIE.— Non, monsieur. Tout ce qui n'est point prose est vers, et tout ce qui n'est point vers est prose.

MONSIEUR JOURDAIN.— Et comme l'on parle, qu'est-ce que c'est donc que cela?

LE MAÎTRE DE PHILOSOPHIE.— De la prose.

MONSIEUR JOURDAIN.— Quoi! quand je dis: Nicole, apportez-moi mes pantoufles, et me donnez mon bonnet de nuit, c'est de la prose?

LE MAÎTRE DE PHILOSOPHIE.— Oui, monsieur.

MONSIEUR JOURDAIN.— Par ma foi, il y a plus de quarante ans que je dis de la prose, sans que j'en susse rien; et je vous suis le plus obligé du monde de m'avoir appris cela. Je voudrais donc lui mettre dans un billet: *Belle marquise, vos beaux yeux me font mourir d'amour*; mais je voudrais que cela fût mis d'une manière galante, que cela fût tourné gentiment.

LE MAÎTRE DE PHILOSOPHIE.— Mettre que les feux de ses yeux réduisent votre cœur en cendres; que vous souffrez nuit et jour pour elle les violences d'un...

MONSIEUR JOURDAIN.— Non, non, non, je ne veux point tout cela. Je ne veux que ce que je vous ai dit: *Belle marquise, vos beaux yeux me font mourir d'amour*.

LE MAÎTRE DE PHILOSOPHIE.— Il faut bien étendre un peu la chose.

MONSIEUR JOURDAIN.— Non, vous dis-je. Je ne veux que ces seules paroles-là dans le billet, mais tournées à la mode, bien arrangées comme il faut. Je vous prie de me dire un peu, pour voir, les diverses manières dont on les peut mettre.

LE MAÎTRE DE PHILOSOPHIE.— On les peut mettre premièrement comme vous avez dit: *Belle marquise, vos beaux yeux me font mourir d'amour*. Ou bien: *D'amour mourir me font, belle marquise, vos beaux yeux.* Ou bien: *Vos yeux beaux d'amour me font, belle marquise, mourir.* Ou bien: *Mourir vos beaux yeux, belle marquise, d'amour me font.* Ou bien: *Me font vos yeux beaux mourir, belle marquise, d'amour.*

MONSIEUR JOURDAIN.— Mais de toutes ces façons-là, laquelle est la meilleure?

LE MAÎTRE DE PHILOSOPHIE.— Celle que vous avez dite: *Belle marquise, vos beaux yeux me font mourir d'amour.*

MONSIEUR JOURDAIN.— Cependant je n'ai point étudié, et j'ai fait cela tout du premier coup. Je vous remercie de tout mon cœur, et je vous prie de venir demain de bonne heure.

LE MAÎTRE DE PHILOSOPHIE.— Je n'y manquerai pas.

Donc: «Tout ce qui n'est point prose est vers, et tout ce qui n'est point vers est prose.» C'est simple comme «bonsoir, la visite». Et, comme disait ailleurs Molière, «Voilà pourquoi votre fille est muette», ou devrait l'être.

Quant aux multiples contorsions que le maître de philosophie, ancêtre de nos philosophes contemporains emberlificotés et tarabiscotés, fait subir aux beaux yeux de la belle marquise, il ne manquera sûrement pas d'admirateurs pour trouver poétiques ces étranges monstruosités. La poésie, n'est-ce pas? c'est toujours très bizarre...

Si, à brûle-pourpoint, vous demandez aux étudiants, et aux autres, de vous dire ce qu'est la poésie, vous recevrez des réponses qui, pour la plupart, s'apparenteront à celles-ci:

— La poésie, c'est quand c'est écrit en vers et que ça rime.

— Et tu as des vers, quand le texte est coupé en p'tits bouttes, cordés à la verticale.

— La poésie, c'est quand tu lis un texte et que tu comprends rien.

— La poésie, c'est quand le vocabulaire est «spécial».

— La poésie, c'est quand les mots sont pas à bonne place dans a phrase.

— Quand tu supprimes la ponctuation, ton texte devient poétique.

— La poésie, c'est quand ça te fait tout drôle en dedans: tu as l'impression d'entendre des p'tits oiseaux et le gazouillis des ruisseaux limpides; de voir, comme je te vois, des clairs de lune, de beaux couchers de soleil avec plein de palmiers et de papillons roses et bleus tout partout.

Et pourquoi tout cela, je vous prie?

— Parce que le poète vit dans les nuages, s'amuse à dire des balivernes, en jouant avec les mots.

Ce qui ne nous mène pas beaucoup plus loin que les dictionnaires et l'incomparable maître à philosopher de M. Jourdain. Nous sommes toujours dans la *Proésie,* au royaume équivoque des limbes.

Alors, faut-il désespérer de savoir un jour, ne serait-ce qu'après quarante ans comme M. Jourdain, quand c'est de la prose et quand c'est de la poésie? Essayons, en procédant autrement.

Oui ou non, le bottin téléphonique, est-ce écrit en poésie? Oui ou non, la règle d'accord du participe passé, telle que donnée dans la grammaire en usage jadis, est-ce de la poésie? Oui ou non, la sublime définition que tout à l'heure nous a donnée très sérieusement le *Petit Robert*: «*L'homme est un animal très proche des grands singes*», est-ce poétique? Et ton manuel de physique, est-il écrit en prose ou en poésie?

La réponse à ces questions devrait commencer à faire voir, sinon ce qu'est la poésie, du moins ce qui semble bien n'en pas être. Et si ce n'est point de la poésie, ç'a de bonnes chances d'être de la prose?

Et voici, en contraste violent, deux textes capables d'éveiller à l'évidence les vivants et les morts, sur la différence abyssale entre prose et poésie:

> Les acides nucléiques qui contiennent le ribose s'appellent des acides *ribonucléiques*, qu'on abrège en ARN ou RNA. Les acides nucléiques contenant du désoxyribose s'appellent des acides *désoxyribonucléiques*: ADN ou DNA. Quand les acides nucléiques sont soumis à l'hydrolyse, ils donnent des molécules de ribose ou de désoxyribose, et aussi

deux autres sortes de molécules, dont l'une contient du phosphore, c'est l'*acide phosphorique.*

Des molécules à l'Homme.

[...] Or ces eaux calmes sont de lait
et tout ce qui s'épanche aux solitudes molles du matin.

Le pont lavé, avant le jour, d'une eau pareille en songe au mélange de l'aube, fait une belle relation au ciel. Et l'enfance adorable du jour, par la treille des tentes roulées, descend à même ma chanson.

Enfance, mon amour, n'était-ce que cela?

Saint-John PERSE, *Éloges.*

Ces jalons posés, peut-être pouvons-nous commencer à nous faire de la prose et de la poésie une définition qui, sans jamais être fulgurante de simplicité et d'évidence comme celles des dictionnaires, nous donnera de ces deux formes du langage humain une connaissance satisfaisante, comme celle que nous avons de l'Océan, du chat et de la montagne. Ces définitions seront fatalement approximatives, comme toutes les définitions que l'on donne, par exemple, de l'amour ou de la vie; et elles seront moins brèves que celles des dictionnaires. Mais elles arriveront peut-être à signifier davantage.

Examinons la prose à l'état presque pur: celle du langage quotidien, utilitaire, banal; et celle des sciences.

«À quelle heure, ton cours? Achète-moi deux sacs de chips. Va voir ailleurs si j'y suis. Deux têtes valent mieux qu'une (comme le dit un proverbe bien prosaïque et microcéphale). Va prendre ton bain. J'ai eu une très bonne note: 62%! Plus on est de fous, plus on rit. (Autre proverbe drôle.) Vas-tu finir par comprendre? Si tu ne comprends pas, mon numéro de téléphone est 961-8354. Appelle; ça presse!»

Bref, ce langage utilitaire est fait pour demander ou communiquer des informations sans trop d'importance, des impressions superficielles, des idées à l'état embryonnaire;

l'équivalent, presque, du code linguistique élémentaire qu'utilisent les moineaux ou les chats dans leur conversation à bâtons rompus et à basse ou criarde voix. À longueur de journée, nous parlons ainsi en prose; certains même, à longueur d'année et de vie.

Il arrive cependant que même ce langage banal s'élève à la poésie: quand la passion vient mettre le feu à ces fardoches. Mais la plupart du temps, ce langage «raisonnable» vole en rase-mottes; lourd comme le mortier, il est le ciment de notre vie sociale; le citoyen modèle en fait sa marque de commerce et son titre de noblesse. Pour réussir dans la vie, soyez prosaïques. On dira de vous que vous êtes sérieux, «un homme d'action», efficace-pratique-rentable pour le Revenu national très *brute*.

*

À un niveau plus élevé, on trouve la prose scientifique, celle dont l'objectif est de transmettre les diverses connaissances. Le philosophe, le mathématicien, l'économiste, l'historien, le chimiste, l'informaticien, le psychologue des surfaces ou des profondeurs, l'anthropologue, l'astrologue et même le thanatologue (quand il parle sérieusement à ses morts) parlent en prose, de même que tous leurs collègues, morts ou vivants, classés comme scientifiques. Et ce faisant, ils peuvent atteindre au sublime, ou baragouiner, ou ciseler du non-sens; être d'une clarté de plein midi, ou répandre les indécises et insidieuses clartés dont s'auréolent les dictionnaires et le soleil de minuit.

Ce langage scientifique se veut direct, tendant au but à la vitesse d'une balle. Il se veut clair et pratique comme un tournevis, c'est-à-dire bien adapté aux vis, sans tourner à vide autour du pot.

Il tend au maximum d'objectivité: parler de la chose en question, un peu comme si c'était la chose elle-même qui parlait, indépendamment de l'homme face à elle.

Cherchant l'efficacité, la clarté, la rapidité, il fuit l'image, la comparaison, qui risquerait de disperser l'attention, de faire prendre des lanternes pour des vessies. Et c'est le même souci du sérieux qui amène les scientifiques, dans leur travail scientifique, à s'interdire absolument de rire ou de faire rire. Ils ne sont pas là pour s'amuser et vous amuser: ils sont là pour vous expliquer, par exemple, la composition de l'eau, le commencement ou la fin du cosmos et de l'homme, ou quelle énergie mettre en œuvre pour que l'ascenseur arrive au centième étage, et le train, à l'heure prévue à l'horaire: 14 h 23.

*

La poésie, elle, n'a pas pour mission d'expliquer, et au plus vite, «comment ça fonctionne». Comme la contemplation et l'extase gratuites, elle n'est pas pressée, prend tout son temps, ne file pas en ligne la plus droite possible, comme une locomotive, une balle de tireur d'élite; elle a plutôt tendance à se fixer sur l'objet de son amour, à danser tout autour, à perdre un temps infini à se dire et à lui dire qu'elle l'aime.

Ce n'est pas l'Utile qui la passionne, mais la Beauté. C'est dire que la poésie est aussi inutile que le chant, la musique, la danse, la peinture qui, eux non plus, ne cherchent pas à prouver, à démontrer, à être utiles comme le pain et le beurre, l'électricité et la médecine.

Précise, la poésie le sera à sa manière, non pas en chiffrant, en quantifiant, en pesant, en équilibrant d'impeccables équations, mais à la manière d'une rose, dont la précision n'a rien à voir avec celle d'un mécanisme d'horlogerie. Si le poète compare Mignonne à la rose, je n'apprendrai rien sur l'âge, le poids ou la taille de Mignonne; j'ignorerai tout de ce que m'en diraient le médecin, le biologiste, le physicien, l'écologiste, le philosophe, l'économiste et tous les autres scientifiques avec leurs milliers de fiches très précises. Fiches qui donnent l'impression d'être très précises, objectives, «scientifiques», mais qui, en réalité, sont dérisoirement déficientes. Le poète, lui, me fera aimer Mignonne comme on aime une rose, comme on aime une femme. Et en leur fichant la paix avec les fiches! Et l'amour vaut bien toutes les sciences, qu'elles soient approximatives ou qu'elles se veuillent très exactes.

Autant la prose scientifique se veut objective, autant la poésie se veut subjective. L'homme de science, dans son travail de scientifique, doit, le plus possible, faire abstraction de son *Je,* de ses émotions, de ses passions; il doit être, le plus possible, impersonnel, imperturbable, impartial, neutre comme la table de multiplication. Dans la poésie, au contraire, la passion du *Je* face à l'objet contemplé doit être, si possible, extatique, excessive; sinon, le poète neutre, uniquement lucide et logique, n'engendrera que des œuvres poétiques froides, mort-nées, des monstres hybrides, bref, de la *proésie,* ou de la patapoésie.

L'homme de science fuit l'image claire-obscure; pour le poète, cette image est, avec le rythme, sa respiration même. Limitons-nous, ici, à le constater; plus loin, nous verrons pourquoi.

La prose utilitaire, celle de l'information, et celle qui vise à transmettre des connaissances, considère la répétition comme une peste, ou une perte de temps. Qu'elle parle de son sujet en une demi-page, en cinquante pages, ou en cinq cents pages, elle nous dit: «Je vais vous dire; je vous dis; je vous ai dit. Si vous n'avez pas compris, c'est que je me suis mal exprimé, ou que vous avez fait exprès pour ne pas comprendre.» La poésie, elle, comme toute forme d'art, est plutôt obsédée par la répétition. Répétition au cœur même du rythme, comme on le verra plus loin; mais aussi répétitions de tous genres, comme on le verra aussi. Ce qui exaspère les prosaïques, pressés d'en finir au plus vite et de boucler la boucle. La ligne droite de la prose; les multiples cercles concentriques de la poésie.

*

Évidemment, la frontière entre la prose et la poésie n'est pas toujours aussi bien délimitée qu'elle peut l'être entre le bottin téléphonique et une cantate de Bach. Cette frontière peut être aussi imperceptible que la limite qui sépare l'automne de l'hiver, l'inconscience de la conscience, l'eau chaude de l'eau en ébullition. Parfois, il y a une rupture évidente: c'était du bois prosaïque, et voici la flamme poétique; c'était de la glace, et voici maintenant l'eau courante.

Si on saisit assez bien les deux états extrêmes, on analyse mal les passages parfois imperceptibles: il y a l'aube et le crépuscule, ces moments entre chien et loup, où un chat n'est pas infailliblement un chat, et où le lièvre peut fort bien être un lapin. Un choral de Bach est sans contredit un chant; mais même dans la parole humaine très quotidienne souvent interviennent des intentions, des intonations, des rythmes qui déjà l'acheminent vers le chant. Qui analyserait au ralenti les mouvements de la marche, y verrait une esquisse de la danse; et dans les pas les mieux dansés subsiste toujours le mécanisme de la marche prosaïque. De même, entre le menuisier et le sculpteur sur bois s'établissent des échanges, où les distinctions entre l'artiste et l'artisan apparaissent subtiles, au point d'être vaines.

Il y a des textes en prose qui empruntent à la poésie l'un ou l'autre de ses attributs majeurs: la comparaison et le rythme. Les paraboles de l'Évangile, par exemple. Jésus ne parlait pas comme un homme d'affaires, un biologiste ou un mathématicien. Il disait:

> «Voici que je vous envoie comme des brebis au milieu des loups: soyez donc prudents comme les serpents, et simples comme les colombes.»

Langage qui n'a rien de la précision scientifique. De même, les paraboles de l'enfant prodigue, de l'ivraie, du bon Samaritain. Jésus ne parlait jamais autrement que par paraboles. Ponce Pilate, lui, parlait toujours en prose. C'était ce qu'on appelle pompeusement «un homme d'affaires, un homme d'action». Et s'il lui arrivait de toucher à la poésie, vite il se lavait les mains.

*

Et voici deux de ces textes où prose et poésie sont inextricablement liées; et bien malin qui dirait où finit la prose, ici, et où commence la poésie:

> [...] Ô Lou, Lou câline et tendre, je t'adore car tu es ce que l'univers a de plus parfait, tu es ce que j'aime le mieux, tu es la poésie, chacun de tes gestes est pour moi toute la plastique, les couleurs de ta carnation sont toute la peinture, ta voix est toute la musique, ton esprit, ton amour

toute la poésie, tes formes, ta force gracieuse sont toute l'architecture. Tu es pour moi le résumé du monde, il disparaîtrait qu'en toi je retrouverais toute la nature si belle en tout temps et partout. Ô Lou bien aimée, sois bénie pour m'avoir donné un amour inouï, plus fort que tous les amours qu'aient jamais inventés les hommes. Sois bénie pour t'être donnée complètement sans restrictions. Sois bénie d'être belle comme tu l'es, sois bénie dans tes yeux, dans ta bouche, sois bénie dans tes seins qui sont de petits piments faisant des caprioles, sois bénie dans tes lombes où vibre la noire et terrible volupté, sois bénie dans tes jambes qui sont les socles du plus beau monument que la terre ait vu, ton corps de déesse, sois bénie en tes pieds qui sont forts et que j'ai baisés un jour, les croyant difformes et qui ont la beauté des pieds des femmes grecques qui marchaient toujours à pied. Je t'adore. Sois bénie en ta chevelure qui est comme du sang versé. Je t'aime.

Bonsoir Amour

Gui

Guillaume APOLLINAIRE, *Lettres à Lou.*

L'abatis

Ce soir, l'air étant calme et les bûchers, secs, l'ordre de feu a été donné sur un front de vingt-cinq lots.

Je parcours la ligne. Tous les hommes ont été mobilisés.

À neuf heures, c'est l'enfer. C'est l'explosion de toute fibre, l'éruption de tout le soleil accumulé là depuis des siècles, le retour furieux et bondissant de la plus violente force élémentaire. On dirait qu'un coup de pique a crevé les entrailles du monde et que la flamme intestinale éclate de toutes parts.

Vers minuit, l'exaltation passée, les hommes s'approchent, vont et viennent autour des feux. À grands coups de muscles, ils rejettent dans les brasiers les débris de la combustion et les souches tentaculaires.

Ô splendides et pareils aux démons, héros du ministère infernal, vous, Alexis le rouge, Lucon le noir, et les autres, humains redoutables, aux fronts cornus, aux bras multiples et longs, et arborés jusqu'à l'éther, prodigieux vanneurs d'étincelles que le vent éparpille au fond de la nuit! Tandis que je vous regarde, et vos gestes, et les monstres que vous avez vaincus, et vos ombres géantes, et les boucliers d'or que vous agitez dans les ténèbres, je crois revivre les temps héroïques de la démesure et revoir en vous ceux que les anciens ont chantés: Héraclès, Méléagre, les Dioscures et le divin Orphée, et tant d'autres, égaux à des labeurs qui s'étendaient de l'Hadès aux étoiles.

Allez! les miens qui délivrez la terre de mon pays: dansez, cette nuit, autour des cratères où bout le feu vermeil. J'aime à retrouver en vous les travaux fabuleux, les muscles vainqueurs, les cris exaltés, la furie, l'extase.

Et que j'évoque ici les noms d'Euphronios d'Athènes, de Douris et de Brygos qui peignaient, aux ventres des coupes, les héros noirs et rouges, les demi-dieux beaux et jeunes, et comment Persée tua la Gorgone, et comment Héraclès captura la biche aux pieds d'airain et les bœufs du triple Géryon.

Cependant que l'argile tournait devant eux, leurs mains glorieuses et jalouses du soleil traçaient autour des vases les zones héroïques.

Artisans de la plus noble ivresse! c'est de vous qu'une race apprit à maintenir longtemps devant ses yeux les grands poèmes dont vous encercliez le vin. Oh! le regard fier et lumineux des athlètes et des guerriers d'Athènes, lorsque des coupes mémoriales jaillissaient les Muses et le noble désir d'être vainqueur dans les jeux et les combats!

Et je songe: dans une coupe qu'un artisan de chez nous façonnerait de notre argile, où tournerait, comme cette nuit, la procession des Titans, oh! le grand vin de force et d'immortalité que la jeunesse de mon pays pourrait boire!

Félix-Antoine SAVARD, *L'abatis*,
Fides, Ottawa, 1943, 159 pages.

Deux textes manifestement écrits pour célébrer la Beauté, et non pour satisfaire des besoins de communication utilitaire.

Le langage, ici, n'a pas pour unique but de transmettre des messages clairs, mais de ravir, de séduire, de charmer, d'envoûter, d'enivrer. Les deux auteurs laissent éclater leurs passions, leurs émotions, et ne recherchent pas l'impartialité impersonnelle du logicien prosaïque: ils sont extasiés, et leur texte porte toutes les marques de cet enivrement. Les exclamations et les répétitions abondent, deux extravagances ou pertes de temps aux yeux d'un émetteur qui veut être direct, précis, clair comme 2 + 2 font 4. Tout spontanément, ils utilisent la comparaison: leur texte, bien que solidement enraciné dans l'objet de leur contemplation, s'épanouit dans toutes les directions, au lieu de se concentrer sur un seul point d'analyse, comme le feraient les textes d'un physicien, d'un économiste, d'un historien, d'un statisticien, bref, de tout scientifique. En conséquence, les images, liens créés entre les êtres, abondent, ici; autant que dans les poèmes de la meilleure race.

Alors, que manque-t-il à ces textes pour qu'ils soient de la poésie au sens strict? Le rythme, surtout. Ces textes sont rythmés, certes, et d'un rythme beaucoup plus prononcé que celui de la prose de communication; cependant, ce rythme n'a pas été suffisamment poussé pour parvenir à l'harmonie rigoureuse de la danse. Mais, pour écrire de très beaux textes, un écrivain n'est pas tenu de danser; il sera tenu de danser, s'il choisit d'écrire en poésie.

*

Je terminerai cet essai de définition par quelques comparaisons qui, malgré leur imprécision, me semblent plus satisfaisantes que celles des dictionnaires les mieux cotés à la Bourse.

Quand on passe de la prose à la poésie, il semble, à première vue, qu'il ne se produise aucune transformation substantielle, puisque les deux utilisent une même langue comme moyen d'expression. En réalité, on passe d'un monde à un autre, d'une planète à une autre, d'un état psychologique à un autre. Prose et poésie n'ont de commun que des points secondaires; leur essence diffère.

La prose, c'est la marche; la poésie, c'est la danse. Qu'il marche ou qu'il danse, l'homme utilise les mêmes pieds, le même corps; mais l'intention, le résultat n'ont rien de commun. La marche est bien pratique: elle permet d'aller quelque part. Mais on ne danse pas pour aller quelque part: on danse pour entrer au royaume de l'âme, là où les pieds seuls ne peuvent conduire.

La prose, c'est la peinture, quand je me sers de la peinture pour peinturer ma clôture; la poésie, c'est quand j'utilise la couleur pour peindre un tableau. Peinturer sa clôture, c'est un acte sensé; mais l'homme ne vit pas que de clôtures bien peinturées: il lui arrive d'avoir envie de jouer avec les couleurs pour un autre objectif que celui de protéger son bois de la pourriture. Son âme aussi a besoin de la couleur du peintre pour ne pas pourrir.

L'homme, pour répondre à ses besoins élémentaires, parle en prose. C'est déjà une belle réussite, si on la compare à celles du singe. Mais il éprouve parfois le besoin de chanter, au lieu de parler. Pourquoi donc? Ne pourrait-il pas parler toute sa vie et dire des choses sensées, sans jamais chanter? Tu chantes, ou tu parles en poésie, quand la simple parole prosaïque ne suffit plus à dire ce que tu veux dire; quand tu as dit tout ce que tu avais à dire en prose et que, pourtant, tout reste à dire. Alors tu sens un impérieux besoin de donner au langage une exaltation, une perfection, une dignité auxquelles la prose ne peut plus suffire. Et s'il n'y avait pas de chant, la vie serait aussi terne que si on supprimait toute forme de danse, toute forme de peinture autre que celle des clôtures.

La prose, c'est quand tu manges le raisin. Et certes, le raisin est bel et bon. La poésie, elle, presse le raisin, en tire le jus et transforme ce jus en vin ou en alcool. Et les peuples, si on les privait de vin ou d'alcool, deviendraient tristes et sinistres comme des machines à vapeur, des lessiveuses, ou bêtes et insipides comme veaux de lait.

La prose, c'est quand tu te sers de ta main pour lacer tes souliers, cogner un clou, te gratter le menton, faire ta déclaration à l'impôt, montrer au touriste la route à ne pas prendre, écrire au tableau la formule de la relativité ou la courbe de l'inflation; la poésie, c'est quand tu te sers de cette même main pour jouer du piano, dessiner le profil de Lou, diriger un concerto, caresser les seins de Lou, tâter le pouls d'Andromède ou écrire *À la claire fontaine*.

La prose, c'est le cèdre que tu coupes, tailles et fixes pour t'en faire une galerie ou une béquille; la poésie, c'est quand tu sacrifies le cèdre pour en faire un feu de camp autour duquel les yeux se mouillent de tendresse et les cœurs s'ensemencent d'étoiles. Quand l'homme ne fera plus de feux «inutiles», il sera devenu un petit commis sec se chauffant le cœur à l'électricité et à la prose. Que ce petit commis déshydraté soit ou non premier ministre.

*

Mon essai de définition de la poésie apparaîtra évidemment bien simpliste et choquant de clarté aux charabiants des revues et colloques d'avant-garde. Eux veulent qu'on parle de la poésie en termes fulgurants d'obscurité et de pédantisme. Voici un exemple de ce langage d'extraterrestre. C'est un extrait d'un article de Denis Aubin, «Poésie québécoise: mutations/fluctuations», paru dans la revue *Lettres et Cultures de langue française*, n° 3/1985:

> Généralisons: entre les nouvelles lisibilités et la poussée radicale des idéels; entre le néo-romantisme urbain des «dandys de métal» (Jean-Paul Daoust) et les écritures post-formalistes: chute le réel. L'écriture, certes, continue de questionner «ce véritable travail transformateur du texte et de l'écriture» (Normand de Bellefeuille), vibre à même le corps; tantôt commence de s'écrire dans une recherche de l'unité de la forme et du sens (pour parler ici les mots de l'usure), pratique l'éternel retour de l'être-auprès-de-soi; tantôt questionne la transformation de l'espace et du temps, dans le texte, mais également, ailleurs, jusque dans le livre-forme, le livre-sens, en tant qu'il est tout entier ob-jet: ob-jet-forme et à la fois ob-jet de sens, dans une levée d'écritures nombreuses (entendre ici tout ce qui peut être concerné par la rencontre de marques) qui stratifient, intersignent le décentrement. Manifestement d'avant-coup:

> écritoire. Ainsi, là, s'opère, maintenant: la fuzzification des réels. Où le sens n'est plus au multiple mais à la dissémination. Où le livre n'est plus un livre mais un distributeur de tensions et de chutes; où les résistances travaillent «l'imagination théorique» (pour emprunter une expression de France Théoret), opposent aux digits, la fluctuation radicale des analogues contre le thétique et l'homogénèse, paléonymes du vieux logocentrisme.

Voilà comment il faut s'exprimer, si on veut être pris au sérieux par les prospecteurs de pointe travaillant aux «digits», en vue d'obtenir «la fuzzification des réels» et de ta sœur.

J'ai donc la conscience aiguë que non seulement mon essai de définition de la poésie, mais aussi tout le contenu de ce livre sont à contre-courant de toutes les savantes «fuzzifications» patapoétiques et des sparages lyrico-pédants bien en vogue aujourd'hui, dans les salons d'initiés, dans les forums universitaires et sur les plages du Collégial. Jusqu'au jour où, peut-être, on éprouvera à nouveau le besoin légitime de savoir un peu mieux de quoi on parle, et celui non moins légitime de comprendre un peu ce qu'on dit soi-même de la chose dont on parle. Cette aurore est-elle prochaine ou lointaine? *Chi lo sa*? À vous de me le dire. «*Custos, quid de nocte*: Sentinelle, que vois-tu dans la nuit?» Que vois-tu dans cette bouillie mentale, dans «la fluctuation radicale des analogues contre le thétique et l'homogénèse, paléonymes du vieux logocentrisme»? Au moins, entrevois-tu, dans cette nuit épaisse, les contours indécis de la sœur du gars qui a écrit ça?

Le Trissotin de Molière faisait de la poésie élégante, poudrée, savonnée, maniérée, pédante, creuse; et dans les salons parisiens perruqués, ses trissotinades-limonades faisaient se pâmer d'extase creuse les pimbêches érudits de son temps. Aujourd'hui, nous ne manquons pas d'ilotes bien diplômés, d'avant-gardistes perruqués et entreprenants pour maintenir cette tradition «poétique» aussi écœurante que raffinée.

CHAPITRE DEUXIÈME

L'ÉTAT POÉTIQUE

On parle d'état de grâce, d'état musical, d'état poétique, d'état amoureux; mais personne, que je sache, n'a le mauvais goût de parler d'état mathématique, d'état informatique, d'état administratif, d'état bancaire. Pourquoi donc? Il semble qu'on ait compris, de façon instinctive d'abord, puis raisonnée, que pour faire des activités prosaïques comme celles mentionnées plus haut, aucun état spécial de grâce et d'inspiration n'était requis: à la rigueur, il suffit alors de prendre son courage à deux mains, de se passer le collier au cou et de haler prosaïquement, de faire consciencieusement son boulot de 9 heures à 5 heures, dans les conditions minimales prévues par les conventions collectives ou sociales.

Mais pour écrire une lettre d'amour, il faut être en état amoureux; sinon, ta déclaration d'amour sera aussi enlevante qu'une déclaration d'impôt. Et faire, ou même lire, de la poésie, sans être plus inspiré qu'un fonctionnaire bien syndiqué ou qu'un étudiant «branché» sur l'idéal du minimum, c'est comme arroser les rosiers de ton jardin par –40°, avec l'espoir de les voir fleurir en février.

Tout le monde sait qu'Hector, Hélène, toi et moi, ne filons pas toujours le même coton: parfois, nous filons un mauvais coton; parfois, nous filons un bon coton. Habituellement, nous filons de la prose; parfois, nous filons de la poésie. Nos états d'âme sont donc aussi variables, plus variables, que nos états de santé et les fluctuations de la marée ou de la Bourse. Reste à clarifier quelque peu ce que nous pouvons nommer, faute d'un terme plus précis, l'état poétique.

Disons d'abord que, contrairement à ce qu'en pense l'opinion majoritaire, l'état poétique n'est pas une dépression, une illusion ou une maladie plus ou moins honteuse comme le SIDA, ou le SIDMAC (Syndrome d'Immuno-Déficience Mentale Acquise et Cultivée). C'est, au contraire, une exaltation, une réalité aussi réelle que les arbres et les chats, un état de santé de l'âme aussi honorable que la joie et l'amour. Si on tient à tout prix à parler ici de maladie, disons que c'est l'homme allergique à l'état poétique ou anesthésié contre l'état poétique qui serait atteint d'une maladie chronique grave: son âme serait congelée, ou devenue souple, vivante et mélodieuse comme une égoïne.

L'état poétique, tout être humain l'éprouve plus ou moins souvent, plus ou moins intensément. C'est un état de grâce naturelle, où l'homme redécouvre sa vraie vocation: celle de la contemplation, de la communion avec son être profond, avec l'ÊTRE, la VIE globale. Et celui qui, une fois, a entendu le murmure ou le chant de la VIE, est blessé pour la vie d'une blessure qui le garde ouvert sur l'ÊTRE et qui l'empêchera d'être jamais satisfait du réalisme étriqué-prosaïque des gens dits réalistes.

En cette vie, toute vie est un mystère, illimité, insondable. L'homme vit vraiment, dans la mesure où il a le sens du mystère de la vie. Privé de ce sens, il est réduit à vivre, de façon consciente, au niveau des sens; et ce qu'il saisit alors de lui-même et du monde, c'est le plus superficiel: la taille de Lou, le nombre de ses globules rouges, son signe du zodiaque, son compte en banque...

Certes, l'homme peut, consciemment ou non, se retrancher de la Vie et du mystère, insonoriser son âme contre les rumeurs de la Vie, construire son home loin des marées troublantes, avec un bon toit pour échapper au vertige des galaxies.

Mais viennent la joie, la tristesse, l'amour; et alors sautent toutes ces digues dérisoires. Sautent aussi les murs insonorisés et les plafonds imperméables. Deux notes de guitare, et craquent tous les échafaudages de la logique efficace-pratique-rentable. L'un des principaux rôles de la raison, et sans doute le principal, c'est de faire voir, non pas l'impuissance de la raison, mais ses limites*. La joie, la tristesse, l'amour ne peuvent être saisis, définis, maîtrisés par la raison. Parce qu'ils sont des moments de vie intense; et la vie, de toutes parts, déborde la raison.

Dans le quotidien neutre, tu as l'impression, vaniteuse et rassurante, de contrôler ta vie, la vie, de les mener à ta guise. Parfois, heureusement, la vie, au lieu de se laisser mener en laisse, entre chez toi. Elle entre, comme un océan, par des brèches comme celles de la joie, de la douleur, de l'amour. Et l'océan ne se mène pas à ta guise: l'océan te porte, t'emporte, casse les amarres: tu es embarqué! Les courants océaniques déracinent tes ancres: tu es à la dérive! Tu peux alors garder ta boussole et tes rames; mais tu sais, tu finis par comprendre que tu es loin de tout comprendre. Sur l'océan, tu peux faire tout autre chose que te noyer; mais, à moins d'être bouché comme un caillou, l'homme embarqué sur l'océan finit par se rendre compte qu'entre l'eau de son bain quotidien et l'océan Pacifique, il y a une marge: une marge océanique.

Ces états poétiques, ces moments forts où il échappe aux limites ternes et étriquées du quotidien rendu prosaïque par sa propre faute, l'homme ne les utilisera pas nécessairement pour en faire de la poésie écrite: il pourra tout aussi bien en faire de la musique, de la peinture, du chant, de la danse, ou toute autre forme de création engendrée par un surplus de vie, par le désir véhément d'incarner dans des œuvres concrètes les rêves de l'homme ouvert sur l'infini. L'homme politique, l'homme de science, le stratège militaire peuvent, eux aussi, connaître de ces moments intenses d'extase, où ils ont la sensation de vivre au rythme de l'univers, de le modeler selon le désir impétueux de tout leur être. Leurs poèmes à eux, ce sera des empires, des fusées, des lois physiques, philosophiques ou biologiques cherchant à expliquer, à maîtriser le cosmos et l'homme.

---

* «Par ailleurs, en fréquentant mon maître, je m'étais rendu compte... que la logique pouvait grandement servir, à condition d'y entrer et puis d'en sortir.» (Umberto ECO, *Le nom de la rose*)

La poésie est l'effet d'un certain besoin de faire, de réaliser avec les mots l'idée qu'on a eue de quelque chose. Il faut donc que l'imagination ait eu une idée vive et forte, quoique d'abord et forcément imparfaite et confuse, de l'objet qu'elle se propose de réaliser. Il faut en plus que notre sensibilité ait été placée à l'égard de cet objet dans un état de désir, que notre activité ait été provoquée par mille touches éparses et mise en demeure pour ainsi dire de répondre à l'impression par l'expression. L'œuvre d'art est le résultat de la collaboration de l'imagination avec le désir.

Paul CLAUDEL, *Réflexions sur la poésie*,
Flammarion, Paris, 1963, 125 pages.

*

Voici quatre textes où nous sont décrits quatre états poétiques vécus par des gens très différents et dans des circonstances qui n'ont, semble-t-il, rien en commun. Car n'importe quoi peut provoquer cet état, n'importe qui peut l'éprouver, parce que la VIE est là en attente, hors de l'homme, en l'homme. N'importe qui, n'importe quand, peut se brûler à ce volcan, tituber sur les houles de cette marée montante.

Les grandes mers de mai avaient fait monter l'eau de nouveau. À mesure qu'il avançait, le Survenant s'étonna du paysage, différent de celui qu'il avait aperçu, l'automne passé. En même temps il avait l'impression de le reconnaître comme s'il l'eût déjà vu à travers d'autres yeux ou encore comme si quelque voyageur l'ayant admiré autrefois lui en eût fait la description fidèle. Au lieu des géants repus, altiers, infaillibles, il vit des arbres penchés, avides, impatients, aux branches arrondies, tels de grands bras accueillants, pour attendre le vent, le soleil, la pluie: les uns si ardents qu'ils confondaient d'une île à l'autre leurs jeunes feuilles, à la cime, jusqu'à former une arche de verdure au-dessus de la rivière, tandis qu'ils baignaient à l'eau claire la blessure de leur tronc mis à vif par la débâcle; d'autres si remplis de sève qu'ils écartaient leur tendre ramure pour partager leur richesse avec les pousses rabougries où les bourgeons chétifs s'entrouvraient à peine.

Tout près un couple de sarcelles se promenait. Indolente, la cane retourna à sa couvée pendant que le mâle s'ébrouait avec fierté, mais tout le temps vigilant à l'égard de la jeune mère. Ni l'un ni l'autre ne se montrèrent farouches à l'approche de l'embarcation. Le sentiment de la vie était si fort en eux qu'il leur faisait dominer leur peur naturelle de la mort.

La chaloupe navigua dans un chenal de lumière entre l'ombrage de deux îles, lumière faite du vert tendre des feuilles, de la clarté bleue du ciel et de la transparence de l'eau, sûrement, mais aussi lumière toute chaude de promesse, de vie, d'éternel recommencement. Un courage inutile assaillit le Survenant. Une ardeur nouvelle força son sang. Il eût voulu se mesurer à une puissance plus grande que lui, abattre un chêne, vaincre un dur obstacle ou peut-être bâtir une maison de pierre. Seul, il eût crié à toute sa force. D'instinct, il se mit à percher si rapidement que la chaloupe faillit verser.

Germaine GUÈVREMONT, *Le Survenant*,
Fides, Montréal, 1974, 248 pages.

Agaguk

Quelqu'un se mit à faire une chanson. Il parlait d'Agaguk, grand chasseur. Et il chantait aussi Tayaout qui serait bien le plus grand chasseur des temps, fils d'un tel père. La chanson dura longtemps. Agaguk s'en saoulait. Elle agissait sur lui comme une eau-de-vie de Blanc. Il riait béatement tout d'abord, puis soudain il se leva et se mit à courir en rond en criant, comme ils en avaient tous l'habitude, une fois surexcités. *Insumane ayorlugo*. Il ne pouvait plus rien contre sa pensée! Iriook battait des mains, les autres femmes aussi. Et pendant qu'Agaguk courait ainsi, incontrôlable, les hommes criaient, trépignaient, et l'un d'eux, brandissant un long couteau, hurlait: «Adlaoyunga!» Je suis un autre! Je suis un autre!

Yves THÉRIAULT, *Agaguk*.

La muse qui est la grâce

Encore! encore la mer qui revient me rechercher comme une barque,

La mer encore qui retourne vers moi à la marée de syzygie et qui me lève et remue de mon ber comme une galère allégée,

Comme une barque qui ne tient plus qu'à sa corde, et qui danse furieusement, et qui tape, et qui saque, et qui fonce, et qui encense, et qui culbute, le nez à son piquet.

Comme le grand pur-sang que l'on tient aux naseaux et qui tangue sous le poids de l'amazone qui bondit sur lui de côté et qui saisit brutalement les rênes avec un rire éclatant!

Encore la nuit qui revient me rechercher,

Comme la mer qui atteint sa plénitude en silence à cette heure qui joint à l'Océan les ports humains pleins de navires attendants et qui décolle la porte et le batardeau!

Encore le départ, encore la communication établie, encore la porte qui s'ouvre!

Ah! je suis las de ce personnage que je fais entre les hommes! Voici la nuit! Encore la fenêtre qui s'ouvre!

Et je suis comme la jeune fille à la fenêtre du beau château blanc, dans le clair de lune,

Qui entend, le cœur bondissant, ce bienheureux sifflement sous les arbres et le bruit de deux chevaux qui s'agitent,

Et elle ne regrette point la maison, mais elle est comme le petit tigre qui se ramasse, et tout son cœur est soulevé par l'amour de la vie et par la grande force cosmique!

Hors de moi la nuit, et en moi la fusée de la force nocturne, et le vin de la Gloire, et le mal de ce cœur trop plein!

Si le vigneron n'entre pas impunément dans la cuve,

Croirez-vous que je sois puissant à fouler ma grande vendange de paroles,

Sans que les fumées m'en montent au cerveau!

Ah, ce soir est à moi! ah, cette grande nuit est à moi! tout le gouffre de la nuit comme la salle illuminée pour la jeune fille à son premier bal!

Elle ne fait que de commencer! Il sera temps de dormir un autre jour!

Ah, je suis ivre! ah, je suis livré au dieu! j'entends une voix en moi et la mesure qui s'accélère, le mouvement de la joie,

L'ébranlement de la cohorte Olympique, la marche divinement tempérée!

Que m'importent tous les hommes à présent! Ce n'est pas pour eux que je suis fait, mais pour le

Transport de cette mesure sacrée!

Ô le cri de la trompette bouchée! ô le coup sourd sur la tonne orgiaque!

Que m'importe aucun d'eux? Ce rythme seul! Qu'ils me suivent ou non? Que m'importe qu'ils m'entendent ou pas?

Voici le dépliement de la grande Aile poétique!

Que me parlez-vous de la musique? laissez-moi seulement mettre mes sandales d'or!

Je n'ai pas besoin de tout cet attirail qu'il lui faut. Je ne demande pas que vous vous bouchiez les yeux,

Les mots que j'emploie,

Ce sont les mots de tous les jours, et ce ne sont point les mêmes!

Vous ne trouverez point de rimes dans mes vers ni aucun sortilège. Ce sont vos phrases mêmes. Pas aucune de vos phrases que je ne sache reprendre!

Ces fleurs sont vos fleurs et vous dites que vous ne les reconnaissez pas.

Et ces pieds sont vos pieds, mais voici que je marche sur la mer et que je foule les eaux de la mer en triomphe!

Paul CLAUDEL, *Cinq grandes odes*,
Gallimard, Paris, 1936, 166 pages.

Un jour Elsa ces vers

Qu'ai-je en moi qui me mord ce monstre ce cancer
Au fond de moi par moi vainement étouffé
Je le sens par moments me monter par bouffées
C'est comme un autre en moi qui donnerait concert
C'est un autre moi-même un autre furieux
Qui ne m'écoute pas terrible et me ressemble
Il faut coûte que coûte avec lui marcher l'amble
Je déborde d'un chant sublime impérieux

Un chant qui se soucie aussi peu de moi-même
Que la flamme de l'âtre ou du rideau le vent
L'ivresse du buveur la balle du vivant
Un chant qui fait sauter les gonds de mes poèmes
Un chant portant la nuit de l'aigle sur sa proie
Un chant d'incendie à l'heure de la grand'messe
Derrière lui par les moissons qui rien ne laisse
Un chant comme la peste toujours à l'étroit

Mille archets frémissants dont je n'ai pas maîtrise
Au signe s'ébranlant que je n'ai pas donné
Je suis le siège obscur d'éclatantes menées
Et le silence en moi comme un carreau se brise
Mille archets frémissants mis en marche à la fois
Attaquant à la fois leur morceau de bravoure
Et leurs violons noirs font de ma nuit leur jour
De mes refrains secrets leurs violentes voix

Je ne suis plus l'écho que de mon avalanche
Ce langage qui roule avec lui ses galets
Et tant pis en chemin s'il m'écrase où j'allais
Que mon cœur reste rouge et que mes mains soient blanches
Ne demeure de moi qu'un peu de mélodie
Des rafales de vent sur des éclats de verre
Un peu de ma folie un peu de printemps vert
Un jour on entendra le reste que j'ai dit

Un jour Elsa mes vers qui seront ta couronne
Et qui me survivront d'être par toi portés
On les comprendra mieux dans leur diversité
Par ce reflet de toi que tes cheveux leur donnent

Un jour Elsa mes vers en raison de tes yeux
De tes yeux pénétrants et doux qui surent voir
Demain comme personne aux derniers feux du soir
Un jour Elsa mes vers on les comprendra mieux

Alors on entendra sous l'accent du délire
Dans les aveugles mots les cris de déraison
Par cet amour de toi sourdre la floraison
Des grands rosiers humains promis à l'avenir
Alors on entendra le cœur jamais éteint
Alors on entendra le sanglot sous la pierre
Que l'on verra saigner où s'attacha mon lierre
On saura que ma nuit préparait le matin

Un jour Elsa mes vers monteront à des lèvres
Qui n'auront plus le mal étrange de ce temps
Ils iront éveiller des enfants palpitants
D'apprendre que l'amour n'était pas qu'une fièvre
Qu'il n'est pas vrai que l'âge assurément le vainc
Que jusqu'au bout la vie et l'amour c'est pareil
Qu'il y a des amours noués comme une treille
Tant que la veine est bleue il y coule du vin

Un jour Elsa mes vers que leur ajouterais-je
D'autres qui les liront le diront après nous
Mon bras est assez fort pour lier tes genoux
Ne compte pas sur moi que l'étreinte s'abrège
Il n'est plus de raison pour la rose vois-tu
Car ceux-là qui vont lire un jour Elsa mes vers
N'y peuvent séparer ton nom de l'univers
Et leur bouche de chair modèle ta statue

Louis ARAGON, *Elsa,*
Gallimard, Paris, 1959, 125 pages.

Le Survenant n'est pas un intellectuel, un «littéraire», un instruit, un analphabète diplômé d'aujourd'hui. C'est tout le contraire: un manuel, bûcheron-agriculteur-chasseur, une espèce d'aventurier, coureur des bois et du monde. Mais ce matin-là, il est, tout simplement, tout bonnement, tout bellement, un homme parmi les hommes. Par ses cinq sens et quelques autres, la Vie extérieure, comme une grande marée cosmique, s'empare de lui, bouscule toutes les barrières du quotidien. Lui-même, à ce contact, à cette charge, à cette irruption aussi violente que douce, s'abandonne d'abord; puis, il éprouve, presque nécessairement, le besoin impérieux d'y participer, d'associer son propre feu à celui de ce volcan, de pétrir cette lave en fusion pour la modeler à l'image de ses rêves.

L'état poétique, c'est donc un ravissement, une extase, une force, terrible et mystérieuse, comme toute grande passion. Quand nous l'éprouvons, tout notre être devient survolté, notre moteur tourne à une vitesse vertigineuse. Mais, souvent, nous ne savons trop comment utiliser cette énergie volcanique, océanique, cosmique. Pour la rendre efficace, il faut lui trouver un point d'application; cette roue motrice, mise en marche par l'eau des cataractes, il nous faut la brancher, l'engrener sur d'autres roues, qui à leur tour actionnent la meule du moulin, qui moudra le grain, qui donnera le pain. Ou, pour varier l'image, ton moteur a beau tourner à plein régime, tu resteras là, dans ta voiture immobile, ne sachant trop quoi faire de ce moteur endiablé, aussi longtemps que tu n'auras pas la bonne idée d'embrayer, pour aller quelque part.

C'est pourquoi il est tellement utile de se donner les outils d'exécution les plus perfectionnés possible: quand la grande roue de l'inspiration se mettra en marche, nous pourrons utiliser cette énergie, la canaliser, lui faire produire une de ces merveilles qui honorent le génie humain. Sans ces outils d'exécution, chèrement conquis, tout ce beau surplus d'énergie qui, lui, nous est donné gratuitement, se dissipera en fumée, en poussière, en vent, en paresse, en vains sparages dans le vide.

Le Survenant, ce matin-là, est donc en état poétique. Musicien, il aurait fait de cette extase vitale une symphonie; peintre, il en aurait fait un tableau chargé de fureur et de tendresse; poète, il aurait écrit un texte de feu, capable de calciner tous les bottins téléphoniques, les manuels de science, les livrets de chèques et les formulaires de déclaration d'impôt. Utilisant les matériaux et les techniques appropriés à l'un ou l'autre de ces arts, le Survenant aurait laissé chanter son être profond, son âme, à l'unisson de cette vie globale captée par tous ses sens et qui le gorgeait de force et de tendresse. Il vivait au maximum; son œuvre aurait porté la marque de cette vie; pas nécessairement, pas automatiquement, mais plus sûrement que s'il avait voulu créer à froid.

*

Agaguk, lui aussi, est un homme «bien ordinaire»: chasseur inuk, sans aucun diplôme, citoyen anonyme du Grand Nord. Mais cet homme «ordinaire», vous et moi, ou n'importe qui, n'a rien d'ordinaire. Tout homme est un être extraordinaire, prodigieux. Et il arrive à cet homme de vivre des moments extraordinaires, de ces états d'âme où il redécouvre sa vraie nature, son âme, une âme toute neuve, sous la croûte de la routine, de la vie terne. Ce soir-là, Agaguk est enivré; pas uniquement, pas surtout, par l'eau-de-vie, mais surtout par la Vie, par ses rêves de grandeur pour lui et son fils. Ce qu'éprouve alors Agaguk, Beethoven l'a éprouvé au moment où l'envahissait sa *Neuvième Symphonie*; et tout homme normal l'éprouve quand il tombe dans l'amour, ou la mort, ou la tristesse, ou la joie, ces hautes réalités communes à tout homme, qu'il soit de haute ou de petite «extrace».

*

Les deux autres textes sont de poètes. Claudel nous dit ce qui se passe en lui quand la Muse, l'inspiration poétique, l'arrache à son «personnage» quotidien et prosaïque d'ambassadeur. Il éprouve, pour l'essentiel, ce qu'éprouvaient le Survenant et Agaguk. «L'ardeur nouvelle», qui forçait le sang du Survenant et d'Agaguk, force le sien. Tous ses sens, toute son âme entrent en état d'ébullition. Il est survolté. Éclatées, les limites de l'horizon quotidien! «Voici le dépliement de la grande Aile poétique»; il n'est plus moineau volant en rase-mottes: il est albatros, il peut marcher sur la mer en triomphe! Quel amoureux ne connaît pas ces ailes et tous ces océans qu'il foule en triomphe, de même que «la terre et la lune avec le soleil», comme dit Vigneault?

*

Éluard, lui, c'est l'amour d'Elsa et pour Elsa qui l'emporte à la manière d'une avalanche. Pas plus qu'Agaguk, le Survenant ou Claudel, il n'est maître de cette ivresse. Ce sont mille archets dont il n'a pas maîtrise; ce n'est pas lui qui dirige la Vie exaltée: c'est elle qui chante en lui avec une tendre fureur. Lui n'en est plus que l'écho, non pas passif, certes, mais tout consentant, tout livré à cette musique cosmique, à ces lames de fond aux pulsations océaniques.

*

Ces textes, comme d'ailleurs tous les textes de poésie authentique, nous permettent de préciser deux caractéristiques de cette ivresse poétique que goûte à l'occasion toute âme bien née et qui a mérité de rester vivante. Cet état poétique ouvre l'homme sur le cosmos et, en même temps, provoque chez lui une relation nouvelle avec ce cosmos; relation si forte, si féconde, qu'il en naîtra une réalité nouvelle qu'on pourrait appeler cosmos-homme. Considérons plus attentivement ces deux caractéristiques.

2.1 OUVERTURE AU COSMOS

Toute œuvre d'art authentique, tout poème vivant, en même temps qu'ils sont jalousement cernés par une forme précise comme celles d'un homme, d'une rose ou d'un goéland, sont également centrifuges, éclatés vers l'extérieur, en relation multiple avec la vie globale. Dans un poème vivant, l'objet chanté reçoit sa vie de mille choses qui lui sont apparemment étrangères. Ce n'est pas une simple mélodie qui poursuit sa propre danse: c'est une polyphonie, une harmonie où la mélodie du violon reçoit mille complémentaires, des harmoniques venues d'instruments bizarres et apparemment étrangers au violon et entre eux, comme peuvent l'être le tuba, le xylophone, le tambour et la clarinette.

C'est étrange, mais à première vue seulement. Car l'état poétique ouvre à la Vie, à toute la Vie, à la vie cosmique. Les quatre premiers textes de ce chapitre nous l'ont fait voir éloquemment. Le point de départ, le choc vital a pu être provoqué par un être particulier, n'importe lequel; mais tout être, chaque être est porté, nourri par l'Être. Tout être est pris dans un réseau infini de relations. La grenouille, pour ne pas perdre son être, a besoin de tout: la terre, l'eau, le soleil, les galaxies sont sa nourriture quotidienne. Coupez ces liens, et la grenouille, tout comme vous et moi, n'en aura plus pour longtemps à contempler ses belles cuisses.

L'état poétique rend consciente cette infinité de liens qui soudent les êtres entre eux. Ces liens existent sans nous, que nous en soyons conscients ou non. Tous, nous marchons portés par le rythme de l'univers. Mais quand nous en devenons conscients, nous sommes pris d'un bienheureux vertige, nous entrons en harmonie avec l'harmonie universelle.

Et voici trois textes qui nous font revivre cette ouverture au cosmos:

La cloche

L'air jouissant d'une parfaite immobilité, à l'heure où le soleil consomme le mystère de Midi, la grande cloche, par l'étendue sonore et concave suspendue au point mélodique, sous le coup du bélier de cèdre retentit avec la Terre; et depuis lors avec ses retraits et ses avancements, au travers de la montagne et de la plaine, une muraille, dont on voit au lointain horizon les constructions des portes cyclopéennes marquer les intervalles symétriques, circonscrit le volume du tonnerre intérieur et dessine la frontière de son bruit. Une ville est bâtie dans une corne de l'enceinte; le reste du lieu est occupé par des champs, des bois, des tombes, et ici et là sous l'ombre des sycomores la vibration du bronze au fond d'une pagode réfléchit l'écho du monstre qui s'est tu.

J'ai vu, près de l'observatoire où Kang-chi vint étudier l'étoile de la vieillesse, l'édicule où, sous la garde d'un vieux bonze, la cloche réside, honorée d'offrandes et d'inscriptions. L'envergure d'un homme moyen est la mesure de son évasement. Frappant du doigt la paroi qui chante au moindre choc dans les six pouces de son épaisseur, longtemps je prête l'oreille. Et je me souviens de l'histoire du fondeur.

Que la corde de soie ou de boyau résonnât sous l'ongle ou l'archet, que le bois, jadis instruit par les vents, se prêtât à la musique, l'ouvrier ne mettait point là sa curiosité. Mais se prendre à l'élément même, arracher la gamme au sol primitif, lui semblait le moyen de faire proprement retentir l'homme et d'éveiller tout entier son vase. Et son art fut de fondre des cloches.

La première qu'il coula fut ravie au ciel dans un orage. La seconde, comme on l'avait chargée sur un bateau, tomba dans le milieu du Kiang profond et limoneux. Et l'homme résolut, avant de mourir, de fabriquer la troisième.

Et il voulut, cette fois, dans la poche d'un profond vaisseau, recueillir l'âme et le bruit entier de la Terre nourricière et productrice, et ramasser dans un seul coup de tonnerre la plénitude de tout son. Tel fut le dessein qu'il conçut; et le jour qu'il en commença l'entreprise, une fille lui naquit.

Quinze ans il travailla à son œuvre. Mais c'est en vain qu'ayant conçu sa cloche il en fixa avec un art subtil les dimensions et le galbe et le calibre; ou que des plus secrets métaux dégageant tout ce qui écoute et frémit, il sut faire des lames si sensibles qu'elles s'émussent à la seule approche de la main; ou qu'en un seul organe sonore il s'étudia à en fondre les propriétés et les accords; du moule de sable avait beau sortir un morceau net et sans faute, le flanc d'airain à son interrogation ne faisait jamais la réponse attendue; et le battement de la double vibration avait beau s'équilibrer en de justes intervalles, son angoisse était de ne point sentir là la vie et ce je ne sais quoi de moelleux et d'humide conféré par la salive aux mots que forme la bouche humaine.

Cependant, la fille grandissait avec le désespoir de son père. Et déjà elle voyait le vieillard, rongé par sa manie, ne plus chercher des alliages nouveaux, mais il jetait dans le creuset des épis de blé, et de la sève d'aloès, et du lait, et le sang de ses propres veines. Alors une grande pitié naquit dans le cœur de la vierge, pour laquelle aujourd'hui les femmes viennent, près de la cloche, vénérer sa face de bois peint. Ayant fait sa prière au dieu souterrain, elle vêtit le costume de noces, et, comme une victime dévouée, s'étant noué un brin de paille autour du cou, elle se précipita dans le métal en fusion.

C'est ainsi qu'à la cloche fut donnée une âme et que le retentissement des forces élémentaires conquit ce port femelle et virginal et la liquidité ineffable d'un lien.

Et le vieillard, ayant baisé le bronze encore tiède, le frappa puissamment de son maillet, et si vive fut l'invasion de la joie au son bienheureux qu'il entendit et la victoire de la majesté, que son cœur languit en lui-même, et que, pliant sur ses genoux, il ne sut s'empêcher de mourir.

Depuis lors et le jour qu'une ville naquit de l'amplitude de sa rumeur, le métal, fêlé, ne rend plus qu'un son éteint. Mais le Sage au cœur vigilant sait encore entendre (au lever du jour, alors qu'un vent faible et froid arrive des cieux couleur d'abricot et de fleur de houblon), la première cloche dans les espaces célestes, et, au sombre coucher du soleil, la seconde cloche dans les abîmes du Kiang immense et limoneux.

Paul CLAUDEL, *Connaissance de l'Est,*
Gallimard, Paris, 1974, 320 pages.

Les moulins de mon cœur

Comme une pierr' que l'on jette
Dans l'eau vive d'un ruisseau
Et qui laisse derrière elle
Des milliers de ronds dans l'eau;
Comme un manège de lune
Avec ses chevaux d'étoiles;
Comme un anneau de Saturne,
Un ballon de carnaval;
Comme le chemin de ronde
Que font sans cesse les heures,
Le voyage autour du monde
D'un tournesol dans sa fleur,

Tu fais tourner de ton nom
Tous les moulins de mon cœur.

Comme un écheveau de laine
Entre les mains d'un enfant
Ou les mots d'une rengaine
Pris dans les harpes du vent;
Comme un tourbillon de neige,
Comme un vol de goéland
Sur des forêts de Norvège,
Sur des moutons d'océan;
Comme le chemin de ronde
Que font sans cesse les heures,
Le voyage autour du monde
D'un tournesol dans sa fleur,

Tu fais tourner de ton nom
Tous les moulins de mon cœur.

Ce jour-là près de la source
Tu sais ce que tu m'as dit,
Mais l'été finit sa course,
L'oiseau tomba de son nid,
Et voilà que sur le sable
Nos pas s'effacent déjà
Et je suis seule à la table
Qui résonne sous mes doigts
Comme un tambourin qui pleure
Sous les gouttes de la pluie,
Comme les chansons qui meurent
Aussitôt qu'on les oublie;
Et les feuilles de l'automne
Rencontrent des ciels moins bleus
Et ton absence leur donne
La couleur de tes cheveux.

Une pierre que l'on jette
Dans l'eau vive d'un ruisseau
Et qui laisse derrière elle
Des milliers de ronds dans l'eau,
Au vent des quatre saisons

Tu fais tourner de ton nom
Tous les moulins de mon cœur.

A. BERGMAN et Eddy MARNAY,
Unitcd Artists Music, France, 1968.

Les étoiles

[...] Enfin, sur les trois heures, le ciel étant lavé, la montagne luisante d'eau et de soleil, j'entendis parmi l'égouttement des feuilles et le débordement des ruisseaux gonflés, les sonnailles de la mule, aussi gaies, aussi alertes qu'un grand carillon de cloches un jour de Pâques. Mais ce n'était pas le petit *miarro*, ni la vieille Norade qui la conduisait. C'était... devinez qui!... notre demoiselle, mes enfants! notre demoiselle en personne, assise droite entre les sacs d'osier, toute rose de l'air des montagnes et du rafraîchissement de l'orage.

Lorsqu'elle disparut dans le sentier en pente, il me semblait que les cailloux, roulant sous les sabots de la mule, me tombaient un à un sur le cœur. Je les entendis longtemps, longtemps; et jusqu'à la fin du jour je restai comme ensommeillé, n'osant bouger, de peur de faire s'en aller mon rêve.

Et comme j'essayais de lui expliquer ce que c'était que ces mariages, je sentis quelque chose de frais et de fin peser légèrement sur mon épaule. C'était sa tête alourdie de sommeil qui s'appuyait contre moi avec un joli froissement de rubans, de dentelles et de cheveux ondés. Elle resta ainsi sans bouger jusqu'au moment où les astres du ciel pâlirent, effacés par le jour qui montait. Moi, je la regardais dormir, un peu troublé au fond de mon être, mais saintement protégé par cette nuit claire qui ne m'a jamais donné que de saintes pensées. Autour de nous, les étoiles continuaient leur marche silencieuse, dociles comme un grand troupeau; et par moments je me figurais qu'une de ces étoiles, la plus fine, la plus brillante, ayant perdu sa route, était venue se poser sur mon épaule pour dormir [...]

Alphonse DAUDET, *Lettres de mon moulin.*

Le fondeur de la parabole de Claudel est conscient, jusqu'à l'angoisse, que sa cloche manquera d'âme, si elle n'est pas en relation vivante avec tout le reste, avec la Vie unanime. D'où sa passion d'incorporer au métal en fusion tout ce qui chante, vit et donne vie: le vent, les cordes, le minéral, le végétal, la sève, le lait, le sang et, surtout, l'âme humaine, conscience du cosmos.

La passion cosmique de ce fondeur, elle anime tout créateur, qu'il soit architecte, potier, sculpteur, peintre, poète, musicien... Le personnage de *Les moulins de mon cœur* veut qu'avec les moulins de son cœur tournent les milliers de ronds dans l'eau, les fabuleux anneaux de Saturne, le carrousel des étoiles, la ronde incessante des heures et des saisons, le tournesol, les tourbillons de neige, les goélands, les nids, les sources, bref, toute la création. Pour chanter juste, il ne suffit pas d'avoir une voix: il faut, impérieusement, n'être pas sourd. Quand tu n'entends pas le cosmos chanter à l'unisson de ta pensée et de ta passion, mieux vaut ne pas chanter, car alors ton chant serait une suite de sons cacophoniques épars, diffusés dans un vide cosmique. Ce qui est la caractéristique de toute poésie artificielle, coupée de la Vie, engendrée par un sourd qui devrait avoir la sagesse de rester muet, au lieu de s'extasier à vide, en chantant, par exemple, des listes d'épicerie avec les trémolos de l'incroyable Julio Iglesias. On a le même résultat quand nos cow-boys asphaltés de la rue Sainte-Catherine s'extasient artificiellement devant la bride épique des chevaux du Tennessee.

Le texte tout frais, tout net d'Alphonse Daudet nous présente un humble berger partagé entre l'admiration, la timidité et l'amour pour Stéphanette, la fille de ses maîtres. Il éprouve ce trouble délicieux qui brûlait le cœur du jeune Chérubin des *Noces de Figaro*:

Mon cœur soupire
La nuit, le jour.
Qui peut me dire
Si c'est d'amour?

Mon âme est pleine
D'un doux languir.
Est-ce une peine,
Est-ce un plaisir?

Ce que je veux souligner ici, c'est l'influence que cette émotion du berger exerce sur sa vision des choses qui composent son paysage familier.

Ce matin-là, il ne sait pas que c'est Stéphanette qui lui apportera ses provisions. Il ne le sait pas, mais son cœur, lui, déjà l'a deviné. C'est pourquoi le ciel s'est lavé, la montagne est luisante d'eau et de soleil; la fête se prépare, le berger voit tout à travers le «cristal frileux» de son cœur. Et les sonnailles de la mule se transforment en grand carillon de cloches un jour de Pâques.

Puis, quand repart Stéphanette, cette nature, tout à l'heure baignée de joie, brusquement s'assombrit: au lieu des sonnailles de la mule, ce qu'il entend maintenant, ce sont les cailloux soulevés par les sabots de la mule qui s'en va avec son trésor; et les cailloux lui tombent un à un sur le cœur, et lui font mal, longtemps, longtemps...

Comme quoi tout le cosmos prend telle ou telle coloration, réagit sur nous, selon que notre âme est pénétrée de telle ou telle émotion:

L'un t'éclaire avec son ardeur,
L'autre en toi met son deuil, Nature!
Ce qui dit à l'un: Sépulture!
Dit à l'autre: Vie et splendeur!

BAUDELAIRE, *Les fleurs du mal.*

L'âme, triste ou en joie, a besoin de faire partager sa tristesse ou sa joie par tout l'univers. Toute la Nature est mobilisée, mise à contribution, sommée de prendre part à notre victoire ou à notre catastrophe, auxquelles nous donnons des dimensions cosmiques.

Et quand Stéphanette, bloquée par le torrent en crue, reviendra auprès du berger pour passer la nuit en sa compagnie, de nouveau ce sera la magie: toute la somptuosité de la nuit étoilée célébrant la joie du berger! Stéphanette devient l'une de ces étoiles, ou l'une de ces étoiles devient Stéphanette – on ne saurait dire, tellement tout se confond dans les yeux et l'âme extasiés du berger –, et le rêve éveillé du berger est lourd de toute la tendresse de l'univers.

Ce jour-là, cette nuit-là, qu'il souffre intensément, ou qu'il soit comblé de joie, le petit berger est dans l'état poétique. Ce qui se voit à l'évidence, puisque, tout au long du récit, il parle en poète, multipliant les comparaisons, pour relier sa tristesse ou sa joie à celle du soleil, au chant de l'eau, au rire de la montagne, aux sanglots des cailloux, à la féerie d'une nuit étoilée, lumineuse et tendre comme une nuit de Noël. Et sa Stéphanette, il la voit, tantôt en brebis, tantôt en fée Esterelle, tantôt en étoile, mais, naturellement, «la plus fine, la plus brillante», descendue dormir sur son épaule.

*

Vis intensément, et les pulsations de ta vie se répercutent au cœur des plus lointaines galaxies, émouvant au passage les montagnes, les océans, le soleil et les constellations. Pas de poésie, sans cette ouverture, cette extase cosmiques.

2.2 COSMOS-HOMME

Claudel dit que faire de la poésie, c'est *co-naître* (naître en même temps qu'une autre chose). Toute connaissance est déjà une co-naissance, en ce sens que l'esprit qui connaît s'approprie quelque chose qui auparavant n'existait pas pour lui; pour le connaître, il a dû le recevoir en lui, le «concevoir», le féconder, en même temps qu'il était lui-même fécondé, pour ainsi produire une troisième réalité, fruit des deux autres. Le mot *cheval* qu'a inventé l'esprit de l'homme, c'est une troisième réalité, née de son esprit connaissant et du cheval existant hors de lui. Il en est de même du cheval dessiné sur la feuille de papier: il n'aurait pu naître, sans le cheval en chair, en os et en crins, et sans l'homme qui l'a engendré sur le papier.

L'œuvre poétique, toute œuvre d'art, porte, de façon encore plus indélébile, la marque de commerce, la présence de son créateur. Cette présence, c'est plus qu'une signature: c'est la fusion de l'artiste et de l'œuvre. Le poète naît en même temps que le poème, avec le poème. Le créateur donne naissance à ce qui, chez lui, n'existait qu'à l'état de possible; il se connaît lui-même quand il voit son œuvre, à son image et ressemblance; même si cette œuvre n'est qu'une chaise, un rang de carottes. En regardant bien cette œuvre, cette chaise, ce rang de carottes, on comprend un peu mieux son auteur, louable ou pendable.

Dans le cheval né du pinceau de Rubens ou de Delacroix, il y a beaucoup plus de Rubens ou de Delacroix qu'il n'y a de cheval. Ici, c'est tout le contraire d'une injure de dire que ce cheval ressemble plus à son maître et créateur l'artiste, qu'il ne ressemble à un autre cheval, là, dans le champ. Ce cheval peint a changé de race, il a changé de règne: il parle et agit maintenant en humain, parce que l'artiste lui a donné sa vie et sa parole. C'est pour cela que le vieux fondeur de la parabole est mort d'une extase de joie: le son bienheureux qu'il entendit, renfermait, «en un puissant coup de tonnerre, toutes les voix de la Terre nourricière», mais surtout la voix de son sang, et encore plus le chant de l'âme humaine: la sienne et celle de sa fille.

*

Voici deux poèmes, qu'on pourrait utiliser à de multiples fins, mais que je donne ici pour illustrer ce *co-naître*. Il va de soi qu'une multitude de poèmes pourraient servir à cette fin: de tout bon poème, on peut tirer matière à illustrer tous les aspects essentiels de la poésie; comme dans tout bon tableau, dans toute bonne sculpture, on peut trouver tout l'essentiel de la peinture et de la sculpture.

Je signale également que si, dans cette étude, j'attire l'attention sur telle particularité d'un poème, si je fais une analyse sommaire de cette particularité, on ne doit pas en conclure que c'est là toute la richesse, ou même l'essentiel, de ce poème. Ainsi, depuis le début, j'ai utilisé quelques textes accompagnés de brefs commentaires en rapport avec l'idée que j'étais en train de développer. Ces textes, bien évidemment, ne se trouvent pas «épuisés» par mes commentaires: on pourrait les analyser à bien d'autres points de vue. Se contenter, par exemple, de ce que j'ai dit à l'occasion du poème *Un jour Elsa ces vers*, ce serait se satisfaire de bien peu et faire outrage à ce poème. Il en sera de même de tous les autres textes contenus dans ce recueil: mes commentaires ne peuvent être, au mieux, que des points de départ pour la réflexion; loin de moi la prétention ridicule d'en faire des points d'arrivée.

Au début de sa démarche poétique, après avoir entendu un commentaire d'une œuvre, long ou bref, brillant ou pauvre, l'apprenti a souvent la réaction ingénue de dire ou de penser: «Est-ce que le poète a pensé à tout ça?» Si tu as divagué en commentant l'œuvre, il est évident que le poète n'avait pas l'intention de divaguer comme tu l'as fait divaguer. Mais si tu as parlé sensément de l'œuvre, sois assuré que le poète avait «pensé à tout ça», et à bien d'autres choses encore, que ton commentaire n'a pas signalées.

Quand on fait observer, par exemple, que le rythme de tel vers est une admirable réussite, qu'il s'adapte, de façon éloquente et subtile, à la chose décrite, l'étudiant qui en est encore aux balbutiements du rythme, qui doit encore compter laborieusement avec ses doigts le nombre de syllabes d'un vers pour être bien sûr qu'il s'agit d'un alexandrin et non d'un octosyllabe, se trouve presque humilié d'entendre dire que le poète, lui, ne compte pas les pieds d'un vers avec ses doigts, mais qu'il les entend chanter dans sa tête; et que cette harmonie, entendue avec un autre sens plus subtil que celui du toucher, peut avoir des raffinements insoupçonnés du commun des mortels qui s'avancent, à pied et en tapant des doigts, dans les parterres de la poésie. Le musicien qui, en plus d'avoir un sens raffiné du rythme, a perfectionné ce sens par des dizaines de milliers d'heures de pratique, n'a plus besoin de longs calculs pour savoir s'il a omis une seule des trente-deux fulgurantes quadruples croches qui composent une seule de ses mesures musicales: son instinct musical, sensible à l'extrême, le lui dit. Alors que l'instinct musical d'un apprenti musicien a beaucoup de mal à tenir en laisse la lourde procession de ses grosses rondes un peu bêtes.

Présence au monde

C'est le premier matin du monde et j'interroge
Homme demeure errante dans le temps
Un nid fait son feu sous la pluie
Une femme enceinte fleurit son seuil
Un arbre tremble de mille paroles
La chaleur enveloppe l'univers
La lumière creuse des sources
Un secret bouge entre la terre et moi.

Je trouve d'instinct les mains du soleil
J'apprivoise l'odeur sauvage
Je pèse le temps d'un fruit qui rougit
Je dis le temps qui mûrit dans mon cœur
Un frisson élargit ma main
Un sourire aggrave mes yeux
Ma langue remplit d'eau le nuage flétri
Je ne vis que dans la lueur du combat.

Je fais des digues je plante des phares
Je souffle sous l'écorce du plaisir
Toute forme caresse un mot nouveau
Je parle au nom de tous les hommes
Je tends des filets et j'écoute
J'approche la terre de mon oreille
Je tire des images du fond de la terre
De mon toit je salue l'aurore de chaque homme.

Douce déchirante merveille d'être
Je me grise de voir et de toucher
Je m'enflamme de chaque floraison
Et chaque grain dore en moi ses épis
J'oriente le cours d'eau je donne élan au feu
Je révèle et je définis dans l'éphémère
Je touche le ciel du bout de la main
Et c'est le ciel qui me brûle les yeux.

Chaque mort de l'homme agrandit ma tombe
J'entends la plainte des oiseaux qu'on tue
Je vois le bond des bêtes qu'on enchaîne
Je conduis au jour l'arbre aveugle
Et je veille au fond de chaque blessure
Un destin m'identifie à chaque être
Je quitterai la peine du voyage
Je regarde au plus près de ma maison.

J'assemble des mots d'ombre et de lumière
Je traduis en oracles chaque souvenir
Et demain m'ouvre aujourd'hui sa demeure
Le monde est ma présence
Je borde mon chemin j'aiguise mes outils
Je sème et je récolte au rythme du soleil
Et la nuit ne me surprend pas
J'appelle un grand amour.

Je souffre et le sapin cache sa bouche
Quel secret coupe mon visage en deux
Quel mot à mi-chemin de naître et de mourir
J'ai un grand besoin d'habiter
Je mets des nids dans chaque main
Dans chaque pas je plante un mot d'espoir
Un feuillage établit l'harmonie de ma table
D'ici je dis oui au temps de la terre

J'abolirai la mort je vivrai à tout prix.

Gatien LAPOINTE, *Ode au Saint-Laurent*,
Éditions du Jour, Montréal, 1963, 94 pages.

Ce poème est un dialogue fervent entre le poète et le monde:

Un secret bouge entre la terre et moi.
Le monde est ma présence.

Voilà le poète. Tout poète est attentif au chant secret de l'univers. Cet univers le féconde; mais lui aussi féconde l'univers:

Ma langue remplit d'eau le nuage flétri
Je conduis au jour l'arbre aveugle
J'oriente le cours d'eau je donne élan au feu.

Action, réaction, interaction:

Toute forme caresse un mot nouveau

Toute forme est là, en attente d'être nommée, caressée. Et quand le poète la caresse d'un mot, d'une image, cette caresse éveille cette forme à une existence nouvelle, comme les caresses de l'homme épanouissent, font naître la femme. Et vice versa. «Il a suffi d'un seul matin pour que mon visage fleurisse», dira Anne Hébert: si tu ne m'avais pas nommée, appelée par mon nom secret, je serais restée bouton de rose, rose en puissance. De même pour le sapin et le soleil, qui attendent d'être dits par l'homme pour re-naître. Ce sapin, par exemple, déjà si sensible que le poète peut dire de lui:

Je souffre et le sapin cache sa bouche

Ce qui répond à la propre sensibilité du poète:

J'entends la plainte des oiseaux qu'on tue

Mais il est non moins évident que le poète est, lui aussi, engendré par cette union d'amour. Il naît avec toute forme de vie, joyeuse ou souffrante:

Je m'enflamme de chaque floraison

Et cette flamme, telle le feu qui brûlait, sans le consumer, le buisson ardent que vit Moïse, embrase simultanément l'extasié et l'objet de son extase. De cette mutuelle extase jaillira le son bienheureux, révélant, nommant à la fois l'homme et l'univers.

Bestiaire

Si je savais parler avec les oiseaux,
avec les huîtres et les lézards,
avec les renards de la Forêt-Noire,
avec les pingouins exemplaires,
si les brebis me comprenaient,
les languissants chiens laineux,
les chevaux de la diligence,
si je discutais avec les chats,
si les poules m'écoutaient!

Jamais il ne m'est venu à l'esprit de causer
avec des animaux élégants:
Je n'ai pas de curiosité
pour l'opinion des guêpes
ni des juments de course:
qu'elles se débrouillent en volant,
qu'elles gagnent des robes en courant!
Je veux parler avec les mouches,
avec la chienne qui vient de mettre bas,
et bavarder avec les serpents.

Lorsque j'eus des pieds pour marcher
dans les nuits triples, déjà passées,
j'ai suivi les chiens nocturnes,
ces voyageurs émaciés
qui trottent en voyageant en silence
en grande hâte vers nulle part
et je les ai suivis pendant plusieurs heures:
ils se méfiaient de moi,
ay, pauvres chiens insensés,
ils ont perdu l'occasion
de raconter leurs mélancolies,
de courir avec peine et avec queue
à travers les rues des fantômes.

J'ai toujours eu de la curiosité
pour l'érotique lapin:
qui sont ceux qui le poussent et murmurent
dans ses oreilles génitales?
Il ne cesse pas de procréer
et ne fait pas cas de saint François,
il n'écoute aucune bêtise:
le lapin monte et remonte
avec un organisme inépuisable.
Je veux parler avec le lapin,
j'aime ses coutumes coquines.

Les araignées sont usées
par des pages niaises
d'exaspérants simplistes
qui les voient avec des yeux de mouche,
qui la décrivent dévoratrice,

charnelle, infidèle, sexuelle, lascive.
Pour moi cette réputation
est le reflet de ceux qui la font:
l'araignée est ingénieuse,
une divine horlogère,
pour une mouche de plus ou de moins
que les idiots la détestent,
je veux bavarder avec l'araignée:
je veux qu'elle me tisse une étoile.

Les puces m'intéressent tellement
que je me laisse piquer pendant des heures,
elles sont parfaites, antiques, sanscrites,
ce sont des machines sans appel.
Elles ne piquent pas pour manger,
elles ne piquent que pour sauter,
ce sont les danseuses de l'orbe,
les délicates, les acrobates
du cirque le plus doux et le plus profond:
qu'elles galopent sur ma peau,
qu'elles divulguent leurs émotions,
qu'elles s'entretiennent avec mon sang,
mais que quelqu'un me les présente,
je veux les connaître de près,
je veux savoir à quoi m'en tenir.

Avec les ruminants je n'ai pu
me lier de façon profonde:
cependant je suis un ruminant,
je ne comprends pas qu'ils ne me comprennent pas.
Je dois traiter ce sujet
en paissant avec les vaches et les bœufs,
en planifiant avec les taureaux.
De quelque façon je connaîtrai
tant de choses intestinales
qui sont cachées à l'intérieur
comme des passions clandestines.

Que pense le porc de l'aurore?
Ils ne chantent pas mais la soutiennent
avec leurs grands corps rosés,
avec leurs petites pattes dures.

Les porcs soutiennent l'aurore.
Les oiseaux mangent la nuit.

Et le monde est désert
au matin: les araignées dorment,
les hommes, les chiens, le vent:
les porcs grognent, et le jour se lève.

Je veux bavarder avec les porcs.

Douces, sonores, rauques grenouilles,
j'ai toujours voulu être un jour une grenouille:
j'ai toujours aimé la mare, les feuilles
fines comme des filaments,
le monde vert des cressons
avec les grenouilles maîtresses du ciel.

La sérénade de la grenouille
s'élève dans mon rêve et le stimule,
elle l'élève comme un lierre
au balcon de mon enfance,
aux mamelons de ma cousine,
aux jasmins astronomiques
de la noire nuit du Sud,
et à présent le temps s'est écoulé
ne m'interrogez pas sur le ciel:

je pense que je n'ai pas encore appris
le langage rauque des grenouilles.

S'il en est ainsi, comment suis-je poète?
Que sais-je de la géographie
multipliée de la nuit?
Dans ce monde qui court et se tait
je veux plus de communications,
d'autres langages d'autres signes,
je veux connaître le monde.

Tous ont été satisfaits
par des présentations sinistres
de capitalistes pressés
et de femmes systématiques.

Je veux parler avec beaucoup de choses
et je ne m'en irai pas de cette planète
sans savoir ce que je suis venu chercher,
sans vérifier cette affaire,
et les personnes ne me suffisent pas,
je dois aller beaucoup plus loin
et je dois aller beaucoup plus près.

C'est pourquoi, messieurs, je m'en vais
bavarder avec un cheval,
que la poétesse m'excuse
et que le professeur me pardonne,
j'ai la semaine prise,
je dois écouter tumultueusement.
Comment s'appelait ce chat?

Pablo NERUDA, *Vaguedivague*,
Gallimard, Paris, 1971, 187 pages.

On voit que Neruda, tout comme Gatien Lapointe, est attentif au secret de l'univers. Dans d'autres poèmes, il nous dit sa relation avec les arbres, la terre, les fleuves, les pierres, les fleurs, les montagnes de son pays, et surtout avec l'homme, l'homme de chez lui et l'homme de partout. Ici, il prend un malin plaisir à nous dire que, chez les animaux, ses préférences vont à ceux qui sont méprisés par «d'exaspérants simplistes», par «des capitalistes pressés et des femmes systématiques». Lui, toutes les formes de la vie le passionnent; il les sait inépuisablement fécondes.

Les puces, les vaches, les chiens errants, les porcs, les araignées et les grenouilles permettent à Neruda de co-naître, de devenir un autre, enrichi de tout ce que le cosmos lui a apporté. Pour bien comprendre la vache, il lui faut, dans toute la mesure du possible, devenir une vache. Cette fusion a de quoi scandaliser, dégoûter, «les femmes systématiques» et «les capitalistes pressés» et tous les gens artificiels et bien; le poète, lui, n'a pas honte de ses accouplements avec toutes les formes de la vie. Et, merveille! il sort enrichi de toutes ces «mauvaises fréquentations».

Un des livres de Neruda a pour titre *Né pour naître.* Comme si notre tâche essentielle en cette vie était de naître, de re-naître. Nous ne sommes pas responsables de notre première naissance, à moins de croire, avec certains détraqués d'avant-garde, que nous avons choisi nos parents; mais chacun de nous est responsable de sa seconde naissance, celle qu'il se donne en devenant grenouille, araignée, lapin et tout le reste.

Et sans doute est-il à propos d'insérer ici une réflexion savoureuse d'un personnage de Jacques Ferron:

> — Et dire qu'on prétend que vous n'êtes qu'un homme à chevaux, chanoine Tourigny!
>
> De fait, peu de gens, de Trois-Rivières à Grondines, et dans les paroisses de l'intérieur, pouvaient se vanter d'avoir dépassé l'attelage du curé de Batiscan.
>
> — Que lui aviez-vous répondu? demanda le docteur Fauteux.
>
> — Je lui avais répondu qu'on disait sans doute la vérité, car c'est la vérité: je suis un homme à chevaux et ne m'en cache pas. Puisqu'il nous est commandé d'aimer, il faut commencer quelque part. Cela ne veut pas dire qu'on doive en rester à l'écurie.

Jacques FERRON, *Le Saint-Élias.*

Neruda aurait été parfaitement d'accord avec Ferron et le chanoine Tourigny: «Il faut commencer quelque part», par les chevaux, les grenouilles, les lapins, ou n'importe quel autre vivant. Mais commencer! et continuer. Au lieu de faire le pédant désincarné et artificiel, qui craint de salir, au contact de «la réalité vulgaire», ses mains propres propres et sa belle âme aseptisée.

Le poète n'est donc pas un spécialiste, maniaque, érotique d'une seule passion: les chiffres, les affaires, l'administration, l'informatique, l'argent, la voiture, «les femmes», «les beaux mâles». Sa passion, c'est tout l'homme, tout le cosmos. C'est, en somme, le plus ouvert, le plus équilibré des hommes, le plus humain des hommes. Après le saint, le mystique, qui, eux, jouissent d'un équilibre surnaturel venant compléter et enrichir leur équilibre naturel. Sainte Thérèse d'Avila, qui s'y connaissait bien en mystique et en poésie, disait que la poésie est essentielle à la sainteté. Un saint prosaïque, ça ne s'est jamais vu. Neruda était marxiste; en tant que tel, il ne pouvait comprendre et accepter le mysticisme de sainte Thérèse. Mais sainte Thérèse, tout comme François d'Assise, aurait pu lire avec beaucoup de joie ce dialogue poétique de Neruda avec les animaux.

*

Ce qui nous mène assez loin des conclusions loufoques de certains énergumènes qui, s'épuisant à chercher dans la nuit des temps l'origine de la poésie, en arrivent à affirmer, sans rire, que les premiers poètes furent des handicapés; alors, ne pouvant se signaler par leurs exploits de chasseurs ou de guerriers, ils se seraient mis en tête, un jour de mélancolie, de justifier leur présence au sein de la tribu en commençant à faire des poèmes à la gloire des grands guerriers et des grands chasseurs de leur tribu. Il est infiniment plus probable que le premier poète fit de la poésie exactement pour les mêmes raisons fondamentales que Victor Hugo, vous et moi. Et c'est de la haute fantaisie bouffonne de supposer qu'il ait été nécessairement paraplégique, anémique, et souffrant de dystrophie musculaire et mentale.

> [...] Notre mot *poésie* vient d'un mot grec qui signifie à la fois *faire* et *créer*. Et si nous cherchons comment apparurent les premiers poètes, l'hypothèse la plus vraisemblable est qu'ils ont été empêchés de fabriquer des objets utiles comme leurs compagnons, et qu'ils furent amenés à découvrir quelque autre moyen de manifester leur instinct créateur et de venir en aide à leurs camarades.
>
> Eh bien, qu'est-ce qui a pu empêcher ces hommes de prendre une part normale à la vie de la communauté? Il n'y a qu'une réponse possible: ils n'avaient pas la vigueur physique nécessaire. Seuls les hommes les plus robustes pouvaient espérer survivre en luttant contre les rigueurs du climat et la férocité des bêtes. Un homme mutilé à la chasse, par exemple, un aveugle ou un infirme de naissance, étaient inutiles à la communauté, peut-être un fardeau ou un danger pour les autres. Mais ces gens-là

désiraient vivre tout autant que les autres; et pour justifier leur existence, ils inventèrent une nouvelle façon d'être utile; ils n'étaient pas assez forts pour chasser, pour fabriquer des objets, pour travailler la terre; aussi firent-ils, à la place, des «images» des choses; ils gravèrent la forme des bêtes fauves sur les parois de leur caverne; ils composèrent des récits de chasses victorieuses, et des incantations magiques pour régler l'action du soleil, de la pluie, pour obtenir une bonne moisson. Ce faisant, ils firent naître une puissance nouvelle – la faculté d'imaginer.

Yves PERES et Day LEWIS, *Clefs pour la poésie*,
Seghers, Paris, 1953, 206 pages.

Il serait difficile de trouver un texte plus effronté, deux gars qui manient plus sereinement la clé de l'absurde. Pour trouver l'équivalent de cette débauche intellectuelle, il faut lire les textes, voir les films innombrables de ceux qui nous «expliquent» comment vivaient nos ancêtres, ces brutes préhistoriques, ces «hommes des cavernes» virtuoses de la massue. La seule chose qui ne puisse venir à l'esprit de ces explorateurs déboussolés de la nuit des temps, c'est que les premiers hommes aient pu être des hommes normaux. L'imagination perverse de ces fossoyeurs leur fait choisir automatiquement les hypothèses les plus dégradantes pour eux et leurs ancêtres. Tout ce qu'ils ont pour mettre en marche leur imagination morbide, c'est un bout de fémur en ruine, une mâchoire, un fragment de crâne; à partir de quoi, ils vous rebâtissent tout un homme, avec son milieu de vie.

Et, merveille des merveilles! à partir de cette mâchoire préhistorique, ils vous «reconstituent» les sentiments, la vie intérieure, toute la psychologie de son propriétaire et de sa parenté, comment il concevait l'amour, la poésie, la religion, tout. Et le tout, sur le seul mode horrible et macabre.

Ces vicieux tombent fatalement dans la même orgie lugubre, si, au lieu de leurs «hommes des cavernes», ils se mettent à la poursuite des extraterrestres: aucune place pour l'hypothèse normale que ces extraterrestres, s'ils existent, puissent compter parmi eux des êtres normaux comme

Mozart, François d'Assise et, à la rigueur, vous et moi. Non. Ces extraterrestres *doivent* être anormaux, comme les hommes préhistoriques *doivent* être monstrueux, comme les premiers poètes *doivent* être de pauvres types. Et tout cela, présenté avec le plus grand sérieux «scientifique»!

Ainsi, pour messieurs Peres et Lewis, «l'hypothèse la plus vraisemblable» devient la seule «réponse possible». En fait, l'hypothèse la plus invraisemblable est la seule qu'on ait retenue. Et on vous la présente avec un sérieux et un aplomb invraisemblables: ce sont les handicapés qui ont inventé la poésie, la religion, l'art! Les hommes normaux, eux, se livraient à des occupations plus utiles pour la tribu! Aujourd'hui, ils seraient comptables, notaires, informaticiens, astronautes, magnats du pétrole ou de l'huile lourde.

C'est ce que monsieur Jos Tout-le-monde, de tout temps, a pensé de l'art et de la poésie; sauf qu'aujourd'hui, pour ce brave monsieur, l'artiste est non seulement un handicapé physique, mais surtout un handicapé mental, doublement déficient, propre tout au plus à divertir la galerie, à reposer de leur dur labeur civique et rentable les chevaliers de l'industrie, les héros du commerce, les champions de la politique et les médaillés de l'administration et du sport. Astérix et Tintin ne se font pas une autre conception de l'art: Obélix se représente le poète exactement de la même manière que messieurs Peres et Lewis se représentent les êtres débiles qui, à l'aube incertaine de la préhistoire, auraient imaginé, pour justifier leur existence inutile, un truc astucieux capable de les tirer de l'anonymat et du mépris de leurs congénères plus costauds.

Sur la lancée de ce lyrisme éhonté, pourquoi messieurs Peres et Lewis ne nous ont-ils pas appris que le langage, lui, fut inventé par un primitif qui, tombé dans un trou profond, dut alors imaginer sur place – et vite, ça presse! – un moyen d'appeler ses congénères non moins primitifs à son secours, autrement que par de simples grognements qui auraient pu alerter les fauves monstrueux qui, nous dit-on, hantaient alors la planète et dont quelques-uns circulaient sûrement dans le voisinage de ce trou? Ce jour-là, en criant, il aurait inventé les voyelles. Le lendemain, bandant ses fractures au tibia avec des boyaux de lièvre et des éclisses de coudrier, il aurait, en regardant ces baguettes, inventé tout logiquement, selon «l'hypothèse la plus vraisemblable», les consonnes-baguettes. Le jour de l'accident, il avait haleté: «A! A! A!», et le lendemain, il éructait *Tabarnac*!

Mon hypothèse, au moins, a deux qualités: elle est beaucoup plus vraisemblable que celle des préhistoriques Peres et Lewis; de plus, elle expliquerait pourquoi le mot *tabarnac* est si populaire chez les Québécois, peuple primitif, comme on le savait déjà par Gaston Miron qui l'appelle le *Québécanthrope.*

2.3 COROLLAIRES

2.3.1 SCIENCE ET POÉSIE

Nous avons vu que le langage poétique et le langage scientifique sont aux antipodes l'un de l'autre. Mieux comprendre pourquoi nous permettra de mieux comprendre les deux attitudes de l'esprit qui sont à l'origine de ces différences pour le moins étonnantes. Car il semble bien que ces antipodes soient là pour rester, comme les deux pôles de notre planète. S'attendre que la science parlera un jour en poésie ou que le poète parlera comme un spécialiste des sondages d'opinion pour débiles bien informés, c'est comme espérer qu'un jour tout homme d'affaires se recyclera en poète et que tout poète se recyclera en banquier; ou que, dans un avenir prochain, le banquier aura le goût de communiquer ses informations bancaires sous forme de sonate ou de danse aérobique.

Il y a là deux races d'hommes qui, pour avoir en commun l'intelligence et l'humanité, en font un usage diamétralement opposé, parce que leur intelligence saisit la vie de façon diamétralement opposée. Évidemment, un même homme peut, s'il en a le goût, être tantôt poète, tantôt homme de science, comme il peut jouer tantôt du tournevis, tantôt du violon.

Pour faire voir les différences entre ces deux attitudes d'esprit, j'utiliserai la grenouille et l'arbre comme points de réflexion. Et nous essaierons de voir comment le scientifique et le poète voient cette même grenouille et ce même arbre.

A. La méthode scientifique

Toute la démarche de l'homme de science tend à isoler les phénomènes, pour ainsi mieux saisir, expliquer leur mécanisme. Au contraire, la démarche du poète tend à replonger les phénomènes particuliers dans le Tout qui les soutient.

Et peu importe que le scientifique utilise le microscope ou le télescope. Dans un cas comme dans l'autre, il limite son champ d'investigation. Même s'il prend le cosmos comme objet d'étude, ce sera un cosmos réduit à son aspect mécanique, vérifiable, quantifiable, susceptible d'être réduit en formules; son idéal serait d'obtenir une seule formule expliquant tout le cosmos, de la molécule aux galaxies inclusivement, et en incluant tous les domaines, y compris celui de l'âme humaine.

Idéal ambitieux, c'est évident; mais idéal très squelettique, dépouillé le plus possible des impuretés, des exceptions, des imprévus, bref, de la liberté. Cette liberté humaine, surtout, qui fait le cauchemar des scientifiques, et dont la plupart se vengent, en l'ignorant ou en lui imposant le carcan du Déterminisme «scientifique».

Si l'homme de science pouvait réduire l'Océan à une seule goutte d'eau, il serait heureux, pour un long temps; peut-être même pour tout le temps. Car tout est contenu en germe dans la goutte d'eau, tous les problèmes de l'univers physique, chimique, biologique. En faisant le vide autour de la goutte d'eau, le chercheur de lois augmente sa possibilité de concentration. Dans sa recherche, les parois de l'entonnoir se referment de plus en plus; à la limite, il obtient une particule, microscopique à souhait, presque pure des vaines agitations extérieures. Ce contemplateur acharné a beau savoir qu'il lui est impossible de faire le vide, de désinfecter ladite particule de toute souillure en provenance du cosmos, il est fatalement happé par le vertige qui l'entraîne au fond de l'entonnoir. S'il n'en tenait qu'à lui, il ne lèverait jamais les yeux vers la surface, mais accélérerait la plongée vers le point zéro, à l'origine du Tout.

Le progrès de la science, c'est une progression vers la conquête du détail, de l'infiniment petit. Ainsi, la médecine rêve de subdiviser l'organisme humain en deux milliards de zones d'exploration et d'exploitation, avec un spécialiste vigilant pour défendre chaque parcelle du terrain zoné. La conquête de la Lune ou de Mars n'est qu'une étape sur cette spirale descendante. Les fusées interplanétaires sont des flèches qui visent avec une précision maximale le cœur d'une cible, de plus en plus lointaine, de plus en plus spécialisée, microsco-télescopique. Quand toute la terre, toutes ses énergies physiques et humaines seraient mobilisées pour cette aventure, l'objectif serait toujours un point infiniment petit, isolé dans l'infiniment grand.

*

Un homme de science s'empare d'une grenouille. Qu'arrivera-t-il à cette grenouille élue? La plupart du temps, la grenouille sera exécutée, de façon qu'elle se soumette, avec le maximum de docilité, à la passion scientifique de son amant. Si elle échappe à la mort, ce sera pour être soumise à toute une série d'expériences en laboratoire, qui ressemblent étrangement aux «expériences» que fait la police criminelle à même les présumés criminels. La grenouille sera soumise à la question, ou, si vous préférez, aux questions posées par la science. Chocs électriques, lavages du cerveau, injections de tous genres, promiscuité dégradante, privation de nourriture ou suralimentation, tout sera mis en œuvre pour arracher ses secrets à la grenouille innocente.

Parmi les inquisiteurs, les uns en voudront exclusivement à ses palmes, d'autres à ses œufs, d'autres à la pigmentation de sa peau, d'autres à ses réactions dans le feu ou sur la glace, d'autres à ses yeux ou à son tube digestif; sans parler des guets-apens pour surprendre sa psychologie et son subconscient. Il n'est pas une parcelle de la grenouille qui, à l'une ou l'autre étape de l'histoire des sciences, n'ait été l'objet d'une passion dévorante. L'histoire des sciences est jalonnée de grenouilles, de rats, de puces, de lapins séquestrés, aplatis sous les microscopes, hachés au bistouri, bourrés de vitamines ou gonflés de formol. C'est ainsi qu'avance la science; c'est ainsi qu'elle peut s'assurer d'avance que les gaz toxiques et les chocs électriques, ou les rayons laser, par exemple, seront efficaces quand on les appliquera aux hommes.

Bref, la science isole la grenouille de son contexte. Il n'est pas exagéré de dire que, s'ils le pouvaient, les hommes de science mettraient toutes les grenouilles en aquarium «pour les surveiller de près», ou les étaleraient inertes sur des planches de dissection bien désinfectées.

Cette hantise du point zéro est nécessaire à l'évolution de la science. Le premier temps de sa démarche est forcément concentrationnaire. Dans un deuxième temps, elle remontera à la surface, pour voir les implications de la loi découverte au fond de l'entonnoir. C'est alors que, le plus souvent, elle se fait voler ses lois par des goujats: politiciens, philosophes de la finance, théologiens du Pepsi ou des poulets aux hormones.

Ainsi, l'ordinateur servira à aligner les citoyens dans les ornières de l'Ordre et de la Loi; d'honorables bandits, présidant aux destinées des nations, seront heureux d'avoir à leur disposition l'atome désintégré pour pouvoir désintégrer l'un ou l'autre hémisphère de la planète Terre, de Mars ou de Pluton. C'était la gloire du mathématicien d'avoir pu trouver que la réponse à un problème très complexe est 28, non pas 24 ou 31; à partir de cette très noble acquisition de l'esprit, on verra toute une armée de fonctionnaires et de sous-penseurs s'ingénier à couler tous les problèmes humains dans ces moules mathématiques impeccables. Ernestine + Philibert + 15 jours de vacances par temps pluvieux = 46 fois. Ou encore: 2700 étudiants + 100 autobus + 4000000$ d'équipement + 20 personnes de cadre + 100 tonnes de directives du ministère de l'Éducation = une école où l'on pense et prépare efficacement la production des usines sociales de l'avenir.

Voilà pour la démarche scientifique et la marche des robots issus des lois scientifiques. Cette caricature vise à souligner la tendance de l'esprit humain qui, pour conquérir le point zéro, doit concentrer toute son attention sur un point, sans se laisser distraire par les rumeurs «impures» de la Vie.

B. La méthode poétique

Revenons à la grenouille, vue par le poète, cette fois.

Le poète ne tue pas la grenouille. S'il lui arrive d'en tuer une, ce n'est pas en tant que poète, mais en tant que cuisinier ou maraud. Il laisse la grenouille en vie, parce que c'est en vie que la grenouille lui semble le plus digne d'intérêt. Et puis, cette grenouille, le poète aimera la voir dans son milieu naturel, qui est le cosmos. L'eau, les joncs, les nénuphars, les jeux du vent sur l'eau, les reflets des nuages, du soleil ou de la lune à la surface de l'eau, la danse des maringouins et des moustiques, les virevoltes de la libellule sous le nez de la grenouille impassible; sans parler de la grenouille dont les yeux rappellent ceux de certains personnages de la politique, de l'éducation ou de la chanson; sans parler des cuisses de grenouille qui pourraient figurer avantageusement à la télévision dans les troupes de danseurs derviches survoltés. Le poète, attentif comme La Fontaine, voit la grenouille s'enfler pour égaler le bœuf en grosseur, argumenter pour convaincre le rat de la suivre au fond du marais et s'y noyer, coasser comme des Yvettes pour que Jupiter nomme un Trudeau comme roi des marécages fédérés. On est loin des planches de dissection ou des aquariums à stérilisation maximale!

Autant la science cherche à couper tous les liens de la grenouille avec son entourage «polluant», autant le poète cherche à sauver tous les liens entre la grenouille et le cosmos. Car le profil de la Grande Ourse sur les eaux où flotte la grenouille est une réalité qui a autant de signification, de sens, de réalité, que l'immuable lumière artificielle inondant l'aquarium où la grenouille attend son procès scientifique.

Et quand la grenouille chante le printemps, il se passe des choses troublantes dans la Création et dans le poète qui l'écoute: l'ivresse de la grenouille se communique à toute la création, et toute la création enivre la grenouille. «Il faut plus qu'une grenouille pour faire le printemps», dit le raisonneur prosaïque; il oublie, dans sa courte sagesse programmée, qu'il faut beaucoup plus que le printemps pour faire la grenouille: il faut tout le cosmos visible et invisible.

Et l'ambition du poète, s'il chante la grenouille, sera de faire se mouvoir les palmes de la grenouille au rythme du printemps et d'enfermer, dans les cymbales d'or liquide de ses yeux, les ondes venues des nébuleuses bleues.

> L'art ne peut être grand que s'il est en contact direct avec les forces cosmiques et s'il accepte de s'y subordonner. Ces lois se sentent, presque inconsciemment, lorsque nous approchons de la nature, non de l'extérieur mais en profondeur: il ne faut pas se borner à la voir, il faut la vivre.
>
> KANDINSKY.

Mais l'ambition du poète va plus loin, beaucoup plus loin. Car il serait assez vain, malgré la grandeur évidente du projet, que l'homme veuille enclore en un seul objet de contemplation tout le cosmos extérieur à lui. Ce cosmos, sans l'homme, ne peut passionner l'homme, le poète, que d'une façon bien temporaire. S'il veut que la grenouille lui parle de tout le reste, il veut surtout que la grenouille lui parle de lui. S'il fait de la grenouille le centre du cosmos, il veut être, lui, au centre de la grenouille et du cosmos.

Il se trouve évidemment des poètes qui veulent avoir, ou prétendent avoir, une vision scientifique du monde; comme il se trouve des peintres dont l'idéal est un miroir, l'œil d'une caméra ou tout simplement un œil-de-bœuf. Ils prétendent regarder le monde comme s'il existait sans eux. Ils se disent objectifs, réalistes, voire scientifiques. C'est évidemment impossible, voire absurde.

L'un des supplices les plus exquis et les plus fructueux serait d'enchaîner par les pieds à un même pieu deux apôtres de ce réalisme intégral, là, devant le même sapin; et de ne les libérer que le jour où ils auraient réussi tous les deux à peindre ce sapin exactement de la même façon, objective, scientifique. Ils verraient que ce n'est pas une entreprise humaine d'amener Paul à regarder et à voir le même arbre exactement de la même façon que Pierre; ils verraient aussi, je l'espère, qu'il n'est rien de plus ennuyeux et de plus stérile que cette prétendue objectivité.

De tout temps, sous toutes les latitudes, les artistes ont compris que l'art, c'est le cosmos + l'artiste, l'homme. «L'art, c'est l'homme ajouté à la nature», dit Bacon dans un puissant raccourci; si puissant qu'il ne reste plus, comme le remarque Valéry, qu'à donner un sens à chacun des trois termes! Mais vouloir définir l'œuvre d'art, en faisant abstraction de l'artiste qui l'engendre, c'est une définition, non seulement déficiente et simpliste, mais tout simplement absurde.

Être poète, c'est créer. À partir du cosmos extérieur et à partir du poète. Faire une œuvre, où cosmos et poète soient intégrés, fondus en une réalité nouvelle, la réalité poétique. Le cosmos a beau être inépuisablement beau et varié, il m'ennuie si je ne peux le transformer à mon image. Le sapin n'a pas besoin de moi pour être beau, mais moi, j'ai besoin du sapin pour être beau; j'ai besoin du sapin pour être un homme; j'ai besoin de cet homme-sapin devenu poème, musique, peinture, danse, sculpture. Le poète a besoin d'assimiler le monde comme le saumon a besoin d'assimiler l'Océan. Alors que d'autres digèrent des montagnes de minerai pour en tirer des tournevis, des piastres ou des rails, le poète digère le monde pour en tirer des poèmes, ces outils inutiles, sinon pour dire que l'homme ne vit pas seulement d'atomes, de tournevis et d'énergie électrique; qu'il a d'autres voyages en perspective que ceux promis par les rails infaillibles, les réactés téléguidés ou les fusées interplanétaires.

*

Dans un poème où Miron chante l'automne québécois, vous trouverez Miron, l'automne, trois siècles de vie québécoise passée, des siècles de vie québécoise à venir. Vous ne savez plus distinguer Miron du rouge de l'automne ou de la vie québécoise passée ou rêvée. Ce n'est pas l'automne des photographes de cartes postales, ni l'avenir des économistes, ni le présent des ordinateurs-sociologues. L'automne-Miron, c'est un alliage infiniment subtil où le rouge de l'automne et le sang du poète sont devenus une troisième réalité, incluant les deux premières, distincte des deux premières; suffisamment personnelle pour que le poète puisse se reconnaître dans son œuvre, suffisamment lourde des réalités extérieures au poète pour n'être pas un bibelot intemporel, extra-spatial, coulé dans les creusets imperméables de la seule imagination.

Dans cet automne, le poète a mis ses quatre saisons, les jeunes rêves de son enfance, les vieux rêves de l'humanité, son amour d'adulte, les cris pointus du merle devant les grappes givrées du cormier, les volutes de mainates en migration, des bonds de chevreuil sur les feuilles rousses, des hanches rythmées comme les fougères de mai, des clameurs étouffées sous des montagnes de soumission atavique, les remous nerveux de l'aviron dans l'eau des rapides, l'ennui de l'asphalte et de l'encens que les raffineries de pétrole pieusement exhalent pour honorer les narines sulfureuses du Progrès. Cela et tout le reste, le clair et l'ineffable. Le mystère de l'ombre, de la pénombre et des ténèbres, le mystère du crépuscule, de l'aurore et de midi; le rire, les pleurs, la colère, l'amour. Tel homme, et tous les hommes. Ce jour d'aujourd'hui, et ce jour sans visage au calendrier. Le quotidien anguleux, rugueux, discordant, et le rêve vaporeux, liquide, velouté, cadencé.

Et peu importe que l'artiste modèle le Parthénon ou un vase. Peu importe qu'il brosse à grandes fresques *La légende des siècles* ou que, sur une feuille de deux sous, il écrive ou dessine *Le pont Mirabeau*, le pont des amours. Le galbe que le potier donne à une petite amphore s'inspire des remous du cosmos, de la courbe de ses rêves, des trajectoires de son désir et des courants marins que laissent les civilisations englouties. La couleur au flanc de son vase devra quelque chose à ses paysages imaginaires et à toutes ces nappes de couleurs qui dorment dans les abîmes de la subconscience et viennent à l'improviste crever en surface comme ces bulles qui montent des eaux endormies.

D'où la vanité de ceux (psychologues, sociologues, astrologues, structuralistes) qui prétendent explorer les sources du poème ou du tableau. Savoir pourquoi le peintre préfère telle couleur, pourquoi le poète est sensible à tels mots, à telles cadences, à telles images, ce serait connaître une infinité de choses dont une seule, si on l'ignore, suffit à déboussoler l'entendement des mortels et fausser leurs impeccables analyses. Alors, qu'on soit sage et poli quand on parle des sources ou des structures! Si l'on veut expliquer le mystère de l'homme et de ses créations, une science et une prudence élémentaires doivent nous rendre aussi vigilants qu'un scaphandrier chaussé de ses grosses bottes de plomb et s'aventurant sur une mince couche de glace au-dessus de l'océan Pacifique.

*

En somme, ce serait une piètre aventure pour l'homme de saisir tous les liens unissant la grenouille aux galaxies; il ne ferait alors que décrire ce qui est; ce qui est, fut et sera, sans lui. Il est évident que ce spectacle de l'être universel peut donner des plaisirs de la plus haute qualité; mais ces plaisirs lasseraient bien vite, si l'homme était réduit à ce rôle de contemplateur. Et le poète ne veut pas seulement, ne veut pas surtout, contempler le cosmos: *il veut le refaire, à son image, le recréer, de façon à se reconnaître lui-même dans tout ce qui existe*. Désir qui ne peut être satisfait par les seules découvertes des lois du cosmos. Qu'importe, en effet, les lois sublimes de ce cosmos, si l'homme y demeure étranger? Et dès que l'homme s'insère dans ce cosmos, il y introduit ses lois à lui, lois imprévisibles, extensibles à l'infini, parce qu'engendrées autant par l'imagination créatrice et libre que par les lois de la logique, issue de la nature des choses.

Un impertinent s'étonnait et s'indignait, un jour, qu'un peintre eût utilisé sur l'une de ses toiles une couleur qui, disait l'impertinent, «ne se trouve pas dans la nature». Et le peintre, intelligent, poète, lui répondit: «Mais le peintre aussi fait partie de la nature!» L'impertinent prosaïque put-il comprendre la réflexion du peintre? J'en doute. Et pourtant, quoi de plus naturel que de trouver sur une toile des couleurs, des formes jamais vues dans la nature? On ne les avait jamais vues, parce qu'elles n'avaient jamais été vues par les yeux et l'imagination imprévisibles de tel créateur personnel, donc unique. On n'avait jamais vu le jaune de Vermeer ou le bleu de Chagall avant que ces deux peintres les inventent; maintenant, ce bleu et ce jaune sont entrés dans la nature, dans cette troisième nature qui est une fusion de la Nature et de l'Homme, et qui a ses propres lois, aussi rigoureuses que celles du pissenlit, aussi libres que celles de la mer.

Le prosaïque plonge son éprouvette dans l'Océan, retire une goutte d'eau de cette éprouvette, et l'installe sur la vitre de son microscope; puis il plonge dans cet abîme, à la recherche des lois expliquant la goutte d'eau. Le poète laisse la goutte d'eau dans l'Océan, et plonge dans l'Océan. Cet Océan est fait de liberté, de fraîcheur, d'extase, de couleurs, de cruauté et de tendresse, de rugissements et de murmures; il bat au rythme des planètes et des galaxies, il est lien entre les nuages, le ciel, les poissons, les arbres et la terre. Le poète vit toutes ces sensations en même temps, intensément; il se fond, se coule dans l'Océan; il vit cet Océan, comme le musicien vit l'océan de la musique, au lieu de scruter à la loupe une note isolée de sa mélodie.

* *
*

Voyons encore l'artiste et le scientifique, face, cette fois, au même arbre. L'homme de science regarde l'arbre avec un but bien pratique. Cet érable donnera *n* madriers; *n* madriers x 7$

le madrier me donneront *x*$. Cet arbre a besoin de *n* litres d'eau par jour; *n* litres x 365 = consommation annuelle de l'arbre en eau. Ce tronc d'arbre, transformé en billots, pèsera *n* kilos; (*n* kilos x *m* billots) + capacité de charge d'un camion = nombre de camions requis pour transporter à l'usine ce pan de forêt réduit en billots. Et ainsi de suite, selon que l'arbre est soumis aux calculs d'un entrepreneur forestier, d'un biologiste, d'un menuisier, d'un physicien, d'un ministre de la Forêt, etc.

Le créateur (musicien, peintre, sculpteur, poète...) regardera l'arbre avec de tout autres préoccupations. Eux sont sensibles avant tout à la beauté de l'arbre: l'arbre leur parle de couleurs, de volumes, de formes, de sonorités. Faire un madrier, cent béquilles, 50$ avec un arbre, c'est bien; faire avec cet arbre un tableau, un poème, une statue, un concerto, on peut penser que c'est mieux, selon les valeurs que l'on privilégie en cette vie ou en l'autre. L'homme a besoin des madriers de l'arbre; bravo donc pour les madriers! Mais l'homme ne vit pas que de madriers: il a davantage besoin de la couleur inutile de l'arbre, de sa musique inutile, de sa forme inutile, de son volume inutile. Si tu convaincs l'homme de ne plus voir dans l'arbre que billots, dollars et madriers, tu joues un sale tour aux arbres; mais, surtout, tu joues un sale tour à l'homme, car la philosophie que tu auras semée en lui le transformera, lentement mais sûrement, en billots, dollars et madriers!

*

Cet arbre peut fournir une autre voie de réflexion. Deux hommes pratiquant la même science, sur un même arbre, dans les mêmes conditions, arriveront normalement aux mêmes conclusions. Par exemple, si deux biologistes, à 10 heures du matin, le 22 mai 1999, décident de compter les aiguilles d'un même sapin, ils devraient, au terme de leur calcul, obtenir exactement le même nombre d'aiguilles. Sinon, ils ne méritent pas un salaire, mais une sévère punition. Car, ou bien ils ne sont pas sérieux, ou bien ils se sont laissé berner par les caprices de leur digestion ou par les caprices de la nature; disons par une fourmi qui, voyant que le premier biologiste en avait fini avec une branche, se serait hâtée de couper avec ses mandibules trois aiguilles de cette branche; exprès pour fausser les calculs du deuxième biologiste.

Chose certaine, on serait en droit d'exiger, sous peine des plus graves sanctions, que ces deux hommes, qui se prétendent sérieux, objectifs, scientifiques, reprennent leur calcul et finissent par proclamer à l'unisson que ce sacré sapin compte 1322687 aiguilles, et non un chiffre farfelu comme 1322684. Tu ne ris pas avec les chiffres, si tu as décidé d'évaluer un sapin sous l'angle des chiffres! Si «On ne badine pas avec l'amour», pourquoi pourrait-on se permettre de badiner avec les chiffres qui, par définition, n'entendent pas à rire?

Par contre, vous seriez un criminel bon tout au plus à nourrir aux aiguilles de sapin, si vous exigiez que deux peintres, devant le même sapin, le même jour, à la même heure de ce jour, sous le même angle de vision, produisent deux tableaux parfaitement identiques. Si l'un des deux dessine son sapin avec 1322684 aiguilles et que l'autre décide d'en utiliser seulement 322684, il ne faudra pas, comme à la loto, pénaliser celui qui s'éloigne du chiffre idéal. Justement, quel chiffre idéal d'aiguilles de sapin faut-il utiliser pour faire un beau tableau à partir d'un sapin? Est-ce vous qui me le direz? Est-ce l'Académie des Beaux Arts? Est-ce Léonard de Vinci? Ou la commère scrupuleuse examinant le tableau, avec une loupe dans sa main droite et une photo dudit sapin dans sa main gauche?

*

Les savants nous révèlent une chose étonnante que vous et moi savions depuis l'enfance, mais sans pouvoir l'expliquer. C'est que le cerveau humain est divisé en deux zones aux activités bien différentes. Entre ces deux zones il existe, certes, une interaction, des échanges continuels, mais il semble que chacune de ces zones ait ses petites ou grandes propriétés, distinctes d'une zone à l'autre.

La partie droite serait celle de l'intuition, de la saisie

globale; la partie artiste que tout un chacun possède. La partie gauche est celle qui analyse, ordonne en schémas logiques, explique; c'est la partie qu'utiliseraient surtout les scientifiques, et nous tous quand nous faisons une activité où la lucidité logique est requise.

Ce qui veut dire, entre autres choses, que chacun de nous peut être tantôt scientifique, tantôt artiste, selon les besoins et les goûts de l'heure; qu'il est souhaitable, pour être équilibré, pour n'être pas désaxé vers la gauche ou la droite, que chacun de nous soit capable d'être logique dans les domaines où la logique est requise, et intuitif, là où la seule logique reste à court de moyens.

Si donc une civilisation comme la nôtre met un accent démesuré sur le rationnel, les équations, les chiffres, les moules, les structures, la technique, elle risque de devenir robotisée plutôt qu'humanisée. Sauver la poésie sous toutes ses formes, c'est sauver chez l'homme une part essentielle de son être intelligent. L'homme, resté humain, toujours aura besoin de chansons, autant que de ponts, de pantalons et d'avions; d'arithmétique, mais aussi de musique; de finances bien équilibrées, mais aussi de danse bien rythmée; de déclarations d'impôt, mais aussi de déclarations d'amour. Et des déclarations d'amour, mesdames et messieurs, nulle part au monde ça ne se fait en prose; jamais, depuis le premier matin du monde, ça ne s'est fait avec la partie gauche du cerveau: ça serait vraiment trop gauche!

2.3.2 LE POÈTE, UN DÉRACINÉ?

Grâce à ce qui précède, on devrait pouvoir évaluer cette affirmation aussi populaire que folle: «Le poète est un déraciné; il est coupé de la vie; il vit dans les nuages et brasse des nuages.»

C'est évidemment tout le contraire qui est vrai: Le poète est le plus enraciné des hommes, le plus sensible à toutes les formes de la Vie. Il parle du cosmos et de l'homme; or, l'homme et le cosmos, c'est peut-être aussi réel que les

Affaires, la Bourse, l'Économie, les Mathématiques, les ponts, les fusées ou l'oto-rhino-laryngologie. Il parle de l'amour, de la joie, de la tristesse, de la mort; et ce sont là des réalités aussi réelles que celles de la Politique, de l'Informatique, de l'Administration ou de la Biologie.

Et comment s'exprime la Vie quand elle atteint au paroxysme? Comment s'exprime un vivant, sorti des limites du quotidien, du rentable, libéré de l'insignifiance encadrée, numérotée, bien huilée? Ce vivant, il chante ou il pleure. Et le chant ou les pleurs ont une instinctive horreur de la prose. La prose, c'est pour la comptabilité, l'administration, la politique, les commérages, les thèses, le commerce, les réunions mondaines, les mathématiques, les congrès de sociologues, de psychologues ou de linguistes. La prose, c'est pour tout ce qui n'est pas très sérieux et se donne des attitudes très sérieuses. La prose, c'est quand tu marches sur l'asphalte ou des tapis de Turquie. La poésie, c'est quand tu marches au large sur la mer, quand tu te lèves avec un goût de muguet, de persil, de noisette ou de crevette sur la langue; quand tu te lèves avec une sensibilité mouillée de printemps ou troublée par l'odeur des feux consumant le triomphe de l'automne; quand, sur les toiles de l'imagination et de la mémoire, des tons de crépuscule ou d'aurore te disent que la Vie t'attend, debout, sur le seuil de ta porte.

L'homme en amour, en amour du feu, des sapins, des couleurs, des parfums, des sons, d'une femme ou d'un homme, cet homme vivant parle, s'exprime en poésie. Tout amour requiert impérieusement l'expression poétique. Même M. Jourdain le pressentait. Un tableau, c'est de l'amour en couleurs; une musique, c'est de l'amour qui chante; une sculpture, c'est de l'amour modelé en gestes. Et c'est tout aussi bien de la Vie, colorée, sonore, sculptée.

La poésie, dans ses diverses manifestations, est donc tout le contraire de l'artificiel, du faux, du clinquant, des apparences fignolées, de la vanité ciselée. Le poète n'est pas un songe-creux, un rêveur qui se paie de formules rimées et rythmées, un élégant virtuose de la futilité. Cela, c'est l'artiste, le poète, tels que conçus par l'imagination populaire, vulgaire et sagement assise. C'est aussi, malheureusement, la conception d'un trop grand nombre de faiseurs qui jouent à l'artiste, au poète, et pour qui un poème, par exemple, est une fade rêverie sur les clairs de lune, le gazouillis des p'tits oiseaux et le ramage des ruisseaux; ou encore d'abracadabrantes pitreries qui posent au mystère. C'est aussi, double malheur! la conception d'un grand nombre de professeurs de tous les niveaux qui, n'ayant jamais compris, vécu la poésie, transforment du Baudelaire ou du Miron en pédantes acrobaties linguistiques, psychiatriques, structuralistes, historiques ou névrotiques.

Si donc quelque chose flotte dans les nuages, c'est plutôt toutes ces sciences ou activités qui explorent des secteurs très limités du réel, et encore les plus superficiels, les moins humanisés, les moins humanisants.

Quand toutes les sciences de la nature ont apporté à l'homme le fruit de leurs découvertes, elles n'ont encore presque rien fait pour lui: elles lui ont apporté plus de confort matériel ou un commencement de compréhension de l'univers matériel. L'homme bien chauffé, bien vêtu, bien éclairé, voyageant à la vitesse du son, c'est très bien; mais c'est bien peu. Il lui faut d'autres lumières, d'autres nourritures, d'autres réponses.

«L'essentiel est invisible pour les yeux. On ne voit bien qu'avec le cœur.» Sans insulter personne, on pourrait utiliser ici ce texte du *Petit Prince*, et dire: L'essentiel est invisible pour les yeux de la science. La médecine et la biologie, par exemple, ne saisissent de l'homme que son aspect le plus superficiel. Comment, en effet, avoir accès à l'intelligence, à la volonté, au cœur, à l'âme de l'homme, avec des stéthoscopes, des microscopes, des analyses de globules du sang et des encéphalogrammes? Mobilisez tous les instruments scientifiques de pointe, sondez l'homme avec toutes ces pointes géniales, et tous les messages transmis par ces pointes ne vous apprendront rien d'essentiel sur l'homme. Pas plus, d'ailleurs, que sur le chat ou le pissenlit. Et il ne faut pas s'en offusquer: les sciences n'ont pas pour fonction de parler de l'essentiel de l'homme et de la vie. «*Sutor, ne supra crepidam*: Cordonnier, ne t'aventure pas au-dessus de la chaussure.» C'est-à-dire: Fais-nous de bonnes chaussures; c'est ton boulot, un beau boulot utile. Mais ne te mets pas en tête de chausser la tête ou l'âme humaine. Conseil qu'il n'est pas inutile de rappeler de temps à autre à ceux qui ne jurent que par les sciences, faisant ainsi injure à la vie.

*

Les sciences de l'homme, elles, apportent quelques-unes des réponses essentielles, du moins des ébauches de réponses. Mais comme toutes les sciences, elles font appel presque exclusivement à la logique démonstrative. Elles satisfont en partie l'intelligence de l'homme, mais elles n'ont pas pour objectif, elles non plus, de satisfaire la sensibilité, l'imagination, le cœur, bref, l'essentiel: l'âme.

*

La poésie, l'art, tous les arts, ont pour mission, eux, de satisfaire cette âme. Imparfaitement, certes, mais efficacement. Aussi inutiles, apparemment, que l'amour, ils sont aussi indispensables, essentiels, que l'amour. Prive un peuple de toute poésie, de toute forme d'art; enlève-lui ce que les gens efficaces-pratiques-rentables-réalistes qualifient d'inutile, vains amusements des désœuvrés; et alors, tu anesthésies, tu vasectomises très efficacement son âme. Et l'homme s'ennuiera mortellement dans ce monde organisé avec une précision mathématique et une efficacité scientifique. Si l'homme ne vit pas que de pain, il ne peut vivre non plus que de science. Et le poète, dont l'ambition est de garder vivantes son âme et celle des autres, joue dans la société un rôle indispensable; pourvu que cette société ait quelque souci de son âme.

2.3.3 LA POÉSIE GLACIAIRE

La poésie étant fusion de l'homme et du cosmos, on la mutile donc mortellement, si on l'ampute, ou de l'homme, ou du cosmos.

Tout un courant de la poésie contemporaine travaille activement en ce sens. C'est devenu une mode de dire que l'homme est in-signifiant, que la littérature en a beaucoup trop parlé, que l'heure est enfin venue de donner la parole aux choses, aux seules choses. De même que le structuralisme vide le langage de son contenu, pour ne plus considérer que le contenant, qu'il étudie la société en donnant aux structures abstraites priorité sur l'homme réel, de même Francis Ponge fixe comme objectif à sa poésie *Le parti pris des choses*. Parler du caillou, de la porte, de la sauterelle, de n'importe quelle chose de rencontre fortuite, comme si l'homme n'était pas encore apparu dans l'univers. S'interdire de faire un quelconque lien entre la grenouille et l'homme qui la regarde.

Terrible ascèse, ascèse par le vide! Et qui est une conséquence logique de leur idée fondamentale: l'homme est néant, ou du moins pas plus important que la sauterelle, le caillou ou la porte. Ces derniers auraient même sur l'homme cette indéniable supériorité qu'ils ne se prennent pas pour d'autres, et qu'ils restent humblement à la place que le grand Hasard leur a fixée dans un cosmos aussi absurde que l'homme lui-même.

Francis Ponge en veut mortellement à l'homme et, conséquemment, aux idées. Les idées et l'homme sont ses ennemis jurés. Non-sens fulgurant: comme si prendre parti pour les choses, contre l'homme, ce n'était pas là une idée! Lugubre, peut-être; idée tout de même!

Ce parti pris, ce pari pour les choses, purifiées de tout contact humain, peut-il être tenu? Évidemment non. Pas plus qu'il n'est possible à l'homme d'avoir l'idée fixe de faire fi désormais de toute idée.

*

Une autre idée fixée de Francis Ponge, grand patron des poètes surgelés, c'est qu'il faut tordre le cou à l'analogie, à l'image poétique. Il s'est fait à cette idée que comparer Mignonne à la rose et Lou à la musique, c'est de l'enfantillage, parler pour ne rien dire. Lui, il part à la recherche de la définition des choses, vues, dit-il, de façon objective, et surtout sans la sempiternelle analogie que les écrivains du passé ont faite entre les choses et l'homme. Les hommes – faut-il le redire? – sont ennuyeux; les choses, elles, ont encore tout à nous dire, puisqu'on ne les a jamais regardées qu'en relation avec l'homme, les privant ainsi de leur droit de parole.

Et voyons ce que cette nouvelle philosophie de l'art et de la vie donne dans la pratique. Voici Francis Ponge en train de nous *définir* le galet:

> Tous les rocs sont issus par scissiparité d'un même *aïeul* énorme. De ce *corps fabuleux* l'on ne peut dire qu'une chose, savoir que hors des *limbes* il n'a point tenu debout.
>
> La raison ne l'atteint qu'*amorphe* et répandu parmi les *bonds* pâteux de *l'agonie*. Elle s'éveille pour le *baptême* d'un *héros* de la grandeur du monde, et découvre le *pétrin* d'un *lit* de *mort*.
>
> Que le lecteur ici ne passe pas trop vite, mais qu'il *admire* plutôt, au lieu d'expressions si *épaisses* et si *funèbres*, la grandeur et la gloire d'une *vérité* qui a pu tant soit peu se les rendre *transparentes* et n'en paraître pas tout à fait *obscurcie*...

Le parti pris des choses,
Gallimard, Paris, 1972, 224 pages.

Voilà une définition bourrée d'analogies. Bien mieux: l'anthropomorphisme est là, partout, obsédant. J'ai insisté sur les mots les plus bourrés d'analogie et d'anthropomorphisme, ces deux bêtes noires de Francis Ponge, qu'il caresse pourtant ici avec une complaisance aussi vicieuse qu'illogique. La définition de ce galet ressemble étrangement, en plus obscur, à celle qu'en ferait un poète resté homme et victime de l'analogie. Je ne dis pas que c'est mal; je constate tout simplement que cela contredit radicalement la propre théorie de Francis Ponge.

Alors, c'est peut-être la théorie qui est fausse ou, du moins, aussi discutable que la bonne vieille analogie de Shakespeare, Brassens, Vigneault et Miron? C'est à croire que l'analogie a la vie dure, si dure que Francis Ponge lui-même, malgré une ascèse terrifiante, n'arrive pas à l'éliminer de son organisme mental. Pourquoi donc? Parce que l'analogie est un vice si pernicieux, invétéré et insidieux qu'il contamine même ceux qui le combattent en prenant toutes les précautions que l'on prend contre les radiations atomiques? Ou parce qu'il s'agit là d'un vice comparable (par analogie) à celui des jambes dont l'homme n'arrive pas à se débarrasser? Une limitation comme celle du dernier genre est-elle nécessairement un vice, ou une heureuse nécessité dont un homme normal ne souhaite pas trop se libérer?

*

J'ai parlé ici des *idées* poétiques de Francis Ponge, parce qu'elles me semblent éminemment propres à *chosifier*, à *congeler* la poésie. Ces idées congelées sont aujourd'hui en vogue dans la philosophie, dans la linguistique, dans la sociologie et l'anthropologie, en poésie, en musique et dans les arts plastiques. La hantise du point zéro, l'entreprise épique de rendre l'homme et le cosmos aussi in-signifiants que l'Absurde ou le Hasard. La fièvre de prouver que l'homme et ses œuvres sont des *accidents* de parcours sur la chaîne de montage de l'évolution ou, pis encore, des *nécessités* engendrées par la chaîne de montage mise un jour en marche par ce grand Cafard de Hasard. «Souriez: le Hasard et sa belle-mère, la Nécessité aveugle, vous aiment bien!» Autant, en tout cas, que vous le méritez bien, si vous faites votre lit sur les banquises de ces pontifes à la Francis Ponge, raides et superbes comme des mammouths surgelés.

CHAPITRE TROISIÈME
L'EXPRESSION POÉTIQUE

J'avais bien hâte de quitter Francis Ponge, de sortir de ces espaces infiniment glacés, chosifiés et pétrifiés, qui m'effraient. Pour retrouver la poésie, chaude de vie, déliée comme une source.

Nous avons vu que l'état poétique donne au poète une extase de Vie. Il est plongé dans l'Océan de la vie globale: «Larguez les amarres! on est embarqué.» (VIGNEAULT)

3.1 PRÉLIMINAIRES

3.1.1 UN LANGAGE NEUF

Quand la science découvre un domaine nouveau d'exploration et d'exploitation, elle doit inventer un langage nouveau: le langage mathématique, chimique, aéronautique, linguistique ou psychanalytique. Le poète, lui, c'est tous les jours qu'il invente et découvre la vie; c'est donc tous les jours qu'il doit rompre avec le langage quotidien, traditionnel, adapté à l'expression des besoins primaires, ou spécialisé, bien poli comme un tournevis par la raison ouvrière.

Un apprenti mathématicien peut travailler très longtemps avec le langage mathématique inventé par des générations de mathématiciens, sans avoir à l'enrichir, à le bouleverser; le poète, lui, dès son premier vrai poème, bouleverse les lois du langage non seulement prosaïque, mais poétique. S'il n'est pas original au point de départ, c'est qu'il n'est pas poète, et ne le sera jamais.

> Chaque individu commence, pour son compte, la tentative artistique ou littéraire. Et les œuvres de ses prédécesseurs ne constituent pas, comme dans les sciences, une vérité

> acquise, dont profite celui qui suit. Un écrivain de génie d'aujourd'hui a tout à faire. Il n'est pas beaucoup plus avancé qu'Homère.
>
> Marcel PROUST, *Contre Sainte-Beuve.*

S'il a reçu le don poétique, le poète sera, dès le début, un révolutionnaire du langage: avec une audace admirable, il brisera les moules, les règles, le dictionnaire, les philosophies, la syntaxe, les académies; pour être fidèle à la vie:

> *There are more things in heaven and earth, Horatio, Than are dreamt of in your philosophy*: Il y a plus de choses au ciel et sur terre, Horatio, qu'il n'en est rêvé dans ta philosophie.
>
> SHAKESPEARE, *Hamlet.*

Quand toutes ces choses, confusément, mais avec la véhémence d'une cataracte, se présentent à son esprit novice ou vétéran, le poète, pour donner une voix intelligible à toute cette vie jamais encore traduite dans aucune langue, se voit forcé, sous peine de trahir la vie, d'inventer une parole neuve pour ces *voix du silence*. Ou bien il invente des mots nouveaux, comme ceux qui, les premiers, ont nommé l'homme et l'univers; ou bien il retrouve, sous les maquillages, la patine, la crasse et les haillons, le sens originel des mots usés et désabusés. Ainsi, avec nos pièces de monnaie de 25 cents, manipulées par trop de mains, on pourrait difficilement jouer à pile ou face, parce que la face de leur reine s'y confond avec les fesses de nos caribous. De même, les mots avaient à l'origine une effigie royale, mais passés des milliards de fois de bouche à oreille et utilisés à toutes les sauces, ils sont devenus *machin-chose*, n'importe quoi.

S'il ne crée pas des mots nouveaux, ou ne désinfecte pas les mots anciens, le poète trouvera moyen de recréer le langage, par des agencements inédits, des associations étranges qui disloquent le cheminement mécanique de la pensée routinière. Brassens, par exemple, transformera la banale *école buissonnière* en *tombe buissonnière*; au grand scandale des croque-morts.

Le poète-fondeur chinois voulait «se prendre à l'élément même, arracher la gamme au sol primitif». C'est l'idéal de tout poète. Alors que d'autres utilisent les éléments du langage pour en faire des ustensiles, des marteaux, des vis, lui voit dans les mots des bijoux, de quoi composer tout un monde fabuleux où, par exemple, le lac est un «cristal frileux qui tremble à ton nom comme tremble feuille». (VIGNEAULT)

Et le mot devient chair. Et le mot qui était gravé en lettres poudreuses aux tablettes de la mémoire, se met à battre aux pulsations de la vie, comme une chair rose de femme, avec un tremblement de lèvres humides et chaudes; et des frissons rouges gonflent en vagues les cuisses polies, et la pulpe des seins et les remous profonds des hanches.

> Un mot n'est pas le même dans un écrivain et dans un autre. L'un se l'arrache du ventre. L'autre le tire de la poche de son pardessus.
>
> PÉGUY.

Un poète qui tire, du fond de ses poches, des mots usés comme de vieilles pièces de monnaie, c'est aussi impensable qu'un jeune canard qui s'équiperait, pour nager dans l'eau neuve, des bonnes vieilles palmes de ses défunts ancêtres. Vigneault nous dit qu'il lui est arrivé de chercher un mot pendant dix-huit heures; un diplômé moyen de nos écoles secondaires, dont le bagage de mots évolue entre 600 et 700, ne connaît pas de ces angoisses: il trouve très vite le mauvais mot pour tuer la bonne chose!

Le mot devenu chair! Tiré des archives du musée, échappé aux mains impures de l'empailleur, pour redevenir poisson orangé parmi les algues et les eaux turquoises, ou sarcelle naviguant entre les mâts frêles des roseaux.

*

Qui n'a pas la passion des mots, c'est que les dieux lui ont interdit l'accès aux sources. Il sera un citoyen aux pensées conformes, un brave petit commis de la prose utilitaire.

Ce n'est donc pas par hasard que poètes et philosophes ont le goût instinctif et raisonnable de retourner aux sources du langage. Socrate, philosophe poète, se sert à tout propos du sens premier des mots pour bâtir un raisonnement philosophique. Tout comme il peut partir d'un veau bien concret et original pour en tirer de sublimes pensées. Parfois, cela peut sembler pure fantaisie intellectuelle, jeu subtil sur les assonances, sur les illusions suggérées par l'orthographe ou les approximations. Il y a là, pourtant, autre chose que la passion sèche du linguiste pour les racines, les planches anatomiques et les filières du langage. Socrate, comme Claudel, comme tous les poètes, veut retrouver le goût de l'amande sous l'écorce de la noix; le goût de l'amande, et aussi sa fécondité.

Si le poète veut saisir le mot à sa racine, à la source, c'est à cause de cette passion pour la vie originelle, pour la vie toute neuve saisie dans son jaillissement. Ce n'est donc pas en vertu d'une tradition scolaire morte que les poètes, de tout temps, ont eu le goût de chanter les origines du monde; ce n'est pas non plus parce que, rêveurs mal adaptés dans le présent, ils se réfugieraient dans le passé. *C'est quand il est le plus exalté par les puissances de la vie que le saumon remonte aux sables de son origine.*

La liste est inépuisable des poèmes qui chantent les sources du monde. Ceux des époques où fleurissaient les religions et les mythologies; ceux aussi des âges «éclairés» qui, nous dit-on, sont les nôtres.

Les poètes hantés par ce retour aux origines ne se classent tout de même pas facilement parmi les nostalgiques surannés, rétrogrades ou détraqués. Au contraire, on peut, sans discrimination, les classer parmi les plus grands. Qu'il suffise d'en énumérer quelques-uns: le poète de la Genèse, Rimbaud, Claudel, Péguy, Hugo, Platon, Lucrèce, Virgile, Baudelaire, Maurice de Guérin, le cinéaste-poète Flaherty, ...

3.1.2 LA SYNTAXE

C'est non seulement le mot qui, jeté dans le creuset de la vie, retrouve sa fraîcheur et sa force originelles, mais aussi tous les autres éléments du langage. La phrase poétique, par exemple, peut s'éloigner de la phrase uniquement logique dans une mesure bien propre à choquer ou dépayser la raison. La prose tend à la clarté, à l'analyse, à la norme commune. Elle parle pour se faire comprendre de la raison surtout. La poésie, elle, veut se faire comprendre de tout l'homme; elle tend à mouvoir, à émouvoir, d'abord son imagination, son cœur, sa sensibilité, ses facultés non raisonnantes.

Et alors, pour provoquer cet ébranlement salutaire des fondations prosaïques, pour permettre à l'homme d'entrer en contact avec la vie, autrement que par les classeurs et les alambics de la raison, la poésie a volontiers recours à des structures de langage qui, par leur nouveauté même, déboussolent le mortel enraciné dans ses confortables certitudes quotidiennes, limitées, stéréotypées, et dans son langage monorail et aseptisé.

Il se peut, évidemment, que la syntaxe soit très peu affectée par l'invasion poétique. Comme l'imagination du peintre peut s'accommoder des formes de la nature et d'une composition des éléments bien voisine de l'ordre dit «normal». Mais cette normalité n'est le plus souvent qu'apparente: un intérieur de Vermeer, par exemple, si «normal» en apparence, est en réalité un univers composé, recomposé selon de tout autres lois que celles du bon goût bourgeois: sur sa toile, un volet de fenêtre n'est pas là pour satisfaire la raison en lui disant que cette maison a des fenêtres; il est là pour composer une harmonie de volumes et de couleurs avec le mur, la carte géographique sur le mur, la table, la chaise près de la table, et tout le reste.

De même, dans un poème, le flot poétique ne bouscule pas nécessairement les éléments pour les faire entrer dans un désordre ou un ordre surréaliste: il suffit que, d'une manière ou d'une autre, on sente qu'il y a un flot, et un flot poétique.

*

Parmi des milliers d'exemples qu'on pourrait donner ici du bouleversement que le flot poétique fait subir aux structures syntaxiques, usées, désabusées, en voici deux; pas des plus poussés, mais suffisants toutefois pour déboussoler ceux qui ont pris, et bien appris, la criminelle habitude de marcher à la seule boussole de la prose la plus pédestre ou pédalo. Ce n'est pas eux qui mettraient en pratique ce très sage conseil du poète Roland Giguère: «Ne demande pas ton chemin à qui ne sait pas s'égarer.»

Un chant qui se soucie aussi peu de moi-même
Que la flamme de l'âtre ou du rideau le vent
L'ivresse du buveur la balle du vivant
Un chant qui fait sauter les gonds de mes poèmes
Un chant portant la nuit de l'aigle sur sa proie
Un chant d'incendie à l'heure de la grand'messe
Derrière lui par les moissons qui rien ne laisse
Un chant comme la peste toujours à l'étroit

ÉLUARD, *Un jour Elsa ces vers.*

À chercher les fonctions grammaticales de l'*ivresse*, de *vivant*, de *par les moissons*, plusieurs y perdront leur latin, ou du moins ne retrouveront plus leur français; à moins de faire un bel effort pour sortir des ornières de la langue prosaïque.

J'ai pour toi un lac quelque part au monde
Un beau lac tout bleu
Comme un œil ouvert sur la nuit profonde
Un cristal frileux
Qui tremble à ton nom comme tremble feuille
À brise d'automne et chanson d'hiver
S'y mire le temps, s'y meurent et s'y cueillent
Mes jours à l'endroit mes nuits à l'envers

Gilles VIGNEAULT, *J'ai pour toi un lac*, avec *Les vieux mots*,
Éditions de l'Arc, Québec, 1964, 88 pages.

Cherchez les fonctions grammaticales de *un cristal frileux*, de *chanson d'hiver* et de *nuits à l'envers*; et pendant que vous les chercherez, il est bien possible qu'il vous faudra un peu de temps pour remettre à l'endroit votre bon sens, s'il a trop longtemps navigué à l'envers sur la prose monorail à sens unique.

Et si, dans ces deux poèmes, et dans tous les autres, on n'arrive pas à saisir les fonctions grammaticales des mots, comment espérer saisir la fonction, le sens du poème?

* *
*

Et venons-en aux deux caractéristiques majeures du langage poétique: l'image et le rythme.

3.2 L'IMAGE

> Par moi
> Aucune chose ne reste plus seule mais je l'associe à une autre dans mon cœur.
>
> CLAUDEL, *Cinq grandes odes.*

L'image, plus essentielle au langage poétique que l'eau au poisson. Si, à la rigueur, le poisson peut devenir amphibie, jamais le poème n'a pu se soustraire, sans périr, à son milieu vital: l'image. Ceux qui ont voulu acclimater la poésie dans un autre milieu, celui de la seule raison logique, ont noyé leur poésie, sans résurrection possible.

3.2.1 POURQUOI L'IMAGE?

Parce que l'image est la seule façon de créer des liens existentiels entre les êtres épars et multiples qui composent la vie intérieure et la vie extérieure au poète. On l'a vu: le poète, quand il *souffre* l'invasion de la poésie, est plongé dans la vie unanime; ce qu'il ressent, c'est une surabondance de vie; la vie le force de toutes parts, le déracine du particulier pour le plonger dans l'universel. Non pas par un processus d'abstraction, mais au contraire par une immersion dans le concret.

Certes, la poésie n'est pas la seule à créer des liens, à tendre vers l'unité. À peu près toutes les activités humaines tendent à cette fin; de façon plus ou moins consciente, il est vrai. Le commerce, la construction de routes et de ponts, l'éloquence électorale, la confection des uniformes, la psychanalyse, l'art de la coiffure, de la cuisine et de l'imposture.

Si la poésie crée des liens entre Mignonne et la rose, le couturier aussi et le parfumeur, sans parler du fleuriste et des Roméos de l'auto. Et plus particulièrement, n'est-ce pas le rôle de l'intelligence et de l'amour d'unir les êtres, l'un par l'affection, l'autre par les multiples relations que l'esprit perçoit, dans le seul champ de la causalité, par exemple? Cherche les causes de la tranche de pain que tu manges, et tu devras saisir des milliards de liens qui remontent la nuit du temps et de l'espace terrestres et cosmiques.

Alors, est-il raisonnable de réserver à l'image poétique une place privilégiée, au milieu de tout ce réseau où l'homme doit évoluer pour vivre physiquement et spirituellement? Quand je dis: «Ce cheval est noir», je fais entrer en relation le cheval et le noir; et si j'ajoute: «plus noir que la nuit», j'élargis dans mon esprit le champ de relation du cheval. Et je peux élargir ce champ, à l'infini, sans jamais épuiser les relations possibles ou réelles. De même, si je dis: «J'aime ce cheval», j'affirme qu'il existe entre lui et moi des échanges plus étendus que ceux imaginables par les ordinateurs les plus brillants.

L'homme, comme d'ailleurs tout vivant, entre donc en relation multiple avec la vie. Ces relations sont d'ordre physique, involontaires et instinctives, comme celles de la plante ou de l'animal; elles sont aussi d'ordre intellectuel et affectif. Et ce sont de tels liens affectifs qui semblent les plus profonds et à l'origine des liens intellectuels: l'homme comprend, dans la mesure où il aime; il cherche à comprendre, dans la mesure où il est d'abord attiré, aimanté par l'objet extérieur.

La cinquième Sainte-Fabeau
C'est la plus belle des quenouilles
C'est un cyprès sur un tombeau
Où les quatre vents s'agenouillent
Et chaque nuit, c'est un flambeau

APOLLINAIRE, *Les sept épées.*

Sainte-Fabeau: quenouille, cyprès, flambeau. Avec la grâce des roseaux, son frais visage dans l'eau, le velours de sa flamme sur la nuit bleue et le voisinage du tombeau. Pourquoi ce rayonnement d'images? Pourquoi cette nécessité de parler de tout le reste pour parler de Sainte-Fabeau, comme Ronsard, pour parler de Mignonne, parlait de la rose en robe de pourpre, du soleil, et de la nuit, et de la jeunesse en fleur, et de la vieillesse fanée?

Parce que, pour magnifier Mignonne ou Sainte-Fabeau, le moyen le plus efficace, c'est de créer autour d'elles un décor qui leur convienne. Beaucoup plus qu'un décor, en réalité: il faut que Sainte-Fabeau soit la quenouille et que la quenouille devienne Sainte-Fabeau; qu'on voie Mignonne en rose et la rose en Mignonne; qu'il y ait une telle assimilation entre les deux belles choses mises en présence, que la quenouille soit enrichie par la grâce de Sainte-Fabeau, et que Sainte-Fabeau, si belle déjà, le soit davantage par la grâce que lui donne la quenouille. L'objet beau contemplé est si riche de beauté qu'il ne suffit pas de le dire une fois: il faut le répéter plusieurs fois, en variant les formes de la même extase.

*

Revenons à cette grenouille du chapitre précédent, telle que vue par le poète. La regardant, le poète voit, *en même temps*, l'eau où baigne cette grenouille, le nénuphar où elle trône en majesté, les arbres, les nuages et le soleil qui se mirent dans l'eau; cela et tout le reste. Le cosmos est là, entourant, pénétrant la grenouille. Cette grenouille est grenouille-eau-nénuphar-nuage-soleil, et tout le reste; pas seulement un batracien découpé au rasoir dans une page de dictionnaire.

Où commence la grenouille? où finit l'eau? La grenouille flotte dans une eau qui est faite de nuages, de nénuphar et de ciel; tout se fond, se confond. Si le vent agite l'eau, les arbres se mettent à danser, le soleil tangue, roule, se diffuse en mille reflets sur les ailes de la libellule volant au-dessus de la grenouille.

Par tous ses sens en éveil, le poète accueille les relations en nombre infini se nouant et dénouant autour de cette grenouille devenue cosmos. Et s'il décide de nous parler de cette grenouille, comment pourrait-il l'isoler sans trahir la vie? Comment ne trouverait-il pas tout naturel de comparer, de mettre en relation, au moyen de l'image, la grenouille avec l'arbre, l'eau et tout le reste? Si chaque être est effectivement rattaché par des milliards de liens aux autres êtres, quand je tire sur un maillon de ce filet, je tire à moi tout le filet; si je tire sur une patte de la grenouille, j'ébranle les galaxies, je meus et j'émeus le cosmos. C'est pourquoi le poète peut dire:

Un petit roseau m'a suffi
À faire chanter la forêt.

Henri de RÉGNIER.

Et c'est pourquoi Virgile pouvait dire qu'avec sa flûte le berger Tityre enseignait aux forêts à chanter, par cœur, c'est-à-dire par amour, le nom de sa belle Amaryllis:

Formosam resonare doces Amaryllida silvas.

Un poète incapable de faire voir dans un chant de flûte la belle Amaryllis ou de rendre les arbres amoureux de la belle Amaryllis, c'est un poète raté; il est sourd au dialogue des êtres, il est aveugle devant les mille correspondances reliant ces êtres; il est un être emmuré, cimenté dans la prose; son âme est devenue fonctionnaire fonctionnant au seul rythme de l'horloge mécanique.

*

Si notre esprit et notre cœur étaient assez puissants, peut-être pourrions-nous, devant l'objet de notre amour, le dire en un seul mot qui en épuiserait toute la richesse; et ce mot traduirait cet objet d'amour en lui-même, sans qu'il soit besoin de le mettre en relation avec d'autres objets de beauté. Mais, bornés dans notre puissance de compréhension et poussés par ailleurs par une passion qui, elle, est aussi puissante qu'illimitée, nous n'arrivons à parler qu'indirectement de tel amour, en l'éclairant de tous les amours réels ou possibles.

L'image est une faiblesse; nous l'utilisons parce que nous n'arrivons pas à dire l'objet en lui-même; et peut-être qu'en l'autre vie, nous n'aurons plus besoin de la rose pour parler de Mignonne. Mais pour le moment, ce recours à l'image déficiente est le seul moyen efficace de parler éloquemment de l'objet aimé.

Aussi longtemps que tu n'ouvres pas la bouche pour exprimer ton amour, tu n'as pas besoin de l'image: tu le goûtes comme on goûte un vin, comme on goûte un feu. Mais dès que tu veux faire un poème d'amour, une musique d'amour, une sculpture amoureuse, tu en es réduit aux symboles, aux images; comme tu en es réduit, en ce bas monde, à ce rudimentaire et sublime véhicule des jambes, quand tu veux te déplacer par tes propres moyens.

3.2.2 SON ÉCLAT ET SON IMPORTANCE VARIENT SELON LES ÉPOQUES

De tout temps, l'image fut indispensable à la poésie. Même chez les poètes artificiels, qui utilisent des images artificielles, des fleurs de papier ou de plastique de luxe. Mais l'image poétique est-elle importante

parce qu'elle est un *vêtement noble*, indispensable à la noblesse de la poésie?

ou parce que la poésie perd son être poétique si tu la prives de *son âme*?

Il est assez facile de voir qu'au cours des siècles, l'image fut tantôt considérée comme un ornement de la raison, tantôt comme essentielle à la poésie. De façon générale, la poésie lyrique, sous tous les climats, à l'intérieur de tous les credos littéraires, a su défendre l'éminente dignité de l'image et s'est refusée à la réduire au rôle d'ornement, si royal fût-il. Ce n'est pas Ronsard, Alain Grandbois, Villon, Verlaine, Apollinaire qui ont jamais pu se laisser distraire de l'image poétique. Ni Brassens, ni Vigneault, ni Miron, ni Keats, Shelley ou Baudelaire. N'ayant pas en tête de fausses ambitions, des projets de machins spectaculaires, ils se sont plus facilement gardés des hérésies de la raison raisonneuse.

Pour poser la même question d'une manière plus frappante: Qu'ont de commun, au point de vue poétique, un vers de Corneille ou de Molière et un vers, une strophe de Saint-John Perse? Le contenu poétique est-il commun, malgré les moyens d'expression si différents?

Dans les deux cas, nous avons la réaction d'un homme devant quelque chose qui lui apparaît comme grand, sublime, digne d'admiration; qui transporte la sensibilité, l'imagination, la pensée au-delà des bornes du quotidien, de l'ordinaire. On ne met pas en poésie les choses ordinaires, les sentiments, les impressions, les pensées ordinaires; du moins faudra-t-il que, sous leur apparence banale, ces choses soient perçues comme exceptionnelles ou que leur pauvreté relative d'être soit revêtue des prestiges de la grandeur.

Pris isolément, les vers de Racine ou de Molière peuvent nous apparaître d'une pauvreté poétique extrême:

Soit, n'en parlons plus.
Mais je sais comme il faut en user là-dessus.
L'honneur est délicat, et l'amitié m'engage
À prévenir les bruits et les sujets d'ombrage:
Je fuirai votre épouse et vous ne me verrez...

MOLIÈRE, *Le Tartuffe*.

Je fais ce que tu veux: je consens qu'il me voie;
Je lui veux bien encore accorder cette joie.
Pylade va bientôt conduire ici ses pas;
Mais, si je m'en croyais, je ne le verrais pas.

RACINE, *Andromaque*.

Les quelques cosmétiques commerciaux et mondains (*fers, astres, feux, flamme, tigre, gloire, charmes*) semblent ne pas ajouter beaucoup de nerf, de pulpe et de sang à cette poésie carrée, syllogistique, grammaticale, oratoire et déclamatoire.

À l'opposé, une strophe de Saint-John Perse:

> [...] Cette buée d'un souffle à sa naissance, comme la première transe d'une lame mise à nu... Il neigeait, et voici, nous en dirons merveille: l'aube muette dans sa plume, comme une grande chouette fabuleuse en proie aux souffles de l'esprit, enflait son corps de dahlia blanc. Et de tous les côtés il nous était prodige et fête. Et le salut soit sur la face des terrasses, où l'Architecte, l'autre été, nous a montré des œufs d'engoulevent!
>
> *Exil.*

À comparer la poésie de Saint-John Perse à celle de Molière et de Racine, on peut éprouver une impression de vertigineux dépaysement: Madame de Pompadour chez les Zoulous! Beethoven chez les Esquimaux! Un président de trust habillé en hippiehop!

Pourtant, il y a une poésie classique, reconnue, goûtée par les plus farouches modernes; comme il y a une poésie moderne que reconnaîtraient et goûteraient ceux des classiques qui furent poètes. Vigneault peut aimer Ronsard et Racine, comme ces derniers pourraient goûter Vigneault. Avec un peu d'initiation à ce qui fait leur différence, secondaire.

*

Sur quoi se fonde ce noyau commun aux poètes de tous les temps? Serait-ce sur «les idées, les tours et les mots poétiques», comme l'explique Voltaire dans une lettre au Prince de Prusse? Il ajoute, pour préciser sa pensée:

> Une idée poétique, c'est, comme le sait Votre Altesse royale, une image brillante substituée à l'idée naturelle de la chose dont on veut parler [...]
>
> Un tour poétique, c'est une inversion que la prose n'admet point [...]

> Les mots uniquement réservés pour la poésie, j'entends la poésie noble, sont en petit nombre; par exemple, on ne dira pas en prose *coursiers* pour chevaux, *diadème* pour couronne, *empire* de France pour royaume de France, *char* pour carrosse, *forfaits* pour crimes, *exploits* pour actions, *l'empyrée* pour le ciel, les *airs* pour l'air, *fastes* pour registres, *naguère* pour depuis peu, etc. [...]

Ce sont là, évidemment, des réflexions sur le style poétique qui pouvaient peut-être éclairer Son Altesse royale de Prusse, mais qui peuvent sembler bien courtes de vue et fort rudimentaires, pour ne pas dire fausses, à ceux qui ne sont ni princes ni Prussiens. On ne voit pas Baudelaire livrant de pareilles définitions creuses à un jeune écrivain de bonne race pour le guider dans sa quête poétique.

Telle est la puissance de la poésie: elle peut coexister avec toutes les formes, toutes les modes, tous les empires possibles. Comme la vie, comme l'amour. La poésie peut animer une forme baroque, hystérique ou sauvage, tout aussi bien qu'une forme classique, rationnelle, sereine, équilibrée. Comme la vie anime une baleine aussi bien qu'une antilope. Comme l'amour peut enflammer un petit commis sec et pointilleux aussi bien qu'un hippie spongieux et langoureux.

Si la raison peut étendre son empire sur tout, même sur la poésie et l'amour, il est non moins vrai que la poésie, à son tour, peut étendre son empire sur tout, même la raison. Ces deux empires peuvent venir en lutte, en contradiction: cela se voit chez les poètes infirmes qui, par un réflexe d'autodéfense maladif, croient nécessaire d'opposer poésie et raison. Alors que les poètes bien portants arrivent à concilier poésie et raison, aussi organiquement que le pied gauche se concilie les bonnes grâces du pied droit. La raison qui part en guerre contre la poésie, c'est une bien petite et mesquine raison; la poésie qui part en guerre contre la raison, c'est une poésie trop bornée pour voir que la poésie a ses libres entrées partout.

Il ne faudrait tout de même pas faire à la poésie la louange injurieuse que certains font à certaines femmes: «Sois belle, et tais-toi!» Il serait étonnant que la poésie parle à tout l'homme, mais pas à son intelligence. Le croire serait une prétention gratuite et outrageante. A-t-on jamais vu un grand poète qui ne soit pas intelligent? Et un grand sculpteur? Et un grand musicien? Si oui, l'artiste serait donc comblé des plus grands dons, sauf de celui qui honore le plus l'homme? Chesterton, exécutant cette rengaine et ce préjugé qui veulent que le génie soit proche de la folie, fait observer ceci: on ne sait pas si Shakespeare a élevé des chevaux; mais il était certainement homme à bien élever des chevaux, s'il lui en avait pris fantaisie. Car le poète, dit Chesterton, est le plus équilibré des hommes, justement parce qu'il n'est pas un spécialiste vicieux qui, s'isolant de l'ensemble, se juche sur la pointe d'une aiguille, au grand risque de perdre son équilibre. Ce n'est pas chez les marins d'eau salée qu'on trouve le plus de névrosés et de désaxés: l'Océan et la Grande Ourse sont des axes plus équilibrants que ceux de la Bourse ou du jeu d'échecs. Et si Michel-Ange dit qu'il faut beaucoup d'intelligence pour comprendre et goûter une bonne sculpture, on peut légitimement en conclure qu'il faut aussi beaucoup d'intelligence pour la faire. Non?

Celui qui a quelque intelligence de l'harmonie d'une sculpture, ou d'une cathédrale, ou d'une symphonie, sait aussi qu'un grand poème est une fête pour son intelligence aussi bien que pour ses autres facultés. Pourquoi s'acharner à nier cette évidence, sous prétexte que, depuis Descartes, la logique et la raison raisonneuse ont fait de terribles ravages en Occident? Les surréalistes et les hippies ne font-ils pas appel à toute la raison pour soutenir éloquemment à la face de l'humanité que la foutue raison ne vaut rien? On retrouve ici le bon apôtre McLuhan qui écrit de gros bouquins extatiques et fumeux pour faire la preuve à d'innombrables lecteurs extasiés que le livre est mort! Je reviendrai plus loin sur cette question, car elle me semble d'une importance capitale.

Si la poésie peut si facilement se greffer sur l'ordre classique dominé par la raison, c'est d'abord parce qu'elle est la poésie, libre de fleurir partout où il lui plaît. C'est aussi parce que cet ordre classique, apparemment soumis aux lois impérieuses de la raison, n'est en réalité qu'une construction bien fantaisiste. Il faut beaucoup de naïveté et de paresse pour s'imaginer que l'ordre inventé par telle ou telle civilisation est un produit de la raison, irréfutable, l'expression d'une nécessité logique à toute épreuve. La preuve du contraire a été faite cent fois et se fait tous les jours. Mais c'est une tentation toujours nouvelle de prendre pour définitif, ou pour une nécessité logique et intemporelle, ce qui, en fait, n'est qu'une mise en place provisoire de solutions répondant vaille que vaille aux besoins de l'heure: Boileau, Breton, la conception américaine ou stalinienne du bonheur, les dogmes de la science...

Alors, il faut savoir sourire, lorsqu'on nous affirme avec impudence qu'aux époques dites classiques la poésie est *dominée* par l'ordre de la raison: la poésie discerne trop bien la fragilité de cet ordre rationnel pour aller se soumettre sans condition aux impératifs de cette raison d'État. Corneille et Racine *font semblant* d'être hantés par le dogme des trois unités, un peu à la façon d'un homme sensé qui s'habille à peu près comme l'exige la mode de son temps; avec tout de même autant de méfiance que de respect pour cette mode. La concession que la poésie fait à l'ordre extérieur décrété par une raison soi-disant sûre d'elle-même, ressemble à la soumission que le peintre Vermeer a pour son sujet: tous les éléments de son tableau sont groupés selon un ordre bien logique, raisonnable, où le bourgeois le plus borné peut se sentir chez lui, en pleine sécurité. Mais ce qui passionne Vermeer, ce n'est pas cet ordre «raisonnable»: sa passion, à lui, c'est d'agencer les éléments selon un ordre poétique qui transfigure l'espace matériel; c'est de traiter la couleur pour qu'elle parle à l'âme, pas seulement aux yeux. Autrement dit, le poète dit classique, dès qu'il a payé son tribut à la raison de son temps, s'empresse de rentrer chez lui pour travailler à son unique nécessaire, c'est-à-dire la Vie. Vie faite de raison, d'intelligence, mais aussi de tout ce qui dépasse l'intelligence.

3.2.3 DANS UN POÈME, LES MULTIPLES IMAGES FORMENT UN TOUT COHÉRENT

La mélodie est dynamique; l'harmonie, statique.

Si elle est purement prosaïque, la phrase, visant à l'efficacité, se veut claire et dépouillée comme une balle filant au but. Elle néglige l'harmonie qui encombrerait sa marche. Précision du bistouri, dépouillement du tournevis et du marteau. La phrase poétique, elle, se charge d'harmoniques, fait appel à l'orchestration. La ligne mélodique est toujours là, puisque le poème, s'il a un sens, s'il est sensé, s'en va quelque part; mais rien ne le presse de s'y rendre, puisqu'il est avant tout contemplatif, puisque toute son action, son mouvement, est dans la contemplation. Là où il veut aller, curieusement, c'est au centre de lui-même, à ce point précis d'où il est parti: le germe vivant, le noyau du poème, à la fois fulgurant et ténébreux, à l'origine du mouvement, de la danse poétiques. Le poème tourbillonne sur lui-même, comme le danseur enivré, la toupie immobile dans le vertige de sa vitesse; au lieu de s'en aller en ligne droite, centrifuge, comme le marcheur qui marche vers un but.

Ce mouvement de rotation enivré enivre au passage tout ce qu'il rencontre, et l'entraîne en orbite dans sa ronde extasiée. Comme dans l'orchestration musicale: la note que donne la soprano éveille en harmoniques les autres voix et la multitude d'instruments aux timbres variés. C'est une architecture sonore verticale, plus soucieuse de remplir de son volume un champ clos, de combler le présent, que de fuir en ligne droite et sèche vers le futur. Faire concerter dans l'instant présent le chant fluide ou rauque de la mer, le grondement du volcan, la corde lyrique, les bruissements d'ailes du vent, le trille du troglodyte, le fouet des cuivres, le velours liquide de la grive des bois, et «ce je ne sais quoi de moelleux et d'humide conféré par la salive aux mots que forme la bouche humaine». (CLAUDEL)

Le poème est non seulement polyphonique, mais symphonie et orchestration. Dans une seule page (*Je suis la terre et l'eau*) où Anne Hébert nous parle de son ami qui devient son amour, elle nous fait simultanément voir, entendre, goûter et palper la terre, l'eau, le soleil, les racines des fougères, les feuilles rousses de l'automne, la nuit, la fleur, le grand cheval noir qui court sur la grève, le mystère, le puits, la soif, toutes choses qui chantent de concert avec son amour, l'éclairent et nous en révèlent peu à peu toute la profondeur et la complexité, toute la fureur et la tendresse inextricablement nouées de soleil et de nuit.

Ce n'est pas une mélodie qu'on entend; c'est bien plutôt une symphonie, où non seulement chacun des vers est orchestré, riche de résonances multiples, mais où les vers retentissent les uns sur les autres, concertent les uns avec les autres. Dans un texte de prose utilitaire, les phrases, certes, sont unifiées elles aussi, par la logique; mais l'orchestration est négligée, voire totalement exclue, au profit de la clarté et de la rapidité. La prose vise à tout dire de façon si précise qu'on n'ait pas à la relire; le poème est fait, idéalement, pour être repris à loisir, mémorisé, chanté par cœur, avec cœur, et non plus seulement emmagasiné aux matrices froides de l'ordinateur-cerveau en chiffres rigides et secs.

Et c'est par l'image aux rayonnements multiples que le poème arrache l'homme à son activité prosaïque et centrifuge, pour lui permettre d'entendre battre le cœur unanime de l'Être où tous les êtres consonnent, dialoguent et concertent à l'unisson du cœur humain.

* *
*

Deux poèmes nous permettront d'analyser de façon un peu plus concrète ce rôle de l'image.

J'ai pour toi un lac

J'ai pour toi un lac quelque part au monde
Un beau lac tout bleu

Comme un œil ouvert sur la nuit profonde
Un cristal frileux
Qui tremble à ton nom comme tremble feuille
À brise d'automne et chanson d'hiver
S'y mire le temps, s'y meurent et s'y cueillent
Mes jours à l'endroit mes nuits à l'envers.

J'ai pour toi au loin une promenade
Sur un sable doux
Des milliers de pas sans bruit, sans parade,
Vers on ne sait où
Et les doigts du vent des saisons entières
Y ont dessiné comme sur nos fronts
Les vagues du jour fendues des croisières
Des beaux naufragés que nous y ferons.

J'ai pour toi défait mais refait sans cesse
Les mille châteaux
D'un nuage aimé qui pour ma princesse
Se ferait bateau
Se ferait pommier se ferait couronne
Se ferait panier plein de fruits vermeils
Et moi je serai celui qui te donne
La terre et la lune avec le soleil.

J'ai pour toi l'amour quelque part au monde
Ne le laisse pas se perdre à la ronde.

Gilles VIGNEAULT, *Avec les vieux mots*,
Éditions de l'Arc, Québec, 1964, 88 pages.

Le lac dont parle Vigneault n'est évidemment pas un lac physique, situé quelque part au Québec, ou même «quelque part au monde». Vigneault ne veut pas dire qu'il est propriétaire d'un lac, et qu'il veut en faire cadeau à celle qu'il aime; on serait là dans de vulgaires manigances de millionnaire. Non, il veut lui dire qu'il l'aime; et ce qu'il veut lui donner, c'est son amour; amour qu'il compare à un lac, à une promenade, aux mille châteaux, à la terre, à la lune avec le soleil, et ainsi à l'infini. Vous pensez bien qu'un millionnaire ne se lance pas dans pareilles aventures: il est sérieux, lui!

Et voyez comme les images s'enchaînent, s'engendrent les unes les autres, en cascade. L'amour est un lac, ce lac est un œil, cet œil est un cristal frileux. Images multiples, mais qui ne s'en vont pas au hasard, au diable vauvert, comme des idées folles et centrifuges. Elles parlent toutes d'une même chose; elles sont toutes des symboles de l'amour; en plus d'avoir en commun beaucoup de qualités qui, sans être tout à fait identiques, ont tout de même beaucoup de ressemblance (l'œil, par exemple, a plusieurs qualités du lac); suffisamment, en tout cas, pour qu'un poète à l'œil ouvert les voie à l'endroit. Les voyez-vous?

Et quand il veut faire comprendre la sensibilité, la subtilité amoureuse de cet amour, Vigneault dit que ce lac-amour, il lui suffit d'entendre le nom de l'aimée pour trembler comme tremble feuille. Gatien Lapointe disait: «Un arbre tremble de mille paroles.» L'arbre de Lapointe était, lui aussi, intelligent, sensible. Et Virgile nous a dit plus haut que son berger chantait sur sa flûte le nom de la belle Amaryllis, et qu'à la seule audition de la belle musique de ce nom musical, les arbres à leur tour redisaient en leur propre musique ce nom qui les avait touchés au cœur. Le même Virgile fait dire à l'un de ses bergers: «*Non surdis canimus*: Nous ne chantons pas pour des sourds.» En effet, si même les arbres sont sensibles à la musique et à la poésie, il serait bien souhaitable que plus d'hommes soient moins sourds que des bûches, quand ils entendent ou lisent de la poésie.

Que la feuille tremble à brise d'automne, cela n'a rien d'exceptionnel; mais qu'elle tremble à chanson d'hiver, voilà la merveille; je dis qu'il faut être aimé des dieux pour comprendre ce qu'elle veut dire. À vous de vérifier si vous méritez d'entendre ce que dit cette chanson d'hiver, de trembler d'émotion en l'entendant, ou de grincer des dents comme un sourd volontaire qui ne veut rien entendre, dès qu'il ne s'agit plus de musique *rock heavy metal*. «*Sicut boves in prato, sic vos in choro boatis*: Les bœufs, dans le champ, beuglent; vous, c'est dans le chœur que vous beuglez.» Voilà ce que disait un envoyé de Rome à des moines allemands qu'il venait d'entendre chanter de façon horrible les textes de la liturgie. C'était il y a plus de mille ans; mais ce jugement n'a rien perdu de son actualité, même si on ne chante plus beaucoup en latin; il y a bien d'autres langues et musiques à massacrer de nos jours, entre autres la langue française, la langue poétique et la musique des Anges.

Les quatre derniers vers de cette première strophe rappellent étrangement ceux de Baudelaire dans *Le poison*, où il s'agit, cette fois, d'un amour empoisonné:

Tout cela ne vaut pas le poison qui découle
De tes yeux, de tes yeux verts,
Lacs où mon âme tremble et se voit à l'envers [...]

Mais rien n'empêche un poète d'improviser à la flûte enivrée une variation sur un thème qu'un autre poète a chanté sur guitare à corde cassée. En musique, ces emprunts sont jugés tout à fait normaux, et les plus grands musiciens en ont abondamment usé, sans rien perdre de leur originalité. Avec le même matériau, on peut faire une infinité de statues, aussi belles les unes que les autres.

De ce même poème, je ne retiendrai plus que les quatre derniers vers de la deuxième strophe. Ici encore, les images se trouvent engendrées les unes par les autres. Traduites en prose, elles disent ceci: De même que le vent avec ses doigts dessine des vagues sur le sable des plages, ainsi le temps dessine sur nos fronts avec ses doigts ces autres vagues que sont les rides. C'est plus clair en prose, mais tellement moins beau! Quant à la croisière et aux beaux naufragés en question, je vous renvoie aux dieux et à votre intelligence: ils vous en donneront l'entendement. Si vous le méritez.

Je suis la terre et l'eau

Je suis la terre et l'eau, tu ne me passeras pas à gué, mon ami, mon ami

Je suis le puits et la soif, tu ne me traverseras pas sans péril, mon ami, mon ami

Midi est fait pour crever sur la mer, soleil étale, parole fondue, tu étais si clair, mon ami, mon ami

Tu ne me quitteras pas essuyant l'ombre sur ta face comme un vent fugace, mon ami, mon ami

Le malheur et l'espérance sous mon toit brûlent, durement noués, apprends ces vieilles noces étranges, mon ami, mon ami

Tu fuis les présages et presses le chiffre pur à même tes mains ouvertes, mon ami, mon ami

Tu parles à haute et intelligible voix, je ne sais quel écho sourd traîne derrière toi, entends, entends mes veines noires qui chantent dans la nuit, mon ami, mon ami

Ah quelle saison d'âcres feuilles rousses m'a donnée Dieu pour t'y coucher, mon ami, mon ami

Un grand cheval noir court sur les grèves, j'entends son pas sous la terre, son sabot frappe la source de mon sang à la fine jointure de la mort

Ah quel automne! Qui donc m'a prise parmi des cheminements de fougères souterraines, confondue à l'odeur du bois mouillé, mon ami, mon ami

Parmi les âges brouillés, naissances et morts, toutes mémoires, couleurs rompues, reçois le cœur obscur de la terre, toute la nuit entre tes mains livrée et donnée, mon ami, mon ami

Il a suffi d'un seul matin pour que mon visage fleurisse, reconnais ta propre grande ténèbre visitée, tout le mystère lié entre tes mains claires, mon amour.

Anne HÉBERT, *Poèmes*,
Éditions du Seuil, Paris, 1960, 110 pages.

Est-ce un poème pour célébrer la terre et l'eau? ou la Nature? ou les saisons? ou les fleurs? ou ta sœur?

J'ai entendu bien des étudiants, et bien d'autres, soutenir ces hypothèses ou d'autres semblables, après trois, quatre lectures «attentives» de ce poème. La seule hypothèse défendable, c'était précisément celle-là qui ne venait pas à l'esprit. Il en sera de même pour tous les poèmes qui ne volent pas en rase-mottes, qui ne font pas l'éloge de la Labatt, des listes d'épicerie ou des fabuleux p'tits poudings Laura Secord. Pourquoi les hypothèses les plus indéfendables sont-elles les plus populaires? C'est là une espèce de Fatalité maligne, capable de rendre pessimiste un jeune professeur qui n'aurait pas encore compris quels ravages la prose prosaïque a pu exercer dans les esprits qui en font depuis belle lurette leur unique nourriture. Si, en plus, ces esprits ont été conditionnés aux tests dits objectifs, je lui souhaite bonne chance, et un long rétablissement.

Si on croit que la logique mathématique ou scientifique est la seule qui soit sensée, on est évidemment tout déboussolé devant pareil texte. Pourquoi? Parce qu'on n'arrive pas à voir un enchaînement quelconque entre les multiples images de ce poème. Elles semblent éclatées dans toutes les directions, se suivre en un défilé aussi incohérent que fantasque. Des images folles à lier! On n'a pas fini d'essayer de comprendre ce que dit l'une de ces folles, que déjà une autre prend la parole pour nous proposer une nouvelle énigme folle. Non seulement, prises isolément, semblent-elles incohérentes, mais si on fait la somme de toutes ces incohérences, on obtient, semble-t-il, une montagne de margarine fondante dans laquelle on chercherait en vain une structure, une charpente, un tronc sur lequel viendraient se greffer les branches et les feuilles. À première vue, c'est plutôt un tas informe de branches disparates et de feuilles hétéroclites. Où est l'arbre? Et de quel arbre s'agit-il?

*

Comment résoudre cette énigme? En se servant de son intelligence et des autres facultés reçues gratuitement à la naissance. Et en n'oubliant pas que la logique de l'amoureux est aussi valable que la logique du comptable. Ces deux logiques ramènent tout au sujet qui les passionne: l'amour ou les chiffres.

S'il est impossible de comprendre le sens d'une phrase en isolant les mots qui la composent, il est aussi *impossible de comprendre le sens d'un poème en isolant les images qui le composent*. Ainsi, ce court poème d'Anne Hébert est construit de quelques douzaines d'images qui s'éclairent les unes par les autres, et qui pointent toutes dans la même direction: le noyau, le tronc du sens. Bien loin d'être centrifuges, elles sont centripètes, toutes sollicitées par le magnétisme de la chose à dire. De façon aussi naturelle que les phrases sensées d'un paragraphe sensé tendent normalement à l'expression d'une même idée.

Faut-il partir des images multiples pour arriver à dégager le sens unique? Ou découvrir d'abord ce sens, pour ensuite revenir sur chacune des images et les éclairer par le sens global? À vrai dire, ces deux méthodes ne sont pas exclusives l'une de l'autre. Pour comprendre n'importe quoi, notre esprit a besoin des détails et de l'ensemble, les deux s'éclairant mutuellement. Dans une simple phrase en prose, chacun des mots me fait avancer vers le sens global de la phrase, et ce dernier attire, tire à lui, éclaire chacun des mots et m'en justifie la présence.

Mais on aura beaucoup plus de chance de parvenir à déchiffrer le sens d'un texte quelque peu difficile en le lisant d'abord plusieurs fois en entier, plutôt qu'en explorant à la loupe ou au microscope les détails les uns après les autres. Pour se familiariser avec une ville inconnue, il vaut mieux, je pense, commencer par se donner une vue panoramique de cette ville, plutôt que se livrer d'abord à l'exploration minutieuse de chacun de ses édifices, de chacune de ses ruelles et de ses maisons.

Et quand je m'avance sur un terrain inconnu ou encombré d'obstacles, en forêt, par exemple, il me faut, certes, porter un minimum d'attention à chacun de mes pas, mais il faut, surtout, que mes yeux photographient rapidement la route à suivre. J'éviterai ainsi qu'en surveillant trop mes pieds, je n'aie pas l'attention nécessaire pour prévoir les manœuvres à faire et pour suivre une direction sensée; avec le résultat qu'à tout moment je me trouverais brusquement face à un rocher intransigeant ou à un arbre marabout. Et si on chasse en forêt, la meilleure méthode pour ne pas voir le gibier, c'est de surveiller surtout ses pieds, chacun de ses pas, au lieu de surveiller la forêt et le gibier. Quand on chasse le sens d'un poème, il ne faut pas d'abord, je crois, surveiller les pieds de ce poème et ses propres pieds.

*

Mais faut-il expliquer ce poème, et tous les autres poèmes difficiles? Il me semble que oui. Et pourquoi donc? Eh bien, tout simplement pour le faire comprendre. Car si on ne le comprend pas, de quel profit peut-il être? Suffira-t-il de l'admirer des yeux, de le goûter comme on goûte une peinture abstraite qui n'a pas pour rôle de signifier quoi que ce soit de précis? Suffira-t-il de se laisser captiver par le rythme, de demander aux mots et aux images, vaguement compris, d'ouvrir à son imagination mille rêveries possibles, comme on demande à la musique, non pas de transmettre un message précis, mais de composer une harmonie sonore où l'âme découvre sa véritable patrie hors du temps et de l'espace?

Je le sais, certains font des colères blanches quand ils entendent l'expression «expliquer la poésie». C'est, à leurs yeux, un crime majeur. Ils disent qu'en expliquant la poésie, on la tue; et que d'ailleurs toutes ces prétendues explications ne sont qu'un brassage de fumée, dont le principal résultat est d'obscurcir le vif éclat du poème. Ce poème dit lui-même ce qu'il veut dire; et tout ce qu'on en dit ne lui ajoute pas le moindre poids, le moindre éclat.

Et c'est vrai. En partie. Il est vrai que l'essentiel d'une musique, ce n'est pas les discours, même sublimes, qu'on peut faire sur elle. De même pour un tableau, une sculpture, un poème, une danse. Discourir sur l'œuvre d'art n'est qu'une activité, préliminaire ou secondaire. L'essentiel, c'est de *goûter* l'harmonie des couleurs, des sons, des volumes; de se laisser ravir; de contempler; de boire à la source, au lieu de discourir sur la source. Quand on aurait tout expliqué d'un poème, on n'aurait encore rien fait d'essentiel: l'essentiel, c'est d'éprouver cet état poétique où le poète, ravi, a vécu une extase amoureuse. C'est, il me semble, une évidence qu'il est bon de souligner à temps et à contretemps.

Par contre, si, dans l'enseignement de la poésie, on parle de tout, sauf du sens des poèmes, il me semble qu'on fait là un placotage encore moins défendable. Car le poète travaille avec des mots; les mots ont un sens, ont du sens. Le mot *cheval*, par exemple, *signifie* quelque chose de plus identifiable qu'un LA en musique, ou qu'un bleu en peinture. De même pour les images d'un poème. Sauf dans des poèmes où l'artiste en fait un jeu gratuit, un feu d'artifice sans autre signification que leur éclat évanescent, ces images tendent habituellement à signifier ceci, et non cela. Et ainsi du rythme: selon la chose à exprimer, le poète adoptera tel rythme plutôt qu'un autre; tout comme le musicien changera de rythme, selon qu'il est séduit par les bonds électriques d'une sauterelle ou la solennelle démarche éléphantine d'un hippopotame.

Il n'est pas nécessaire de faire un poème sur une femme pour trouver cette femme adorable, ravissante et extatique au sens fort de ces termes. Mais si je décide de faire un poème à sa louange, comme des millions de poètes l'ont bien fait, il sera souhaitable que dans ce poème on reconnaisse qu'il s'agit bien de l'éloge d'une femme, plutôt que de l'extase que peuvent provoquer la table de multiplication, les logarithmes, la migration des outardes, les chutes Niagara ou le triomphe sur le cancer.

Pourtant, vous ne pourrez enseigner longtemps la poésie, sans entendre, un bon matin, quelqu'un se faire le porte-parole de la majorité silencieuse, pour vous déclarer péremptoirement: «Toi, tu penses que ce poème, *Je suis la terre et l'eau*, veut dire cela; moi, je pense qu'il veut dire ceci. On a tous les deux raison: les goûts, ça ne se discute pas, et la poésie, c'est ineffable.» Et la majorité silencieuse d'applaudir en silence à cette mise au point qui s'imposait depuis longtemps.

Reste alors à faire une autre mise au point qui, elle, s'impose tout le temps. Si vous n'avez jamais senti le besoin de la faire, parce que l'objection ne vous a jamais été faite, c'est que vous enseignez la poésie en structuraliste, ou en fumiste, ou en bouddhiste réincarné, vous limitant, par exemple, à faire dénombrer les verbes, à les classifier selon leur mode et leur temps, à faire le relevé des adjectifs, des pronoms indéfinis, des inversions, des mots abstraits ou concrets; ou à faire l'histoire du XVIIe siècle à l'occasion d'une fable de La Fontaine; ou l'analyse judicieuse de la situation économique et sociale de l'Europe et des Amériques, au moment d'expliquer un poème surréaliste; bref, à tourner en cercles vicieux autour des poèmes, en vous gardant bien d'y entrer.

Si telle est votre pédagogie, faire voir le sens d'un poème vous apparaît, bien évidemment, comme une entreprise démodée, un enfantillage préhistorique dénué de sens. Je ne dis pas que tous les exercices énumérés plus haut, ou d'autres de même nature, soient nécessairement inutiles ou impertinents; *je dis que la recherche du sens est, plus que tout le reste, utile et pertinente*. C'est beau de dire que tout est tout; mais vient un soir, vient un matin, où un chat est un chat, et où David n'est ni Goliath, ni Brigitte Bardot.

*

Voyons voir. Cette fable de La Fontaine, *Le lion et le moucheron*, est-ce un éloge de la pluie et du beau temps? Moi, je dis que c'est l'histoire d'un lion et d'un moucheron. Que ce n'est pas un cours de botanique, ni une thèse économique, ni même un petit traité de zoologie. Toi et moi, ici, devrions pouvoir arriver sans traumatisme à la même conclusion, sans nous croire lésés dans notre liberté intellectuelle. De même, pour *L'albatros* de Baudelaire. Toi et moi, et tous les autres humains comprenant le français, nous devrions en arriver assez rapidement à nous entendre sur ce que Baudelaire a voulu dire dans ce poème. Pourtant, La Fontaine et Baudelaire nous parlent ici en poètes. À moins que tu ne défendes la thèse brillante qu'un jeune et glorieux barbare de Rimouski me soutenait sereinement un jour: «La poésie, ça commence avec Rimbaud!» À ses yeux, Homère, Virgile, Shakespeare ne pesaient pas lourd (d'autant plus qu'il les ignorait probablement de fond en comble). Ces gars-là avaient cru peut-être faire de la poésie, mais ils s'étaient lourdement trompés, pour cette raison fondamentale qu'à les lire, un lecteur intelligent peut comprendre de quoi ils parlent!

Bref, à peu près tous les poètes, des origines les plus lointaines jusqu'à la fin du XIXe siècle, parlaient pour dire quelque chose de compréhensible; pas seulement pour émouvoir la sensibilité et l'imagination par la somptuosité de l'image et l'envoûtement du rythme; sans toutefois les négliger. Aujourd'hui, un grand nombre de poètes croient encore qu'à côté de la musique, de la danse ou de la peinture, la poésie a un message propre, *dont l'une des caractéristiques majeures est d'être accessible à l'intelligence.* Certes, l'image est devenue beaucoup plus polyphonique, plus ouverte, et le rythme, apparemment plus varié; mais ils ont toujours pour rôle de mieux exprimer, faire comprendre ce dont parle le poète.

Je concède volontiers que certains poèmes modernes sont tout à fait ouverts, laissent le champ libre à toutes les interprétations qu'un lecteur voudra bien leur donner. Ainsi, ce poème de Claude Gauvreau:

Ronthon Esthonpierre
Rassuval Esthonmeydon
Rizolmigd Esdhédache
Sursolfine
imi moura mi a mou
irmutra muxmultdrif diagzé
Terrerérerinte
Ridimonthre

Les boucliers mégalomanes, extrait de *Gauvreau*,
Éditions Parti Pris, Montréal, 1977, 1498 pages.

Certes, tous ces personnages sont bien sympathiques. Mais qui sont-ils exactement? Des compagnons de jeu du jeune Boukassa? Je n'en sais rien, tu n'en sais rien, et même Boukassa, j'en suis sûr, n'en sait rien. Claude Gauvreau, lui, le savait-il? Je ne le saurai jamais, tu ne le sauras jamais; et même Boukassa...

Devant cette suite de sons où les mots eux-mêmes ont été dynamités, réduits à leur seule qualité sonore, je laisserai donc Pierre, Jeanne et Jacques tirer de ces voyelles et consonnes tous les sens qu'il leur plaira. Et même si Claude

Gauvreau m'avait soutenu, avec toute sa fougue bien connue, que *ça*, ça voulait dire exactement ça, j'en aurais conclu que *ça* signifiait exactement ça, au sens où un sapin signifie exactement un sapin: ça existe comme un sapin existe, mais ça parle comme un sapin parle, c'est-à-dire que toi et moi pouvons faire dire au sapin tout ce qu'il nous plaît, sans que le sapin, apparemment du moins, y trouve à redire. Et je crois que le Ronthon et le Rizolmigd du poème de Gauvreau n'ont pas à s'offusquer si leurs collègues Rassuval et Esthonmeydon ne ridimonthrent pas la même chose qu'eux, ou ne schtroumpfent pas les mêmes schtroumpfioles ou schtroumpficelles.

*

Ceci dit en toute sérénité, je crois que le poème *Je suis la terre et l'eau* ne fait pas l'éloge de l'écologie, ne parle pas des quatre saisons et des chevaux de course; il parle d'autre chose, et cette autre chose, ici, est aussi identifiable que le printemps ou qu'un cheval.

Je m'explique, et je l'explique, sommairement.

C'est un poème d'amour écrit par une femme et adressé à un homme. Cet homme est, au début, son ami; à la fin, il sera son amour. Comment s'explique ce changement? Certes, les deux ont cheminé, mais l'homme beaucoup plus que la femme. Pourquoi donc? Premièrement, parce que l'écrivain, librement, en a décidé ainsi; et aussi parce que cet homme, au début, était un prosaïque presque à l'état pur. Ce *Tu*, P'tit Jos Connaissant, sûr de lui, parlait «à haute et intelligible voix». Pour lui, tout était clair comme le soleil de midi; dans ce soleil clair, il avait l'impression de tout voir, de tout comprendre, et clairement. «Quand c'est clair, c'est clair!» qu'il disait. Le malheur, c'est que, pour lui, TOUT était clair. La femme? le cosmos? «Ya rien là!», qu'il disait. Il tenait tout, maîtrisait tout, «à même ses mains ouvertes». Naturellement, il aimait beaucoup les chiffres, ne jurait que par les chiffres («Les grandes personnes aiment beaucoup les chiffres», dit le Petit Prince), croyant qu'avec des chiffres et des équations scientifiques bien rodées, on saisit et explique tout le réel et le possible. L'amour? la tristesse et la joie de l'homme? la naissance et la mort?, «Ya rien là!», qu'il disait toujours, en termes vulgaires et avec une assurance vulgaire. Et si tu lui avais dit que même un chat ou un pissenlit sont des abîmes de mystères, il serait parti à rire, d'un rire haut, sonore, bien intelligible; et creux. Il en était là: tout fier et sûr de lui, bouché au mystère, autant qu'un caillou et un ordinateur peuvent l'être.

Et alors, le *Je* multipliera les images pour essayer de lui faire prendre conscience qu'une femme, elle, c'est quelque chose d'infiniment profond, et complexe, et mystérieux. Elle se décrira avec une suite d'images qui toutes présentent des choses apparemment contradictoires. Comment un seul être peut-il être à la fois terre et eau, puits et soif, malheur et espérance, sans nom ni visage certain, cheval noir, fougères souterraines, et tout le reste?

Peu à peu, son étourdi d'ami se rendra compte qu'un être humain, n'importe quel, ça ne se traverse pas à gué, et que c'est un peu plus complexe que 2 et 3 font 5. À la fin, au lieu de tenir entre ses mains le chiffre pur, il tiendra «le cœur obscur de la terre, toute la nuit entre tes mains livrée et donnée». Il reconnaîtra que sa fausse clarté était ce qu'il y avait de plus artificiel; c'était en réalité une «grande ténèbre». Il est prêt à accueillir le mystère, il est prêt à tomber en amour. Et quand tu tombes en amour, tes chiffres en prennent un bon coup, le coup de grâce; ils t'apparaissent pour ce qu'ils sont réellement: des trucs fort utiles, certes, comme une égoïne, mais aussi incompétents qu'une égoïne ou un tournevis pour visser ou dévisser la vie, l'âme, ou même pour visser dans l'Être un chat ou un pissenlit.

*

En dégageant ainsi le sens de ce poème, ai-je tué la poésie de ce poème? Non. J'ai tout simplement fait voir que ce fleuve n'était pas in-signifiant, qu'il avait un courant, un sens, du bon sens; que ce n'était ni un magma d'incohérences, ni le tohu-bohu originel. Après quoi, il me reste de longues heures de joie à me baigner dans ce fleuve, à jouer avec ses algues, à explorer son lit ténébreux, à me laisser éblouir par les mille remous de sa surface aux couleurs chatoyantes et brouillées.

Pourquoi la connaissance qu'un jardinier se donne des fleurs, des soins à leur fournir, de toutes les conditions qui favorisent leur épanouissement, diminuerait-elle automatiquement son plaisir de contempler les fleurs? Pourquoi mes connaissances musicales diminueraient-elles fatalement mon plaisir musical? Et pourquoi donc la poésie serait-elle la seule activité humaine où l'ignorance la plus vierge possible est le préalable idéal pour avoir des émotions poétiques sublimes?

Cette interprétation de ce poème, je la défendrais fermement devant Anne Hébert. Et je crois fermement que, comme moi, elle ne serait pas tendre pour ceux qui soutiendraient qu'elle a voulu dire n'importe quoi, ou qu'elle a voulu faire l'éloge de l'eau, des quatre saisons et de ta sœur.

Si on me dit que je n'ai pas tout compris de ce poème et que, surtout, je suis bien loin de l'avoir suffisamment commenté ici, je ne contredirai en rien, j'en conviendrai volontiers. Si on me dit que le *Je* de ce poème, en plus d'être la femme Anne Hébert, peut être LA femme, ou la Poésie, ou même la Grâce, je n'y trouverai rien à redire: ce sont là des sens analogiques plausibles, des extensions ou prolongements possibles; mais uniquement si on a d'abord compris le sens premier du poème.

Le sens premier des mots est la racine de tous les autres sens dérivés, y compris les sens les plus figurés, qu'on a tirés de ce mot. Ainsi, il faut d'abord savoir ce qu'est le plomb pour pouvoir dire intelligemment de quelqu'un qu'il a, ou n'a pas, de plomb dans la cervelle. De même, en poésie: si on ne sait pas ce que veut dire un poème, il est insensé de prétendre qu'il veut *aussi* dire autre chose. Avant de pouvoir dire qu'une chose est comparable à une deuxième, il est bon de connaître la deuxième et *aussi* la première de ces choses. Non? C'est du moins ce que disent toutes les logiques du monde.

À la fin de la discussion sur ce poème, discussion qui durera des heures ou des semaines, la conclusion ne sera donc pas celle de Socrate: «Vous ne savez rien, Anne Hébert ne sait rien et moi non plus je ne sais rien de ce poème. Ma seule supériorité, c'est de savoir que je ne sais rien.»

Socrate, souvent, faisait semblant de ne rien savoir; pour démasquer l'ignorance de ceux qui, comme le *Tu* de ce poème, en savaient trop. Mais Anne Hébert, elle, savait-elle quelque chose, avant, pendant et après son poème? Il se trouve qu'elle savait. Et si l'on n'arrive pas à comprendre ce qu'elle savait, et a dit, après une étude attentive qui éclaire les détails par l'ensemble et l'ensemble par les détails, eh bien! c'est que les apprentis Socrates sont dans les patates. Car ce poème est clair comme de l'eau de roche, quand on l'a compris. Ce qui laisse au poème tout son mystère de femme et d'amour, de racines souterraines et de feuilles mortes mouillées.

3.3 LE RYTHME

> [...] que le rythme et la rime répondent dans l'homme aux immortels besoins de monotonie, de symétrie et de surprise [...]
>
> BAUDELAIRE.

> Quelle est la raison qui jusqu'à ce jour, a déterminé toutes les poésies à organiser ainsi le donné inspiratoire sur un plan fixe à l'intérieur d'un chiffre précis de pieds ou de syllabes? La principale me paraît le désir de créer dans l'esprit du lecteur un état de facilité et de bonheur. Il est porté en avant sans effort par un mouvement attendu auquel il n'a qu'à s'abandonner. Il est constitué dans un état harmonieux. Il sent ses mouvements et ses pensées adoptés par l'ordre éternel. Il est détaché du hasardeux et du quotidien. Il habite un lieu durable où les êtres et les choses lui sont présentés dans un langage soluble. C'est la réussite parfaite de cette extase poétique, une seule fois, depuis la création du monde! qui a valu à Virgile le juste titre de divin [...]
>
> Paul CLAUDEL, *Réflexions sur la poésie.*

Si l'image est essentielle à la poésie, le rythme ne l'est pas moins. *Une poésie sans rythme serait aussi informe qu'une musique sans rythme.* Celui qui, systématiquement, s'appliquerait à disloquer le rythme, à le parodier, à l'annuler, devrait, pour réussir cet exploit, être très fort en rythme. Réjean Ducharme, Queneau, Sol, Devos et Prévert créent des fantasmagories verbales étonnantes: les mots, déformés ou diaboliquement agencés, produisent de savoureux bouquets d'incohérence. Mais pour arriver à cette performance, il faut être un virtuose de la langue et de la pensée; les étourdis qui s'imaginent qu'avec un peu de laisser-aller ils peuvent facilement obtenir le même résultat, se rendent vite compte – ou du moins les autres se rendent très vite compte – que leur laisser-aller, enrichi de naïveté et d'ignorance, débouche tout au plus sur l'incohérence plate. De même, pour le rythme: pour défier les lois de l'équilibre, pour se passer de rythme, il faudrait être un bon équilibriste; sinon, le défi se transforme en casse-cou. Ce n'est pas le premier fou venu qui peut faire le fou de façon intelligente. Pour jouer le rôle d'un fou dans une pièce intelligente, il est sage de faire appel au plus intelligent de tes comédiens. Sinon, il y aura un fou de trop dans la pièce, et le plus fou des deux sera toujours celui que je pense.

3.3.1 TOUT EST RYTHMÉ

Nous avons vu pourquoi le poète a besoin de l'image: pour rester relié à la vie unanime, au réseau illimité des êtres. Mis en contact avec cette pulsation de la vie universelle, le poète, s'il est vraiment inspiré, c'est-à-dire vivant et vrai, accorde son langage au mouvement même de cette vie qui le porte dans ses vagues. Et alors, son langage est aussi forcément rythmé qu'imagé. Car tout vivant est rythmé; tout ce qui vit s'invente un rythme, équilibre ses formes, ses couleurs, toutes les manifestations de sa vie, selon des lois aussi impérieuses que souples. Sinon, il resterait coagulé dans l'informe du chaos. Pour s'arracher au chaos et paraître avec l'évidence de l'écureuil ou du sapin, tout être a dû vaincre l'anarchie, qui est justement l'absence de rythme.

Autour de l'homme danse l'univers rythmé. L'homme mal civilisé, par distraction ou bas instinct de supériorité, échappe souvent à cette ronde enivrée; le poète, lui, entre dans la ronde avec l'harmonie de sa propre cadence. Il devient sensible à l'alternance des saisons, aux balancements du jour et de la nuit, aux bonds élastiques et nerveux du chevreuil, au chant balancé des arbres et du vent, au long déroulement bleu de la vague, au concerto de la feuille verte célébrant la fleur orangé, et de la fleur orangée épanouie de voir fleurir le vert de la feuille.

Vaniteux ou distrait, l'homme insensible ne peut tout de même échapper à des constatations élémentaires comme celles-ci: son propre corps est rythmé dans la disposition et la proportion de ses membres; et son cœur, sa respiration et sa marche se produisent selon un rituel rythmique évident. Il ne sait peut-être pas que c'est du rythme; il ne peut, du moins, s'empêcher d'en vivre; ou d'en mourir, lorsqu'il prend fantaisie à ce rythme binaire de l'abandonner à son triste sort.

Si le rythme est aussi mystérieux que la vie dont il révèle la présence, au moins l'homme conscient a-t-il cette consolation de pouvoir dire avec passablement de certitude s'il y a rythme; aussi sûrement qu'il peut dire s'il y a vie ou pas. Et pour en arriver à cette savante conclusion, élémentaire, les données les plus simples sont encore les meilleures. Une pomme qui tombe a pu mettre en branle chez Newton la loi de la gravité, comme une grenouille assise peut amener Jean Rostand à faire une très longue marche au royaume de l'inconnu biologique.

3.3.2 NÉCESSITÉ DU RYTHME EN POÉSIE

La poésie, qui tend à traduire la vie extérieure à l'homme, mystérieusement mêlée à sa vie intérieure, est rythmée, sous peine d'être une fabrication artificielle issue d'un esprit stérile, sans prise sur le réel.

Think deep enough, and you think musically: pense avec suffisamment de profondeur, et tu penseras musicalement, dit Shakespeare. Vis avec suffisamment d'intensité, et tu vivras de façon rythmée. L'homme, quand il est enivré, danse ou chante. Il ne chante pas, il ne danse pas n'importe comment, n'importe quoi, au hasard. Il ne chante pas comme un chansonnier creux, ne danse pas comme une danseuse qui n'est inspirée que par Gogo. Ses gestes, ses paroles s'ordonnent alors selon un rythme. Plus il est enivré, plus les gestes, les couleurs, les mots, les formes et les sons s'agencent spontanément et rigoureusement pour former un ensemble où chacune des parties a la nécessité de la feuille sur la marguerite ou des pattes sur un caribou.

Tout principe vivant se donne son propre équilibre, invente les lois de son expansion: équilibre, harmonie, rythme des couleurs et des formes chez la marguerite ou le lièvre en voie de croissance ou au terme de leur évolution. Par contre, supprimez la vie, et vous détruisez le rythme: les parties retournent à l'incohérence du chaos, aux charmes confus et troublants du possible; en attendant qu'un nouveau principe vivant ne vienne les organiser, les rythmer à son profit.

*

Ce qui est vrai de la marguerite et du lièvre, l'est, d'une façon beaucoup plus rigoureuse, dans le domaine de l'esprit. Avec ces différences, majeures, qu'un esprit a toute liberté de créer sa propre incohérence, d'être sans vie, sans rythme, alors que la marguerite ne le peut pas; et que l'esprit humain est ouvert à des millions de formes possibles, alors que les autres êtres de la nature sont déterminés à produire à l'intérieur de schémas stéréotypés, avec, heureusement, des milliards de variations qui sauvent la nature de la monotonie, de la plate répétition.

Si le rythme c'est de la vie organisée musicalement, harmonieusement, on voit à l'évidence que le rythme d'un poème, d'un tableau, d'une sculpture et de toute autre forme de production artistique, n'est pas donné arbitrairement par l'esprit du créateur, mais qu'il est un don que l'esprit ordonnateur devra laisser s'épanouir, sans intervention qui pourrait le dénaturer.

Ce n'est pas une exagération farfelue de dire que le rythme d'une œuvre d'art est donné de façon aussi gratuite que la forme et le rythme de son nez sont donnés gratuitement à tout homme venant en ce monde. Et ceux qui torturent le rythme de leur nez ou de leur visage pour le soumettre arbitrairement aux dogmes de la mode, nous offrent de ces visages bizarres où la vie est crispée en sourires de plâtre constipés. Laisse donc en paix le rythme de ton nez et de ton visage; fais de ton mieux avec ce qui t'a été donné gratuitement, convaincu qu'en suivant bien ton nez plutôt que celui des autres, tu peux faire le tour du monde aussi souvent que tu le voudras, et pousser aussi loin que tu le voudras en direction du génie. Il en est de même pour tout créateur, tout poète: son rôle est de rester le plus fidèle possible aux images et au rythme que lui offre gratuitement la vie, quand lui-même vit suffisamment pour ne pas étouffer cette vie.

Marie Noël a fait voir d'une façon admirable cette gratuité du rythme:

> J'ai éprouvé bien des fois, si j'ose dire, de beaux sentiments, de hautes pensées, l'inspiration religieuse même et l'enthousiasme, sans être pour autant poète. On n'est pas poète ou, du moins, je ne l'ai jamais été de façon continue. La poésie survenait avec le rythme: un ébranlement profond qui groupait les mots dans un certain ordre comme un courant d'eau ou de vent qui rassemble les brindilles dans un certain sens.
>
> Naturellement, quand il se produit, il se sert de ce qu'il trouve dans l'âme – bon ou mauvais – et le révèle. Mais serais-je sainte, grand penseur, artiste même, chargée de grâce, de lumière et de beauté, j'en puis faire des livres, des discours et toutes sortes d'œuvres remarquables, mais pas un seul chant, si le rythme ne me prend aux moelles et ne s'en mêle.
>
> *Notes intimes.*

Le poète Maïakovski dit, en substance, les mêmes choses:

> Je marche les bras ballants en grognant tout doucement, presque sans parole encore et tantôt je raccourcis le pas

pour ne point troubler le grognement, tantôt je me mets à grogner plus rapidement suivant la mesure de mes pas. Ainsi est raboté et prend forme le rythme, la base de toute œuvre poétique, qui la traverse comme une rumeur. Peu à peu on se met à tirer de cette rumeur des mots... On se met encore à refaçonner tous les mots et le travail finit par vous mettre dans un état de délire exaspéré. Comme si l'on essayait cent fois une couronne sur une dent sans qu'elle veuille s'adapter. Enfin, après cent essayages, voilà qu'on appuie et ça y est... D'où vient ce rythme-rumeur, impossible à dire. Pour moi, c'est chaque répétition en moi d'un son, d'un bruit, d'un balancement ou même en général la répétition de n'importe quel fait auquel je prête une sonorité. Le rythme peut être apporté par le bruit répété de la mer, par la bonne qui tous les matins fait claquer la porte, et ce bruit se répète, traînant le pas dans ma conscience... L'effort pour organiser le mouvement, pour organiser les sons autour de soi en définissant leur caractère, leur particularité, est un des aspects principaux et constants du travail poétique. Le rythme est la force essentielle, l'énergie essentielle du vers. Il ne s'explique pas. On peut en dire ce qu'on dit du magnétisme ou de l'électricité: ce sont des formes d'énergie.

Tout ce qui n'est pas aspiré, inspiré par ce champ magnétique, ne compose pas, ne chante pas, ne concerte pas. Alors, le peintre aura beau être passé maître dans le maniement de la ligne et des couleurs, le poète aura beau être un magicien de l'image et des cadences, leurs productions n'auront pas cette cohésion, cette nécessité, cet équilibre vivant donnés gratuitement par la vie à ceux qu'elle veut bien privilégier.

Ce qui veut dire, entre autres choses, que l'artiste, même très savant, s'il n'est pas inspiré, comblé de rythme, ne sera qu'un mécanisme qui fonctionne à vide, un pitoyable manœuvre ou un virtuose de la stérilité. Et seuls le savent ceux qui ont goûté l'inspiration; les autres ne savent même pas qu'il peut exister autre chose que l'agencement obtenu par l'effort; ils mettent la sainteté dans l'observance des préceptes. Celui qui a goûté l'amour, ou la poésie, ou le rythme, sait qu'ils sont gratuits et que, s'ils ne s'en vont pas au hasard, ils n'acceptent de lois que d'eux-mêmes. Si l'inspiration poétique peut se couler dans les cadres rigides du sonnet et le rythme strict de l'alexandrin (ou de toute autre forme rigoureuse), c'est qu'elle est assez vivante, souple comme l'eau, pour donner vie aux formes extérieures; comme une belle femme peut se couler dans une robe de bal ou un maillot de bain, et les animer. Mais les robes de bal les plus somptueuses et les maillots de bain les mieux ajustés n'ont jamais rendu belle une femme laide; et un rythme, idéalement beau, ne peut rien pour masquer un vide et un vice d'inspiration, de vie. Un mannequin de plâtre, même somptueusement vêtu, reste mannequin de plâtre.

En sorte que, pour juger si un texte est inspiré, vrai, profondément vécu par son créateur ou, au contraire, fabriqué avec l'outil froid de la raison infirme ou virtuose, c'est la qualité du rythme qu'il faudrait d'abord examiner. Opération fort délicate, j'en conviens, et pleine d'embûches. Un peu comme s'il s'agissait d'évaluer la qualité d'une personne par delà ses actions et ses paroles. Cette personne parle brillamment et agit noblement; mais est-ce du faux, du camouflage ou de l'authentique? Il faut, comme le conseille Saint-Exupéry, se faire surtout sensible au son de sa voix. Au son et au ton de sa voix, qui révèlent, mieux que tout le reste, la qualité de l'âme. Marie Noël parle ici de *chant*; Breton utilise le même terme quand il essaie de dégager la qualité première du poème. Cette qualité de *chant* est sans doute le critère ultime pour juger d'une œuvre ou d'une personne. Ce n'est pas scientifique, mais c'est plus juste que la science avec ses instruments encore plus faillibles. Ce critère nous mène pas mal plus loin que les théories des écoles et de l'École; il ne faut donc pas s'étonner qu'il leur soit très suspect et qu'elles en parlent le moins possible. Les méthodes de Sherlock Holmes ont toujours paru très suspectes aux professionnels patentés de Scotland Yard.

3.3.3 MAIS COMMENT LE DÉFINIR?

Si l'inspiré voit la nécessité de l'inspiration, s'il reconnaît, comme Marie Noël et Maïakovski, l'absolue nécessité du rythme pour ordonner les cellules et les molécules en un tout harmonieux, pour rassembler en un courant les brins de paille dispersés, il reste la difficulté de définir ce rythme. C'est aussi difficile que définir la vie. Mais c'est déjà beaucoup de savoir que toute définition est déficiente, qu'elle «tire la langue», comme dirait Saint-Exupéry, et qu'elle la tire d'autant plus que la chose à définir est importante: on peut, à l'intérieur d'une civilisation donnée et d'usagers normaux, définir la cuiller d'une façon satisfaisante; mais la poésie? l'amour? le rythme? Plus haut, nous avons vu comment les dictionnaires bafouillent, bredouillent, zigzaguent et cafouillent, quand ils s'aventurent à définir l'homme et la femme.

Le plus utile, c'est sans doute de démasquer les définitions creuses, erronées ou partiellement fausses, pour en arriver à une conception qui, au moins, ne trahisse pas trop la réalité. Comme toute traduction, notre définition du rythme sera non satisfaisante, et pour la même raison: on ne peut, par des mots, traduire qu'approximativement l'ineffable de l'émotion individuelle, cette fusion de la vie globale et de la vie du créateur, au-delà de toute saisie directe de la raison analytique.

*

Le rythme, dans la plupart des langues, je crois, se compte en pieds; ce qui expliquerait peut-être que le débat à ce sujet s'en tienne le plus souvent à un niveau plutôt bas. Les pieds, c'est bien utile pour danser; mais un danseur de bonne race est tout autre chose qu'un bon piéton. Les Muses, elles, ne sont pas des piétons olympiques: elles préfèrent danser; et quand elles dansent, elles ne regardent pas leurs pieds. Ce qui ne veut pas dire qu'elles n'en ont pas! Conclusion chère aux fervents de l'incohérence.

Les théoriciens du rythme sont souvent des podagres vicieux qui tiennent en main un podomètre quand ils vont voir danser les Muses. Le spectacle terminé, ils réfléchissent longuement sur les données du podomètre, et nous donnent des théories du rythme aussi inutiles que compliquées. À les en croire, il y aurait une infinité de rythmes possibles. Ce n'est pas vrai: il n'y a pas plus de pieds, de cellules rythmiques, qu'il n'y a de couleurs. Avec quelques couleurs de base, vous obtenez toute la gamme du coloré. Avec l'iambe (syllabe brève suivie d'une longue), vous avez, en germe, tout le rythme. À partir de l'iambe, on obtient son contraire, le trochée, puis le spondée, le dactyle et l'anapeste. Les combinaisons de ces rythmes fondamentaux donnent tous les autres, pour lesquels il n'est pas nécessaire d'inventer une multitude de noms barbares et pédants pour impressionner les faibles et justifier la carrière des casuistes stériles.

Est-ce là une façon simpliste et cavalière de trancher une question aussi complexe et qui a fait blanchir plus d'un vénérable penseur? Le respect dû à la complexité de la vie et aux vénérables penseurs ne doit pas faire perdre de vue le premier respect, qui est envers la vie elle-même. Et Dieu sait comme il faut lutter ferme pour soustraire la vie à la fausse complexité où veulent trop souvent l'enfermer les spécialistes de tout crin. Revenir à l'essentiel est toujours aussi urgent que de ne pas oublier l'infini des variations.

(Il pourrait être utile, pour faire voir que ce ne sont pas là des affirmations en l'air, de présenter des exemples de rythmes tirés d'œuvres très diverses et, à première vue, apparemment étrangères. Par exemple, un thème de Bach ou de Beethoven, une turlutte d'Édith Butler, une chanson de Renaud, une autre de Michael Jackson, une pièce de fanfare, une musique faite par un simple tam-tam ou par un seul chanteur de village s'accompagnant du battement de ses pieds et de deux cuillers de bois. Tous ces rythmes se ramènent à des schémas très simples et se ressemblent tous étrangement.)

3.3.4 LA CELLULE RYTHMIQUE: ÉLAN-REPOS, SOUDÉS

Le rythme étant relié intimement à la vie, et la vie mystérieuse nous devenant sensible, perceptible, par le mouvement, c'est donc par l'analyse du mouvement que nous entrerons au cœur du rythme.

Comment percevons-nous le mouvement, celui du moins qui tombe immédiatement sous nos sens, celui que nous pouvons décomposer, analyser? (Car le mouvement mécanique, celui d'une turbine, d'une balle de carabine ou même d'une balle de baseball entre le monticule et le marbre, échappent presque totalement à l'analyse faite par les sens, la seule sans doute qui influence profondément notre conception du rythme.)

L'homme connaissait le rythme de son cœur, bien avant l'invention du cardiogramme; et le cardiogramme ne lui a rien appris d'essentiel à ce sujet. À s'entendre marcher et à voir les autres marcher, l'homme savait que la vie va son chemin par successions d'élans et de repos, de poussées et de retraits, de temps forts et de temps faibles. Quand il voyait un cheval marcher ou courir, il entendait, ou bien *flic-flac*, ou bien *flic et flac*, ou bien *ta ta ta ta*. Dans les trois cas, l'auditeur savait que ce *flic* n'avait pas la même valeur que le *flac*, et que les quatre *ta* n'étaient pas déroulés à la queue leu leu: l'un de ces *ta* était bien différent des autres. Toi, le sais-tu? Tu le savais sûrement quand tu étais plus jeune, mais tu l'as peut-être oublié. Alors, avec tes deux mains à plat, tape sur ton bureau pour imiter le bruit que font les sabots d'un cheval marchant ou trottant. Et tu seras fier d'apprendre qu'avant d'être diplômé, tu savais un tas de choses précieuses. «On envoie les enfants à l'école au moment où ils n'ont plus rien à apprendre.» (CHESTERTON)

On pourra objecter que c'est par pure fantaisie que l'homme dit *flic-flac* en entendant un cheval marcher au pas; comme c'est par fantaisie qu'il croit entendre l'horloge faire *tic-tac*: l'horloge ne fait pas *tic-tac*, mais bêtement *tic-tic*, *tac-tac*, *mic-mic*, ou *mic-mac*.

Un physicien démontrerait sans doute facilement qu'il y a une différence entre le *tic* et le *tac*, entre le *flic* et le *flac*, parce que les parties de ce mouvement sonore ne sont pas homogènes, qu'elles se distinguent par l'intensité, ou la vitesse, ou le timbre, ou la fréquence. C'est parce qu'il y a des parties sonores différentes entre elles qu'on peut les agencer, grouper de façon à produire un rythme.

Mais même si ces bruits n'étaient pas objectivement rythmés, l'homme les entendrait rythmés, ou plutôt les rythmerait en les entendant. Même si les sons produits étaient complètement désarticulés, l'homme éprouverait le besoin impérieux de leur donner une organisation rythmique, poussé par un instinct aussi fort que l'instinct de conservation, ou pour mieux dire: par l'instinct de conservation lui-même. On peut toujours imposer à l'homme des sons, des volumes, des couleurs, des gestes sans rythme. Son organisme réagira d'abord violemment; puis, s'il ne peut surmonter la monotonie ou l'incohérence imposées, cet organisme se détraque. La vision d'une longue procession de poteaux diaboliquement uniformes ou la succession ininterrompue d'un même son à intervalles diaboliquement égaux, ou la couleur uniforme d'une ampoule électrique éliminant le rythme du jour et de la nuit, ont toujours été reconnues par les spécialistes de la torture comme des moyens extrêmement efficaces de réduire l'homme à la folie ou à l'inertie, sans avoir à faire intervenir d'autres supplices en apparence plus violents.

Priver l'homme de rythme, c'est aussi fatal pour son équilibre que le priver de nourriture. Le brancher sur une succession de couleurs ou de sons sans aucune variation ou, au contraire, soumise au seul hasard, c'est un moyen sûr de le neutraliser et d'obtenir qu'il se comporte comme un caillou. C'est l'objectif confusément ou lucidement recherché par tout système érigé en système, la règle d'or de toutes les dictatures, y compris celle de la liberté sans queue, ni milieu, ni tête.

Laissé libre, l'homme soumet donc à son propre rythme la réalité extérieure à lui. C'est ainsi qu'il fait entrer les sons les plus quotidiens ou les plus inattendus dans des schémas rythmiques, venus probablement du fond des âges et des profondeurs de la nature humaine. Le *tchi ke di di di* de la mésange; le *ron, ron, ron, petit patapon* des enfants; le *Pop sac a vie sau sec fi copin* des Caisses populaires Desjardins (lui-même inspiré, je crois, du rythme très bien gravé dans les oreilles et les jambes québécoises: *Swing la bacaise dans l'fond d'la boîte à bois*), entreraient à l'aise dans les vers grecs, latins ou anglais. Pour la bonne raison que les rythmes naturels à l'esprit humain sont en nombre très limité, comme ceux de la marche, de la course, de la nage et de la musique. Affirmation qui peut faire sourire les spécialistes vicieux qui ont tout intérêt à compliquer les choses simples pour valoriser la podométrie dont ils sont les apôtres. Mais Virgile, Dante, Shakespeare et Bach ont une vision beaucoup plus simple, vraie et efficace de la marche en montagne, en musique, ou en poésie: avec quelques rythmes élémentaires, ils ont de quoi aller au bout de leur inspiration, de quoi explorer le cosmos intérieur et extérieur.

*

La règle fondamentale, c'est d'agencer les composantes du rythme (sons, volumes, couleurs, etc.) en vue d'obtenir l'unité et la variété, ces besoins de symétrie et de surprise dont parle Baudelaire. Le rythme, comme la vie toujours, est fait d'*unité* et de *variété*. Des parties disparates assemblées au hasard ne satisfont pas plus que des parties uniformes indéfiniment multipliées pour obtenir un énorme tout, à l'image banale de ses parties stéréotypées.

*

Voici deux exemples, pour faire mieux comprendre ce qu'on entend par besoin d'unité et de variété.

Dans le premier, il s'agit d'un sourd, ou d'un humoriste, qui s'installe au piano et joue à la queue leu leu 12 SOLS de même durée et de même intensité, en tous points semblables; créant ainsi, à peu de frais, une monotonie parfaite. «Faites-le vous-mêmes», et entendez le résultat. Après cinq ou six de ces SOLS insipides, l'auditeur normal entre en état de crise: il éprouve le désir plus que légitime de tirer sur ce pianiste abrutissant ou d'appeler les pompiers.

Pourquoi? Trop d'uniformité fait violence à la vie, l'assomme littéralement. Vous éprouverez la même sensation d'être assommé ou assassiné illégalement, si, au lieu d'un pianiste diaboliquement insipide et monotone, c'est un lecteur, réellement sourd, ou résolument pervers, qui lit un texte en détachant toutes les syllabes et en donnant à chacune d'elles exactement la même durée et la même intensité. Faites-en l'expérience avec le texte suivant: *À-la-clai-re-fon-tai-ne-m'en-al-lant-m'pro-me-ner*.

À ce rythme, ou plutôt avec cette absence de rythme, vous n'aurez pas envie d'aller vous promener très loin; vous ne vous rendrez même pas à la fontaine. Et si, faisant violence à votre nature, vous persistez à vouloir vous y rendre au bruit de ces syllabes devenues mortuaires, vous y arriverez détraqué, plus probablement pour jusqu'à la fin de votre vie. Et votre nom sera inscrit au livre des records Guinness, comme champion de la monotonie la plus plate.

*

Par contre, de cette monotonie insipide, vous tomberez dans une incohérence non moins contre nature, si les 12 syllabes ou les 12 SOLS sont tous différents, sans aucun fil qui les retienne: la pagaille complète, sans queue, ni nombril, ni tête!

Vous comprendrez alors que la nature humaine, du moins en cette vie, a besoin impérieusement de changement et de continuité, les deux intimement liés, inextricablement noués. Une année, une semaine, ou même une journée qui seraient remplies de la même action ou activité indéfiniment répétée, seraient proprement insupportables; de même, si à chaque minute, il nous fallait changer de vêtement ou d'activité. Dans un cas comme dans l'autre, votre déséquilibre est assuré. De même, si chaque jour ou plusieurs fois par jour, nous devions changer de personnalité pour adopter celles des autres, géniales ou pas. La plupart des hommes préfèrent de beaucoup rester fixés dans leur personnalité; à la condition que cette personnalité évolue continuellement; pour éviter, à cinquante ans, de te promener dans la vie avec cette belle personnalité toute rose que tu avais à deux ans.

Et il faut bien ajouter que l'organisation de la vie contemporaine, les pressions innombrables auxquelles nous sommes soumis, ont pour résultat presque fatal, sinon pour objectif, de faire de nous, ou bien des automates répétant à l'infini les mêmes rengaines populaires creuses, ou bien des hurluberlus non moins creux, ballottés comme bouchons de liège au gré de vagues et de modes en perpétuelle décomposition. Robots efficaces, ou polichinelles dingues. Vous avez le choix de privilégier l'une ou l'autre forme de ces déséquilibres, ou les deux à la fois. À moins que, par une décision héroïque, et chaque jour renouvelée, vous ne choisissiez de rester vivants, équilibrés, rythmés.

*

L'autre exemple est celui des 12 colonnes de marbre que tu recevrais un jour en héritage de ton oncle décédé aux États-Unis. Ce cher oncle con te les a fait expédier par camion; et un beau matin, à ton chalet d'été, le camion vient décharger ton héritage.

Les formalités remplies, tu t'installes devant le tas de colonnes, en te demandant quoi diable en faire. C'est du beau marbre blanc, veiné de rose et de bleu: tu ne vas toujours pas téléphoner à la ville pour qu'elle envoie un camion transporter ton héritage au dépotoir? Non. Et alors, il te vient à l'idée de prendre ta pelle, ton galon à mesurer, et de planter sur ton terrain tes 12 colonnes, à intervalles bien réguliers, à la même hauteur, en bordure de la route. Quand passeront tes voisins gonflables, cette fois ils en auront pour leur argent! Cette fois, tu les tiens, et tu vas clouer leurs ballons gonflables à tes colonnes de marbre.

Tu travailles donc fébrilement, aidé de ton beau-frère, mobilisé d'urgence; et à la fin de la journée, tes 12 colonnes sont là, bien plantées, à huit pieds de hauteur et à cinq pieds d'intervalle. Il y en a même une en plein milieu de ton chemin d'entrée: dans ta hâte, tu as oublié ce détail, et ton beau-frère ne s'en est pas aperçu, lui non plus. Quelle famille!

Le résultat final donne ceci: I I I I I I I I I I I I

C'est joli à voir! Un œil sensible reconnaît là une œuvre qui satisfait pleinement le besoin impérieux que l'homme a de l'ordre! Dans ce cas, les colonnes sont dans un ordre parfait, exactement comme, tout à l'heure, les 12 syllabes ou les 12 SOLS criminels. Un ordre plus qu'épatant, comme les douze gueules de bois protocolaires en rang d'oignons sur l'estrade d'honneur, le 1er mai, sur la place Rouge, à Moscou.

Alors, pourquoi donc ta femme, ce soir-là, en revenant de son travail, a-t-elle piqué une crise de nerfs en voyant ces 12 belles colonnes de marbre très blanc, admirablement veiné de rose et de bleu?

Eh bien, tout simplement parce qu'elle ne pouvait pas passer dans le chemin d'entrée, avec cette foutue colonne au beau milieu du chemin. Elle se fichait pas mal que les 11 autres colonnes soient dans un ordre parfait, bien de niveau et sur une ligne idéale.

Pendant la soirée, ta femme et toi, vous avez donc décidé que le lendemain – vite, ça presse! – tu enlèverais cette colonne du chemin; en conséquence, tu devrais déplacer les autres. Le lendemain, ce fut fait, consciencieusement, innocemment, toujours avec l'aide de ton beau-frère, bénévole épatant. Et c'est ta femme qui était contente, le soir! D'abord parce qu'elle pouvait se rendre en voiture jusqu'au perron de votre chalet, et aussi parce que c'était beau à voir, tes 12 colonnes, disposées ainsi: I I I I I I   I I I I I I

Quelle famille!

Pourquoi donc ton troisième voisin, en faisant sa marche ce soir-là, eut-il un petit sourire en coin en passant devant tes colonnes? Celui-là n'avait rien d'un voisin gonflable. Ce n'était donc pas par mesquine envie qu'il faisait ce drôle de petit sourire. Quand il revint de sa marche, tu te rendis au pied de tes colonnes pour lui demander:

— «Alors, Picasso, tu ne les aimes pas, mes colonnes?

— C'est pas que j'les aime pas: elles sont épatantes; mais je trouve que tu ne t'es pas forcé pour les installer.

— Comment ça, j'me suis pas forcé? Au contraire, on a forcé comme des bœus, moé pis mon beau-frère.

— Oui, mais ta tête, elle?

— Comment ça, ma tête? Qu'est-ce qu'elle a, ma tête?

— Ta tête? eh bien, elle n'a pas forcé beaucoup pour trouver pareille disposition de tes 12 colonnes.

—Voudrais-tu dire qu'en les plaçant autrement, ça pourrait être plus intelligent?

— Possible. Rentrons dans le chalet, je vais t'expliquer.»

Et là, sur la table de la cuisine, Picasso te fit sur une feuille les propositions suivantes:

III III	III III
II IIII	II IIII
IIII II	II IIII
III III	II IIII
IIII II	III III
II II II	III III
III III	II II II

Et tout en faisant ces esquisses, Picasso t'expliquait que l'œil de l'homme, tout comme ses oreilles, son cœur, ses pieds, ses mains, sa tête, son toucher, son odorat, bref, que tout son être a deux besoins essentiels: l'unité et la variété, l'ordre et le changement. Et c'est aussi à cette table qu'il te fit l'étonnante révélation que voici: la langue française a une préférence marquée pour le vers de 12 syllabes, appelé alexandrin, précisément parce que ce chiffre 12 est celui qui, formant un ensemble à la fois assez long et pas trop long pour l'oreille, permet à la fois le plus grand nombre de variations et de répétitions uniformes. Il t'en fit la preuve en te démontrant, noir sur blanc, qu'un vers de 11 pieds, par exemple, bien que sensiblement égal, limite de beaucoup les agencements de groupes rythmiques homogènes, ce qui est requis pour créer une impression de régularité. Quant aux vers qui auraient plus de 12 pieds, ils permettraient, certes, des agencements rythmiques plus nombreux, mais risqueraient d'être trop longs pour être perçus comme une unité, même si la rime venait en signaler la fin.

Évidemment, il n'est pas nécessaire d'écrire en vers alexandrins, ni même en vers, pour créer un puissant effet rythmique; on le verra à l'évidence, plus loin dans ce chapitre. Mais si on décide d'utiliser l'alexandrin, il permettra de dire tout ce que l'on veut, avec toute l'unité et la variété rythmiques souhaitables. Si le lecteur s'endort, ce ne sera pas la faute de l'alexandrin: ce sera la faute du poète, et peut-être bien du lecteur. Virgile a pu écrire les 12,749 vers de son œuvre, en utilisant le même cadre rythmique très simple, soit celui de l'hexamètre, fait d'un agencement de dactyles (-uu) et de spondées (--). C'est pourtant une œuvre poétique d'une harmonie comparable à celle de la musique de Mozart; et d'une variété rythmique inépuisable.

(Je ne sais pas si cette démonstration de ton voisin Picasso t'aura convaincu, ou si tes 12 colonnes sont toujours en place, telles que tu les avais installées avec ton beau-frère bénévole. Dans ce dernier cas, il faudrait un nouveau Samson intelligent pour démolir un jour les colonnes de ce nouveau temple philistin.)

*

En musique, les notes différemment colorées sont tenues et soutenues, portées et emportées par le fil invisible de la mélodie qui empêche les notes de s'envoler au hasard dans toutes les directions. De plus, ces notes, dans leur cheminement linéaire, procèdent selon ce mouvement des ailes d'un oiseau qui tantôt s'appuient sur l'air, tantôt s'élancent du point d'appui (temps fort et temps faible). Chacune des pauses du rythme étant à la fois point d'arrivée et point de départ, prise de contact avec un point d'appui qui est lieu d'atterrissage et tremplin.

Si, au lieu de notes, on utilise des syllabes, celles-ci ne s'organiseront pas autrement. Ici encore, on trouve l'équivalent d'une mélodie: le sens de la phrase qui, tel un aimant, attire les syllabes, les empêche de s'en aller au diable vauvert, les entraîne dans un sens précis: celui du bon sens, de la chose à dire. Et pour s'en aller où ils veulent aller, ces syllabes et ces mots utilisent les accents toniques comme autant d'appuis-tremplins; les syllabes ou les mots intermédiaires sont portés, lancés par l'appui précédent, en même temps qu'ils préparent l'appui suivant.

Tout langage sensé (qui a un sens, qui s'en va quelque part) est donc forcément rythmé, mais d'un rythme discret qui passe presque inaperçu, comme celui de la marche. Quand la prose devient poésie, il se produit une accentuation, une amplification, je dirais presque une exagération du rythme; exactement comme dans le cas où la marche devient danse. Dans la marche, les bras et le corps participent au mouvement des jambes, mais d'une façon élémentaire; dans la danse, tout le corps devient rythmé, soumis à une cadence beaucoup plus accentuée, peu importe que les temps forts soient confiés aux pieds, aux hanches, aux bras ou à la tête.

3.3.5 L'ACCENT TONIQUE

C'est sur l'accent tonique (celui du mot ou du groupe de mots) que s'organise le rythme du langage. Sans lui, la phrase, le débit sonore serait une succession de bruits, variés certes, mais sans structure organique. C'est la distribution des accents toniques qui permet de suivre le cheminement rythmique de la phrase écrite ou parlée. Ces accents toniques étant à leur tour emportés, soutenus par le mouvement global de la phrase.

Ignorer ce qu'est l'accent tonique et vouloir quand même parler du rythme de la poésie française, c'est comme si tu voulais jouer au hockey sans rondelle: après quelques minutes de jeu, les joueurs normaux se demanderont pourquoi ils sont là à faire les fous avec toi sur la glace. Mais si bizarre que cela puisse paraître aux sages, il faut expliquer ici ce qu'est l'accent tonique; car il n'est pas un étudiant sur cent qui le sache et, à ce que je sache, il n'est pas un diplômé d'université sur deux mille qui le sache, autrement que par ouï-dire; et encore! C'est pourquoi vous étonnerez à peu près tout le monde, si vous dites que la langue française est aussi accentuée que l'anglais, l'espagnol ou l'italien. On croira que vous cherchez à vous singulariser, à faire de l'esprit ou le finfin.

Heureusement, l'instinct, ici, est beaucoup plus fin que la raison, diplômée ou pas; ou du moins il est mieux instruit. Je veux dire que s'ils parlent en français, tous, spontanément, instinctivement, utilisent l'accent tonique du français. Un instinct sûr avertit que si on n'accentue pas certaines syllabes, la parole devient plate comme un madrier, lisse, fade et insipide comme une peau de fesse protocolaire, monotone comme le ronronnement d'une turbine, ou le débit mécanique d'un robot. Écoutez parler les gens en vie: vous verrez que, plus ils sont vivants, plus ils accentuent; la vie leur dit que s'ils n'accentuaient pas, ils tueraient la vie; ils la transformeraient en débit monotone d'un métronome.

*

Quelle syllabe du mot porte l'accent tonique? En français, la règle est d'une simplicité enfantine. Contrairement à l'anglais où la fantaisie, comme dans les jardins anglais, fait la loi, et où seul l'usage intensif de la langue donne une certaine assurance dans l'utilisation de l'accent. Le français a ses chinoiseries; l'anglais aussi, quoi qu'en pensent les parfaits bilingues du dimanche. En français, donc, l'accent tonique du mot est toujours sur la dernière syllabe *prononcée*: gouverne*ment*, libell*lu*l(e). Même un sourd comprendrait ça assez vite.

Restent quelques difficultés, mineures ou majeures.

Une difficulté mineure est celle posée par les mots à terminaison féminine (*e*). Dans le langage courant, cette syllabe, le plus souvent, ne se prononce pas. En poésie, à moins que le poète, volontairement, ne l'élide

(Je rêv' d'encore une amourette
Je rêv' d'encor' m'enjuponner)

BRASSENS.

cette syllabe se prononcera, si elle est suivie d'une consonne; elle s'élide, si elle est suivie d'une voyelle ou d'une diphtongue:

Sur l'onde calm' et noir' où dor*ment* les étoiles

En finale de vers, la syllabe féminine ne se prononce pas.

Ici encore, en cinq minutes, un esprit réveillé comprend ça pour tout le reste de sa vie. Si cinq minutes ne suffisent pas, qu'on en prenne dix. Si tu en prends davantage, laisse tomber; pars en voyage, sans billet de retour, car je ne suis pas sûr qu'on ait envie de te revoir.

*

Une difficulté majeure, c'est de déterminer, surtout dans un texte poétique, quels mots il faut accentuer et quels mots il ne faut pas accentuer. En principe, les mots secondaires (articles, conjonctions, prépositions, etc.), précisément parce qu'ils sont secondaires, ne doivent pas recevoir d'accent, parce que l'accent, du fait qu'il allonge la syllabe et s'accompagne normalement de plus de force, donne à cette syllabe une importance particulière. Mais l'artiste de la parole peut bien en décider autrement. Ainsi, Brassens:

Mais il ya peu de chanc' qu'*on*
Détrône le roi des cons.

C'est aussi souvent le cas, quand le texte est écrit pour être chanté: alors la musique peut imposer son rythme, différent de celui du texte; bien que, habituellement, le musicien, s'il n'est pas d'une ignorance militante, veille à ce que son rythme musical coïncide le plus possible avec celui du texte qu'il habille de musique; pour éviter que la musique s'en aille à hue et le texte à dia, au gré du cheval mal éduqué.

La ponctuation (explicite ou implicite) qu'utilise l'écrivain permet, en beaucoup d'endroits, de déterminer la place de l'accent, puisque tout arrêt du flot sonore impose que le mot précédant cet arrêt soit accentué:

Va, cours, vol' et nous *ven*(ge).

En principe toujours, tout mot de deux syllabes ou plus porte un accent. Mais en poésie, comme d'ailleurs dans le langage le plus prosaïque, il arrive souvent que l'accent tonique d'un de ces mots soit sacrifié, au profit d'un autre; soit pour éviter de morceler, de hacher inutilement le texte par des arrêts trop fréquents, soit pour donner priorité à un mot plus important dans tel groupe de mots. Ici, quand il n'y a pas d'autres indices clairs, par exemple la ponctuation, il faut essayer de comprendre ce que l'artiste, dans tel contexte, a voulu privilégier. Et alors interviennent le goût, le sens artistique sensible aux nuances. Et il est bien possible, dans ces cas, que deux artistes également doués puissent rythmer un peu différemment un même texte. Tout comme deux chefs d'orchestre compétents peuvent interpréter de façon quelque peu différente un même texte musical, pourtant écrit là, noir sur blanc, sur la partition. Ceci dit, sans que la paresse ou l'ignorance en prennent prétexte pour rythmer un poème n'importe comment, selon le simple *feeling* débridé du moment.

Soit ces vers de Rimbaud, que l'on peut rythmer ainsi:

Sur *l'on*de calme et *noi*re où *dor*ment les *étoi*les,
La *blan*che Ophéli*a flot*te comme un grand *lys*,
*Flot*te très lente*ment*, cou*chée* en ses longs *voi*les...

ou comme ceci:

Sur *l'on*de *cal*me et *noi*re où *dor*ment les *étoi*les,
La *blan*che Ophéli*a flot*te comme un *grand lys*,
*Flot*te très lente*ment*, cou*chée* en ses *longs voi*les...

On peut hésiter entre l'une et l'autre façon de rythmer ce passage. Dans le deuxième cas, on ajoute des accents sur *calme*, *grand*, *longs*, parce que ces trois adjectifs nous semblent, ici, avoir une importance particulière; ce qui justifierait de les souligner par l'accent.

Question de nuances. Il me semble que Rimbaud aurait accepté, sans crise de nerfs, l'une ou l'autre façon d'interpréter. Mais qu'il aurait fait une belle colère, si on n'avait pas accentué *blanche*, ou le verbe *flotte*, ou *lentement*, ou *couchée*. Et il vous aurait envoyé planter des choux, loin dans le champ, si vous n'aviez pas accentué *étoiles*, *lys*, *voiles*; il aurait pensé, à juste titre, que vous êtes un sourd, bien intentionné peut-être, mais très dangereux dans les parterres de fleurs de la poésie.

*

Quand on a repéré les accents toniques, qui se trouvent à découper le texte en cellules rythmiques – comme les barres en musique déterminent les mesures ou unités rythmiques –, il reste à voir comment les syllabes sont regroupées à l'intérieur de chaque cellule rythmique. C'est un jeu d'une simplicité enfantine. Soit les vers suivants, ainsi accentués:

Sou*vent*, pour s'amu*ser*, les *hom*mes d'équi*pa*ge (2424)
Et plus *lon*gues sur plus *d'om*bre se le*vaient* les pau*piè*res (3443)

À partir de la gauche évidemment, vous comptez les syllabes prononcées, incluant celle qui porte l'accent: sou-*vent* (2); et vous continuez ainsi pour les autres cellules rythmiques: pour s'a-mu-*ser* (4), les *hom-* (2) mes d'é-qui-*pag'* (4); Et plus *lon-* (3) gues sur plus *d'om-* (4) bre se le-*vaient* (4) les pau-*pièr'* (3).

Vous aurez remarqué que, dans le cas des mots à terminaison féminine (*e*), même si celle-ci doit être prononcée dans un vers, parce que suivie d'une consonne ou d'une diphtongue, l'accent tonique, lui, reste à l'endroit où il serait si ce mot était isolé, comme au dictionnaire: *homm*(e), *longu*(e), *ombr*(e), pau*pièr*(e). La syllabe féminine prononcée passe alors dans la cellule rythmique suivante.

Une dernière observation. Dans le langage parlé, le mot *lion* est prononcé en une seule syllabe, et les mots *moucheron, empereur, médecin*, en deux syllabes. En poésie, on peut, à volonté, pour les besoins du rythme ou pour attirer davantage l'attention sur ces mots, donner une ou deux syllabes à *lion*, et deux ou trois syllabes aux mots *moucheron, empereur, médecin.* Au lecteur d'y être attentif, surtout si ces mots sont employés dans une suite de vers que l'auteur a voulus de même longueur.

*

Et vous avez maintenant tous les outils pour faire voir à tout le monde que le rythme ou la scansion de n'importe quel vers français, c'est ceci, et non cela, ou n'importe quoi. Restent, comme on l'a vu, les quelques endroits où il est permis de douter, intelligemment.

Et ceux qui croient que ces quelques règles sont difficiles, c'est à croire qu'ils n'ont aucune idée des difficultés que pose le rythme en musique, dans la danse, et dans ce qu'on peut appeler le rythme d'un peinture, d'une sculpture, d'une architecture, d'un arbre, d'un chat, d'une puce, du pop corn, et des pets-de-sœur (petit bruit sec que fait la fleur d'une gentille petite plante comique, quand tu la fais péter dans ta paume). Le rythme est partout, mais pour le saisir, n'importe où, il faut autre chose d'un peu plus souple et subtil que le pouce et les doigts d'un gant de boxe bien huilé ou que les orteils d'une botte de scaphandrier.

Et si on ne veut pas s'occuper du rythme en poésie, mieux vaut bien cultiver ses carottes, ou attendre que les robots civilisés bip-bip-bippent pour nous le rythme de la poésie, présente et à venir. Bip!

*

Mais compter les syllabes, repérer celles qui sont accentuées, et conclure qu'il s'agit d'un rythme 2 - 4 - 2 - 4 ou d'un rythme 3 - 3 - 3 - 3, ce n'est qu'un inventaire matériel du rythme. Ce qui importe surtout, c'est de voir et de sentir qu'entre syllabes accentuées et syllabes non accentuées, il y a une différence de nature et de fonction. En se limitant au simple aspect quantitatif, mathématique, il n'y a pas une grande différence entre le rythme d'un vers qui serait 3 - 3 - 3 - 3 (*Que le bruit des rameurs qui frappaient en cadence*) et celui qui serait 6 - 3 - 3 (*Dans le déroulement infini de sa lame*); dans les deux cas, nous avons 12 syllabes. Mais elles n'ont pas du tout la même valeur: une syllabe martelée par l'accent tonique est bien différente d'une autre qui lance le mouvement; leur vitesse et leur poids sont très différents, aussi différents que peuvent l'être la contraction et la détente d'un muscle, d'un ressort, d'une aile, d'une nageoire.

*

Si on rythmait les vers français en se basant sur la quantité, comme c'est le cas pour les langues grecque, latine et anglaise, on aurait une analyse qui se rapprocherait davantage de la réalité rythmique que celle qui se contente de compter les syllabes, sans souligner que l'accent tonique privilégie certaines syllabes, au point de leur donner la valeur d'une longue, d'un appui rythmique qui a pour conséquence d'atténuer considérablement la valeur des autres.

Si elles étaient enregistrées en laboratoire, on verrait que les syllabes d'un vers lu en mettant en relief les accents toniques, n'ont pas du tout le même poids, la même quantité physique. Si on donnait, par exemple, la valeur 1/2 aux syllabes non accentuées, on verrait que les syllabes accentuées prennent une valeur beaucoup plus grande, quelque chose comme 1 1/2. L'oreille est sensible à ces nuances, les enregistre aussi efficacement qu'un appareil scientifique à mesurer les sons. Elle fait nettement la différence entre syllabes accentuées et syllabes non accentuées, aussi nettement que l'œil fait la différence entre un plein et un creux, un rouge et un gris, un chat qui saute et un chat assis.

*

Entre autres conséquences de taille, cette façon de rythmer permettrait d'analyser le rythme partout où il y en a, dans la prose aussi bien que dans la poésie; et dans la poésie strictement rythmée à l'intérieur des cadres traditionnels, aussi bien que dans la poésie qui, apparemment, n'obéit à aucune loi rythmique. L'on aurait, par exemple, d'autres preuves à donner que celle-ci, éminemment simpliste: c'est de la prose rythmée, parce qu'on peut y retrouver des vers de 8, 10, 12 pieds. Une erreur d'aiguillage au départ, et l'explorateur se retrouve, après un long voyage, perdu quelque part entre Jupiter et Pluton, alors que son objectif était la Lune ou la ville voisine!

C'est ainsi que, faute d'avoir une connaissance suffisamment précise et souple du rythme, on s'imagina, pendant longtemps, que le chant grégorien s'en allait au hasard, que la sculpture des Noirs illustrait leur incohérence mentale, ou que la peinture abstraite n'avait d'autre organisation rythmique que la fantaisie déboussolée de son auteur. Il n'est donc pas inutile de souligner au passage qu'une connaissance précise du rythme est celle qui libère le plus l'esprit et le rend davantage accueillant. Un outil physico-mental plus juste, plus souple, permettra de déceler l'organisation rythmique aussi bien des vers que de la prose poétique; comme le sens de la sculpture, si on l'a, permet d'apprécier un Zadkine aussi bien qu'un Michel-Ange, le «beau Dieu» d'Amiens, un four à pain québécois ou un masque africain.

3.3.6 EXEMPLES DE RYTHME

Quelques exemples permettront un commencement de preuve. Je les prends chez deux écrivains dont le mode d'expression essentiel n'est pas le vers, mais la prose poétique: Maurice de Guérin et Félix-Antoine Savard; et chez deux poètes qui utilisent surtout le vers dit «libre»: Claudel et Saint-John Perse.

*

Il me semble que Maurice de Guérin est classé parmi les écrivains qu'on appelle mineurs, uniquement parce qu'on n'a pas encore découvert sa grandeur. Le fait qu'il n'ait pas écrit de «grandes machines» l'a mal servi à la Bourse littéraire. Ce qui fut le cas du peintre Vermeer, relégué dans l'ombre pendant deux siècles, jusqu'au jour où l'on commença à le regarder vraiment; depuis lors, il se tient aux tous premiers rangs, en pleine lumière.

Dans ses poèmes en prose, comme *Le Centaure* et *La Bacchante*, Maurice de Guérin utilise une prose poétique qui, en somptuosité rythmique, ne le cède en rien à la magie incantatoire de Baudelaire. Et pour être souple comme le balancement palmé d'une mélodie grégorienne, cette prose, parce qu'intensément vivante, n'en obéit pas moins à un rythme aussi rigoureux que celui des vers de Malherbe, d'Agrippa d'Aubigné ou des Parnassiens, vers taillés dans le granit et agencés selon les exigences impérieuses de la règle, du cordeau et du compas.

Soit le passage suivant, tiré du *Centaure*:

> Mélampe, ma vieillesse regrette les fleuves; paisibles la plupart et monotones, ils suivent leur destinée avec plus de calme que les centaures, et une sagesse plus bienfaisante que celle des hommes. Quand je sortais de leur sein, j'étais suivi de leurs dons qui m'accompagnaient des jours entiers et ne se retiraient qu'avec lenteur, à la manière des parfums.

De toute évidence, ce texte répond à d'autres besoins que ceux de l'information, de l'Utile: il vise à créer un climat de beauté, à charmer (au sens plein du terme, c'est-à-dire:

envoûter, subjuguer, soumettre au magnétisme de la chose aimée, faire entrer le contemplateur dans le rayonnement de cette beauté). Le lecteur, s'il est lucide et sensible à ce genre de beauté, éprouvera cet envoûtement. S'il veut philosopher sur cette impression, vérifier si son impression n'est pas simple illusion, si ce passage contient vraiment des éléments objectifs qui justifient l'impression éprouvée, alors il aura besoin d'un outil d'analyse à la fois juste et subtil.

Si l'on sent le besoin de réfléchir sur son émotion esthétique – et c'est sûrement un besoin aussi légitime, humain et humanisant que celui de réfléchir sur l'atome, la pollution ou le Revenu national brut –, il faudra qu'on puisse compter sur autre chose que de simples approximations sentimentales. Autant il est légitime de s'abandonner à l'envoûtement du vin sans se poser de questions sur la composition du vin, autant il peut être utile à un vigneron de savoir comment on procède pour obtenir un vin envoûtant. Baudelaire le savait; ce qui ne l'empêchait pas d'écrire des poèmes qui sont tout autre chose que de la linguistique rimée.

*

La première opération pour analyser le rythme du texte en question, c'est de le découper selon les exigences d'une lecture qui vise à créer un effet rythmique. Ici intervient une certaine marge de liberté, sans toutefois qu'on puisse parler d'arbitraire. Ainsi, la ponctuation d'un texte détermine déjà la plupart des arrêts; les besoins normaux de la respiration peuvent commander ou suggérer d'autres arrêts; le sens du texte, la nécessité de mettre en relief ou d'éviter une équivoque possible exigeront à leur tour que l'on fasse une pause à tel endroit plutôt qu'à tel autre. Par exemple, il n'est pas nécessaire d'être un virtuose du rythme pour savoir que si on ne fait pas d'arrêt après le mot *insecte*, ce vers de La Fontaine risque de provoquer une équivoque qui n'a rien de particulièrement poétique pour le lecteur ou l'auditeur:

L'insecte du combat se retire avec gloire.

Enfin, une lecture visant à faire ressortir l'harmonie d'un texte commande tout naturellement un débit plus soutenu que celui de la conversation; et elle se garde en particulier de ces élisions du *e* qui, en français, joue un rôle rythmique d'une grande importance. Si je parle ici de débit soutenu, ce n'est pas pour suggérer ou «vendre» ce débit de pompes funèbres ou de pompier que certains se croient obligés d'adopter dès qu'ils ont à lire un texte poétique.

En appliquant ces quelques règles aussi simples que raisonnables, nous obtenons le découpage suivant:

Nombre d'accents toniques		Nombre de syllabes
1	Mélampe,	2
3	ma vieillesse regrette les fleuves	333
3	paisibles la plupart et monotones	244
2	ils suivent leur destinée	25
2	avec plus de calme que les centaures,	55
2	et une sagesse plus bienfaisante	55
2	que celle des hommes.	23
2	Quand je sortais de leur sein,	43
2	j'étais suivi de leurs dons	43
2	qui m'accompagnaient des jours entiers	54
2	et ne se retiraient qu'avec lenteur,	64
2	à la manière des parfums.	44

Si on regarde la distribution des accents toniques, on s'aperçoit qu'elle fait entrer le texte dans cette symétrie essentielle au rythme. De plus, la répartition des syllabes provoquée par les accents toniques contribue efficacement, elle aussi, à soustraire le texte à cette incohérence rythmique, à ce laisser-aller qui caractérise presque fatalement la prose utilitaire. Et cette répartition ressemble forcément à celle des vers, alexandrins ou autres, pour cette raison fondamentale que toute poésie authentique répond aux besoins essentiels du rythme.

Si donc je rencontre un passage en prose où la répartition des syllabes est 2424, je n'irai pas dire que c'est de la prose poétique parce que j'y retrouve un alexandrin, mais tout simplement parce que la distribution 2424 est agréable au sens rythmique d'une oreille éduquée en français ou au français. Si, par contre, j'obtenais l'organisation rythmique 334433, je serais bien loin des alexandrins, mais je serais toujours en présence d'un texte aussi fortement rythmé; et pour justifier le plaisir rythmique causé par ce texte, il est bien inutile et farfelu de me dire alors que ce texte me plaît parce que j'y vois un octosyllabe encadré par les deux moitiés d'un alexandrin! On a vu que si l'alexandrin a fini par jouir d'une telle vogue, c'est en réalité parce que ses 12 syllabes permettent d'obtenir le plus grand nombre de regroupements harmonieux à l'intérieur d'un cadre sonore suffisamment réduit pour être senti comme un tout. Mais l'unité et la variété peuvent s'obtenir de bien d'autres manières.

*

Et cet autre passage du même poème:

> Combien de fois, surpris par la nuit, j'ai suivi les courants sous les ombres qui se répondaient, déposant jusque dans le fond des vallées l'influence nocturne des dieux.

que je découpe et rythme ainsi:

Nombre d'accents toniques		Nombre de syllabes
2	Combien de fois,	22
2	surpris par la nuit,	23
2	j'ai suivi les courants	33
2	sous les ombres qui se répondaient,	36
3	déposant jusque dans le fond des vallées	353
3	l'influence nocturne des dieux.	333

Une remarque suffira, qui rejoint la dernière faite sur le texte précédent. Le rythme des deux derniers membres de cette phrase (353, 333) est aussi sensible que celui des alexandrins les mieux frappés; pourtant, évalué au patron des vers, il apparaîtrait fort louche: des vers de 11 et 9 pieds, c'est presque une hérésie pour les fervents bornés du métronome.

*

Je pourrais multiplier à loisir les exemples tirés de cet écrivain de la meilleure race. Je me contente d'un autre exemple, que je donne sans l'analyser, pour laisser au lecteur le plaisir de faire lui-même la démonstration:

> Mais lorsque la nuit, remplie du calme des dieux, me trouvait sur le penchant des monts, elle me conduisait à l'entrée des cavernes et m'y apaisait comme elle apaise les vagues de la mer, laissant survivre en moi de légères ondulations qui écartaient le sommeil sans altérer mon repos.

Le passage *comme elle apaise les vagues de la mer*, avec ses 11 syllabes (434) est aussi agréable pour le sens rythmique que le vers de Baudelaire: *La roule défaillante aux rives de la mort* (2424); et pour la même raison, qui n'est pas celle du nombre de pieds, mais celle du rythme qu'on a su donner à ces pieds.

* *
*

La prose de Félix-Antoine Savard, parce que poétique, est, elle aussi, d'un rythme très prononcé. Peut-être moins que celui de Maurice de Guérin, mais assez pour lui donner un caractère nettement incantatoire. De son poème en prose *Le huard*, je tire les extraits suivants dont j'analyserai quelques-uns, prenant pour acquis que les textes déjà analysés permettent d'abréger la démonstration.

> À l'aigle souverain est réservé le privilège de rythmer le sublime dialogue de la terre et du ciel.

Il serait étonnant qu'un texte qui commence ainsi, avec une intention musicale si évidente, en plus de parler du rythme d'un sublime dialogue, n'ait pas d'autres vertus rythmiques que celle de la bonne syntaxe française usuelle. Je le transcris comme je le sens, et j'obtiens le résultat suivant, qu'on pourra peut-être critiquer, mais sans trop de conviction et de raison, il me semble:

2	À l'aigle souverain	24
2	est réservé le privilège	44
3	de rythmer le sublime dialogue	334
2	de la terre et du ciel.	33

Et celui-ci, que je présente déjà découpé en cellules rythmiques:

3	[...] qu'il porte avec lenteur parmi les lis	244
1	comme s'il sortait	4
2	d'entre les perles de la mer	44
2	ou la rosée du matin.	43

Deux passages de ces derniers textes ont chacun trois accents toniques; et l'on conviendra que c'est bien là que le sens du texte aurait invité à les chercher. De plus, il y a prédominance, dans ces deux textes, d'une organisation des syllabes par groupe de quatre, ce qui donne l'ampleur rythmique exigée par la chose dont parle le poète. L'analyse d'une oraison funèbre de Bossuet nous conduirait à la même constatation.

2	Lentement, alors	32
2	s'effacent les rives	23
3	et décroissent les musiques singulières.	344

Ici, le déroulement normal, logique, de la phrase a été soumis aux exigences du rythme. Si Savard avait écrit: «Les rives s'effacent alors lentement, et les musiques singulières décroissent», nous aurions une prose intelligible et honnête; mais le fait que ce matériau ait passé au feu du rythme lui donne une tout autre dignité. Dans le premier cas, nous aurions un premier membre de phrase qui s'avance par soubresauts, et un deuxième qui, après un bel envol, se termine en queue de poisson. Ce qui me rappelle l'aventure d'un étudiant plutôt ostrogoth qui commençait ainsi son poème: «L'astre du jour dételle.» Avec ce dételage fort mal inspiré, le char d'Apollon prenait une sacrée débarque, et les Muses injuriées se retrouvaient les pattes en l'air, comme des commères de bas étage. On peut deviner qu'après ce départ magistralement raté, les Muses abandonnaient ce garçon de ferme à l'horizon de son écurie.

2 Et longtemps, longtemps, 32
2 au-dessus des ténèbres, 33
4 dans l'immense, enviable et sereine nuit, 335
4 flotte et chante son cœur mélodieux*. 1234

C'est la dernière phrase du texte; elle vise à nous laisser sous le charme de cet oiseau parmi les plus gracieux de forme et les plus harmonieux de geste et de chant. Le texte ne trahit pas l'oiseau; et le rythme du dernier membre de phrase, par échelons successifs, élève, bien au-dessus des ténèbres, la mélodie unique de l'oiseau jusqu'au cœur serein de la nuit. D'instinct, avant de l'analyser, nous savions que ce texte était bellement rythmé; nous savons maintenant que cet instinct répondait à autre chose qu'une illusion. L'instinct a pu précéder l'intelligence, mais sans la contredire. Il faut citer ici la réflexion de Marcel Proust, dans *Contre Sainte-Beuve*:

> Et cette infériorité de l'intelligence, c'est tout de même à l'intelligence qu'il faut demander de l'établir. Car si l'intelligence ne mérite pas la couronne suprême, c'est elle seule qui est capable de la décerner. Et si elle n'a dans la hiérarchie des vertus que la seconde place, il n'y a qu'elle qui soit capable de proclamer que l'instinct doit occuper la première.

En conséquence, nous ne prétendons pas que le rythme d'un texte soit le résultat de la volonté ou de l'esprit logique de l'écrivain; ce qui n'empêche pas l'intelligence de l'écrivain ou du lecteur d'intervenir après coup pour voir comment l'instinct avait raison. Cet hommage rendu à l'instinct de l'homme par sa raison est un des plus beaux privilèges de la raison humaine, qui dépasse par là ses propres horizons.

* *
*

---

* Écrivez cette phrase dans l'ordre suivant: «Son mélodieux cœur chante et flotte, au-dessus des ténèbres, dans la sereine nuit, immense et enviable, longtemps, longtemps.» Vous avez dit la même chose; mais sentez-vous que le rythme a foutu le camp? Si vous ne le sentez pas, je vous salue, et je retourne en vitesse me consoler au rythme du huard mélodieux.

De Claudel, je ne retiendrai qu'un seul exemple, et encore un passage en prose tiré de sa parabole *La cloche* déjà citée; car si quelqu'un, sous le coup de l'inspiration, peut écrire une prose admirablement rythmée, il serait fort étonnant que ce même écrivain échappe au rythme lorsqu'il écrit en vers, libres ou pas. Il échappera au rythme, en vers ou en prose, lorsqu'il échappera à l'inspiration, c'est-à-dire à la vie fervente.

Voici ce passage:

> Et le vieillard, ayant baisé le bronze encore tiède, le frappa puissamment de son maillet. Et si vive fut l'invasion de la joie au son bienheureux qu'il entendit et la victoire de la majesté, que son cœur languit en lui-même et que, pliant sur ses genoux, il ne sut s'empêcher de mourir.

qui se découpe, selon les exigences du rythme, de la façon suivante:

1	Et le vieillard,	4
3	ayant baisé le bronze encore tiède,	423(4?)
3	le frappa puissamment de son maillet.	334
3	Et si vive fut l'invasion de la joie	353
3	au son bienheureux qu'il entendit	234
2	et la victoire de la majesté,	46
3	que son cœur languit en lui-même	323
3	et que, pliant sur ses genoux,	224
3	il ne sut s'empêcher de mourir.	333

D'abord, deux remarques sur le découpage du texte. Pourquoi les coupures après *joie* et après *entendit*? La première, pour éviter une équivoque chez l'auditeur un peu distrait: sans cet arrêt, son esprit pourrait être entraîné sur une fausse piste: il comprendrait peut-être: *la joie au son*, comme d'autres écrivent au son, avec tous les embrouillaminis que cela peut occasionner. Un arrêt après *joie* permet à l'esprit du lecteur d'éviter cette méprise, si, par ailleurs, il mérite de l'éviter. La deuxième coupure vise le même objectif: il faut passablement de vigilance pour comprendre, à la première lecture, que le *et* suivant coordonne des éléments assez distants: *invasion* et *victoire*; sans un arrêt, l'auditeur, presque fatalement, coordonnera *son* et *victoire*, ou n'importe quoi;

avec la conséquence qu'il comprendra n'importe quoi, au lieu de comprendre ce qui est écrit.

Inutile d'épiloguer sur l'admirable organisation rythmique de ce passage: elle saute aux yeux, comme déjà avant l'analyse, elle s'imposait à une oreille normalement constituée. Je ne signale que le rythme du passage *et la victoire de la majesté*. D'abord, ce passage est la conséquence ultime des effets provoqués par le puissant coup de maillet; c'est comme la dernière vague de la marée montante; elle s'élargit plus que les précédentes, atteint, dans sa sonorité même, cette «plénitude de tout son» que recherchait le vieux fondeur de cette parabole; puis, elle hésite un moment, comme la mer étale, avant que n'apparaissent et se déploient en decrescendo les conséquences décrites dans les deux subordonnées consécutives qui suivent. Le rythme, ici, souligne exactement l'importance singulière de ce passage: deux accents toniques, dans un contexte ou presque tous les accents toniques se présentent par groupes de trois; quant à la distribution des syllabes, on voit assez que le regroupement 4-6 produit exactement cet effet de majesté dont parle le texte; c'est, avec le passage qui parle de *l'invasion de la joie*, le groupe rythmique le plus long du texte, précisément parce que la joie et la victoire sont les deux choses les plus importantes ici. Une chose importante ne se traduit pas nécessairement par un rythme ample: parfois, c'est la brièveté qui lui donnera un relief particulier; mais si, en pareil cas, l'instinct choisit d'utiliser l'ampleur du rythme, ce n'est pas la raison qui pourra trouver à redire.

Certes, dans les textes présentés pour les besoins de cette étude du rythme, il y aurait à faire voir que l'unité et la diversité rythmiques ne sont pas créées uniquement par la présentation harmonieuse des accents toniques et des syllabes. Entre autres, l'intensité différente des accents, la couleur éclatante ou voilée des consonnes et des voyelles contribuent pour une large part à l'effet obtenu; et nous y reviendrons plus loin. Mais il importait d'abord de voir sur quoi, essentiellement, repose le rythme; tout le reste a pour rôle d'amplifier cet élément fondamental.

* *
*

Saint-John Perse pose, j'imagine, de sérieux problèmes de rythme à ceux qui sont pris dans les cadres traditionnels. Quant à ceux pour qui le rythme est une vague approximation sentimentale, ils sont bien à l'abri des inquiétudes: l'approximation nébuleuse se contente de n'importe quoi. Par contre, une notion plus juste et plus souple du rythme permet de satisfaire la raison, sans rien enlever au mystère poétique.

Soit le vers suivant:

Et plus longues sur plus d'ombre se levaient les paupières...

Le rythme est 3443, rythme parfaitement hérétique pour les normes de la prosodie conventionnelle, mais aussi satisfaisant que celui des alexandrins les mieux trempés.

*

Un passage plus long donnera le même résultat:

Et aussitôt mes yeux tâchaient à peindre
— un monde balancé entre des eaux brillantes, connaissaient le mât lisse des fûts, la hune sous les feuilles, et les guis et les vergues, les haubans de liane,
où trop longues, les fleurs
s'achevaient en des cris de perruches.

pour lequel on obtient l'organisation rythmique suivante:

424
2442, 333, 24, 33, 33,
33
333.

Il faudrait être joliment handicapé pour ne pas percevoir dans ce passage, apparemment libéré de la rigueur rythmique, une organisation sonore comparable à la réussite du Parthénon, à l'harmonie d'un chevreuil en course.

*

Et ce début de *L'Anabase*:

> Sur trois grandes saisons m'établissant avec honneur, j'augure bien du sol où j'ai fondé ma loi.
>
> Les armes au matin sont belles et la mer. À nos chevaux livrée la terre sans amandes
>
> nous vaut ce ciel incorruptible. Et le soleil n'est point nommé, mais sa puissance est parmi nous
>
> et la mer au matin comme une présomption de l'esprit.

dont le rythme se déroule ainsi:

> 3344, 4242.
> 2424. 4224
> 44. 4444
> 3363.

Aux yeux d'un métricien vicieux, ce passage apparaîtra comme un mélange impur de vers de 14 pieds, de 12 pieds, de 8 pieds, de 16 pieds, de 15 pieds! Cette incohérence a de quoi scandaliser sa conscience perverse. Mais un esprit et des oreilles, s'ils sont plus sensibles au rythme qu'un métronome, trouveront que cette organisation rythmique est aussi agréable que la forme d'un dauphin jouant avec celle des vagues. Pour que le dauphin et les vagues soient agréables à contempler, il n'est pas nécessaire que vagues et dauphin soient coulés dans le même rythme, ni que les vagues ou le dauphin évoluent au rythme des vers patentés. Vagues et dauphin peuvent improviser des rythmes pas mal plus souples, subtils et variés que ceux entendus par les métriciens dans leurs insomnies arythmiques.

*

Et ce dernier extrait, comme preuve surabondante mais non superflue:

> [...] En robe pure parmi vous. Pour une année encore parmi vous. «Ma gloire est sur les mers, ma force est parmi vous!
>
> À nos destins promis ce souffle d'autres rives et, portant au delà les semences du temps, l'éclat d'un siècle sur sa pointe au fléau des balances...»

Mathématiques suspendues aux banquises du sel! Au point sensible de mon front où le poème s'établit, j'inscris ce chant de tout un peuple, le plus ivre,

à nos chantiers tirant d'immortelles carènes!

dont le rythme des strophes se présente ainsi:

44. 424. 2424!
4224, 3333, 4433...
4433! 4444, 444,
4233!

Libre à qui veut déraisonner au métronome officiel de dire qu'on trouve là tout simplement des vers de 8, 10 ou 12 pieds, que le groupe 4444 est tout simplement deux octosyllabes jumelés. Oui, mais il restera bouche bée, l'oreille sourde et le regard ahuri en présence du groupe 4433, alors qu'une hirondelle ou un écureuil consultés diraient que ce sont là des associations rythmiques qu'il leur arrive bien souvent d'improviser, à la barbe des théoriciens enfargés dans leur barbe. Car, bien qu'ils soient, plus que l'homme, soumis au déterminisme, les animaux sont quand même beaucoup moins liés par les lois artificielles que certains hommes, victimes de théories borgnes et têtues.

* *
*

On voit mieux tout ce que le rythme poétique apporte d'efficacité, de dignité à la parole, si on le compare à celui de la prose pure. Celle-ci est rythmée, mais d'un rythme élémentaire, comme celui de la marche; elle obéit nécessairement aux lois de la phrase française qui lui donnent déjà un déroulement soustrait au hasard, une structure rythmique embryonnaire. Le matériau linguistique, ici, est agencé comme les briques qu'agence le maçon pour construire un mur; il n'est pas modelé comme l'argile que travaille un potier pour en faire une coupe. Méditez sur la différence.

Soit le passage suivant, tiré d'une grammaire:

> La grammaire devient dorénavant une activité d'observation – comme les sciences naturelles –, qui débouche sur l'exploitation pratique des données acquises. Elle étend son champ d'observation bien au-delà de la langue littéraire et rend compte des divers niveaux de langue. On n'écrit pas comme on parle, et on ne parle pas comme on écrit.

Pour lire ce texte, comme tous les textes purement prosaïques, la voix adopte un ton plutôt neutre, sans émotion ou passion; elle n'accorde aux accents toniques qu'une importance secondaire; elle évite le débit soutenu qui donnerait au texte une allure solennelle, incompatible avec son contenu (ainsi, la dernière syllabe des mots, si elle se termine par un *e*, n'est presque jamais prononcée); bref, la voix s'avance comme un piéton qui ne se soucie guère de l'élégance, de la sonorité et de l'harmonie de ses pas. Et personne n'y trouve à redire. Celui qui a écrit ce texte s'en est tenu à surveiller la clarté de ses propositions; rien ne laisse soupçonner qu'il ait été enivré par ses propos et particulièrement attentif à la qualité artistique de son texte.

Il serait donc étonnant que le rythme de ce texte s'apparente, même de loin, au rythme d'un sonnet de Baudelaire ou d'une chanson de Brassens. En fait, l'agencement des accents toniques donne la séquence suivante: 32454 – 33 –, 375. 364637. 4354. Autrement dit, c'est presque le hasard qui fait la loi, ici, plutôt que le sens esthétique, la recherche de l'harmonie sonore.

Ajoutons une dernière remarque. Il est plus difficile de déterminer le rythme d'un pareil texte que celui d'un poème. À plusieurs endroits, on peut légitimement hésiter, mettre l'accent tonique ici plutôt que là, sur chacun des mots d'un groupe ou seulement sur le groupe. Il y a plusieurs façons défendables d'accentuer ce texte, alors qu'en poésie cette liberté est fort réduite, comme on l'a vu; non pas parce que le poète est moins libre que le prosateur, mais précisément parce qu'étant plus libre, il a fait un choix plus rigoureux de ses moyens d'expression, et les a délivrés du hasard, pour les rendre plus significatifs. Si donc quelqu'un rythmait ce texte autrement que je l'ai fait, je n'y verrais pas matière à scandale et à chicane; mais le rythme qu'il obtiendrait ne devrait pas être beaucoup plus éloquent que le mien, ou plutôt celui du grammairien en cause.

* *
*

Je terminerai par deux poèmes très différents de rythme.

L'albatros

Souvent, pour s'amuser, les hommes d'équipage
Prennent des albatros, vastes oiseaux des mers,
Qui suivent, indolents compagnons de voyage,
Le navire glissant sur les gouffres amers.

À peine les ont-ils déposés sur les planches,
Que ces rois de l'azur, maladroits et honteux,
Laissent piteusement leurs grandes ailes blanches
Comme des avirons traîner à côté d'eux.

Ce voyageur ailé, comme il est gauche et veule!
Lui, naguère si beau, qu'il est comique et laid!
L'un agace son bec avec un brûle-gueule,
L'autre mime, en boitant, l'infirme qui volait!

Le poète est semblable au prince des nuées
Qui hante la tempête et se rit de l'archer:
Exilé sur la terre au milieu des huées,
Ses ailes de géant l'empêchent de marcher.

Charles BAUDELAIRE, *Les fleurs du mal.*

Sables mouvants

Démons et merveilles
Vents et marées
Au loin déjà la mer s'est retirée
Et toi
Comme une algue doucement caressée par le vent
Dans les sables du lit tu remues en rêvant
Démons et merveilles
Vents et marées
Au loin déjà la mer s'est retirée
Mais dans tes yeux entrouverts
Deux petites vagues sont restées
Démons et merveilles
Vents et marées
Deux petites vagues pour me noyer.

Jacques PRÉVERT, *Paroles*,
Éditions Gallimard, Paris, 1972, 252 pages.

Le poème de Baudelaire est en vers réguliers, des alexandrins, avec rime. Cadre rythmique très rigide qui peut congeler un poète malhabile, mais qui permet à un poète expérimenté et vivant de donner au langage la densité et la sonorité du bronze. On retrouvera dans ces vers à peu près tous les agencements rythmiques que Picasso faisait voir tout à l'heure à l'indigne héritier des 12 colonnes de marbre.

Le premier et le dernier vers ont le même rythme (2424) qui se répond aux deux pôles du poème. Dans le dernier vers surtout, le nombre 4, répété deux fois, donne à ce vers une ampleur bien appropriée au rythme large du vol de l'albatros. Et voyez le rythme des deux derniers vers de la première strophe: 2433, 3333. Le nombre 3, répété six fois de suite, fait entrer le discours dans une harmonie souveraine, sans heurts, d'une régularité parfaite, pour traduire à la fois le vol *indolent* de l'albatros et le mouvement du navire qui *glisse* sur la mer. Dans un texte qui parlerait de tempête ou d'explosion volcanique, le poète, s'il vit ce qu'il décrit, trouverait, pour rester fidèle à la vie, un rythme tout différent de ce rythme éminemment apaisé.

Et c'est l'occasion de rappeler qu'un poète inspiré *reçoit* son rythme et ses images, plutôt qu'il ne les invente et construit (Marie Noël et Maïakovski nous l'ont fortement souligné). La virtuosité est stérile, si elle n'est pas fécondée par la Vie. Ce qui, tout de même, ne signifie pas que le poète, même inspiré, écrive en automate. D'une façon impossible à analyser, mais bien réelle, tout ce qu'il s'est donné de perfection collabore avec l'inspiration gratuite. Si gratuite qu'elle soit, cette inspiration se mérite, ne serait-ce qu'en assouplissant et entretenant bien les antennes capables de la capter. Il en est de la poésie comme de la sainteté: c'est la grâce gratuite de Dieu qui sanctifie; mais un saint paresseux, ça ne s'est jamais vu; pas plus qu'un saint prosaïque, comme on l'a vu.

*

Le poème de Prévert, comme d'ailleurs presque tous ses poèmes, n'est pas écrit en vers réguliers, et ses vers se dispensent de la rime. Au goût de Prévert, ce sont là des conventions devenues beaucoup trop conventionnelles. Bien qu'il lui arrive, quand son esprit ironique n'est pas en éveil, de se taper des alexandrins, ou presque, avec rime en plus. C'est le cas pour deux vers de ce poème, peut-être les plus beaux. Et ils sont, comme ceux de Baudelaire signalés plus haut, d'une harmonie souverainement apaisée: 33(4)33, 3333; harmonie en parfait accord avec la chose décrite ici. Laquelle?

Mais le rythme de ce poème, comme très souvent chez Prévert et chez de nombreux autres poètes, est créé surtout par la répétition. C'est un procédé vieux comme le monde, mais toujours neuf, puisque les enfants et le folklore en raffolent, de même que la musique, de façon obsessionnelle. Ainsi, la musique populaire moderne utilise ce procédé, très souvent jusqu'à la nausée. Vous demandez à l'électronique de vous donner un rythme; la machine se mettra en marche et reproduira ce rythme automatiquement, indéfiniment. Et sur cette base rythmique, sur ce *beat* qui se déroule comme un tapis sans fin, les divers instruments exécuteront leur danse. Si les paroles interviennent, ce sera, le plus souvent, des mots, des groupes de mots très simples, insignifiants ou pas, repris 3 fois, 10 fois, 20 fois, et, des fois, 100 fois et plus. Par exemple:

> Qu'est-c'que tu veux qu'on dise?
> Tout' la toile est grise.
> Qu'est-c' que tu veux qu'on dise?
> On est au creux d'la crise.

Si vous répétez ce texte sublime 20 fois, avec exactement le même *beat* de base, vous aurez un succès commercial assuré; et vous pourrez vous associer à la PME des P'tits Simard.

La répétition est un procédé très efficace pour endormir en nous l'animal prosaïque qui, lui, déteste la répétition, parce que, dit-il, «J'ai pas d'temps à perdre! Le temps, c'est de l'argent» et autres semblables niaiseries. L'amoureux, lui, n'est jamais las de répéter; et ses répétitions n'ont rien à voir avec des rengaines usées et creuses. Ce qu'il répétera sera peut-être un peu moins gris que la fameuse toile grise engendrée au creux de la crise. Répéter est une belle nécessité, très honorable. Ce qui ne veut pas dire que toutes les répétitions se valent. Il est évident que toute passion aime à se répéter; mais la passion de l'un peut être de meilleure qualité que la passion d'un autre. Pascal disait qu'au billard les deux joueurs utilisaient les mêmes boules; mais, ajoutait Pascal, l'un peut placer ces boules mieux que l'autre. Ainsi des mots, des couleurs, des sons, du rythme, de tout.

J'ai dit tout à l'heure que ce poème de Prévert ne comptait pas, ou presque pas, de rime. Mais on conviendra que des vers entiers, répétés deux fois, trois fois, dans un texte aussi court, valent bien, en échos rythmiques, les échos de la rime, limités à la dernière syllabe de deux vers.

Que dit ce poème? Quelque chose de très précis; et qu'il faut mériter de comprendre. Que d'étudiants j'ai vus se noyer dans les deux petites vagues de ce poème! Et les grandes vagues de goudron qu'ils soulevaient à chercher le sens et à massacrer le bon sens, n'avaient rien de commun avec les deux petites vagues où Prévert espérait qu'elle le noierait comme un démon merveilleux. Vérifiez si ces deux petites vagues, que Prévert a voulues gonflées de bon sens, n'engendrent pas par hasard dans votre esprit coupable un océan de non-sens.

Desserts facultatifs

A. Le rythme, au sens large

Le rythme est ce qui ordonne harmonieusement, compose, au sens musical, le mouvement. Quand il s'agit d'un mouvement sonore comme celui du langage (parlé ou écrit, peu importe, car même la parole écrite, nous l'entendons, comme Beethoven sourd entendait la musique: avec un autre organe que l'oreille extérieure), c'est évidemment la distribution, l'agencement des syllabes accentuées et non accentuées qui est l'élément premier de l'organisation sonore: sans accents, nous tombons dans un déroulement uniformément monotone, où plus rien n'a d'importance. Dans les deux cas, le sens externe et l'intelligence sont neutralisés, anesthésiés, comme cela arrive lorsque nous voulons tout comprendre, ou ne rien comprendre. L'oreille, comme l'œil et tous les autres sens externes ou internes, a besoin d'un juste milieu, sous peine de tomber dans l'incohérence et l'hébétement.

Sur cette pulsation vivante, déterminée par les accents du discours, vient se greffer tout le reste, pour l'amplifier, lui donner son maximum d'évidence et d'expression. L'image elle-même, laissée seule, s'envolerait au hasard comme une bulle de savon. C'est le danger qui guette, et qui le plus souvent attrape, ceux qui fabriquent des images sans se soucier de savoir si elles sont artificielles comme une jambe de bois, ou intégrées à l'organisme vivant du poème, comme une queue de castor l'est au castor. Tout ce qu'on appelle ornements littéraires ou figures de style n'est en réalité que des moyens que se donne un rythme vivant pour manifester avec plus d'éloquence sa vie. C'est pourquoi, coupés du rythme, ils deviennent d'inutiles oripeaux, des minauderies artificielles et creuses; en conséquence, enseignés ou pratiqués pour eux-mêmes, ils ont pour seuls résultats la futilité et la stérilité. Coupées de la vie, seules les fleurs de papier ne se fanent pas.

Je signalerai ici, à titre d'exemples, et non pour en faire un recensement exhaustif, certains procédés littéraires dont le principal rôle, à mon avis, est d'amplifier et d'orner l'onde initiale engendrée par la vie en mouvement et inscrite dans le rythme.

— L'antithèse

Sous quelque forme qu'elle se présente (dans les mots ou les idées), elle peut contribuer très efficacement à forger l'unité d'un texte, comme les contrastes des couleurs ou des objets peuvent assurer l'harmonie d'une peinture aussi bien que son homogénéité. En électricité, les pôles négatif et positif ne sont pas un facteur de discordance et d'anarchie: bien au contraire, ils aident le courant à courir. De même un rythme peut s'appuyer sur des éléments antithétiques pour accentuer davantage les éléments fondamentaux de tout rythme qui, eux, sont forcément antithétiques: pas de cellule rythmique sans éléments contradictoires provisoirement accordés.

Les Romantiques ont peut-être abusé de l'antithèse; mais ils abusaient d'un procédé très sain et efficace, et qui garde toute sa valeur pour le rythme de la pensée et pour le rythme du discours. Quand Ferland termine une de ses chansons en mêlant *Enfer* et *Ferland*, au point qu'on ne sait plus s'il parle de l'Enfer ou de Ferland, il fait un emploi très judicieux de l'antithèse humoristique noire. De même Vigneault, quand il chante, sur un air et sur des pas de gigue: «Tout l'monde est malheureux tout l'temps.» Ou quand il disloque le temps pour dire: «C'est demain que j'avais vingt ans», expression qui peut causer des crampes d'intellect chez ceux qui ne savent pas jouer avec l'antithèse et la discordance.

— Répétitions

Les répétitions, la rime, l'assonance donnent au déroulement du discours cette organisation qu'on ne trouve pas dans la vie fourmillante et diffuse, ou du moins pas de cette façon volontaire et réfléchie. C'est une façon proprement humaine d'imposer aux sentiments et à la pensée un cheminement qui fait échec au hasard et au chaos qui règnent impunément hors de l'homme et qui tendent à soumettre l'homme lui-même. Sans doute la nature n'est-elle pas le jouet du Hasard; bien au contraire, elle semblerait plutôt solidement enchaînée aux lois du déterminisme, si on en croit les hommes de science trop pressés de boucler la boucle, en bouclant l'homme et la nature dans des lois ou chaînes d'airain.

Mais sur l'homme pris dans les remous du cosmos et dans les nébuleuses de son propre monde intérieur, les forces de dispersion exercent une pression continuelle; pression qui devient souvent oppression. L'homme veut faire un choix dans ce foisonnement plus ou moins incohérent pour lui; il veut imposer son propre rythme à tous ces rythmes enchevêtrés, diffus, centrifuges. Déjà, chez tout être, même inconsciemment, c'est un besoin vital d'échapper au chaos en lui imposant son propre rythme: l'érable ne peut survivre qu'en affirmant obstinément sa différence. Chez l'être conscient, non seulement l'instinct biologique éprouve le même besoin, mais sa conscience lui dit que, pour échapper au monde informe de l'inconscience, elle doit affirmer sa propre différence, son propre choix.

Les droites plus ou moins droites et les ronds plus ou moins ronds existent à profusion dans la nature. Cet à-peu-près n'a rien du laisser-aller: il est parfaitement beau et juste dans son contexte; et il ne faudrait pas, surtout pas, qu'un maniaque se donne pour mission de le corriger, comme d'autres «penseurs» se mettent en tête de rétablir l'ordre parmi les hommes, en les transformant en chiffres, en boutons et boulons bien uniformes.

Mais il est non moins heureux que l'homme ait inventé la règle, le compas, la géométrie, parce que son esprit avait besoin de rigueur, de clarté, d'une précision qui serait le fruit propre de son intelligence, sa façon à lui d'organiser le monde. Pour simplifier de façon un peu naïve: les choses se passent comme si l'homme se disait: «La création, c'est bien beau, c'est bien gentil; mais qu'est-ce que je fais là-dedans?» Et alors il se met à faire pas mal de choses, marquées au sceau de son esprit. Entre autres choses, il s'est mis à faire de la poésie, pour recomposer le monde à son image.

Si on nous dit, par exemple, que la rime est avant tout un moyen mnémotechnique utilisé par l'homme au temps où la tradition orale était le mode principal de transmission des connaissances, on explique l'homme par le port du pantalon; explication que d'aucuns jugeront un peu courte, farfelue, voire insolente. C'est un peu comme dire que l'homme s'est mis un bon jour à faire de la musique parce qu'il voulait se garder les doigts en bonne condition. Justifier la rime comme support de la mémoire défaillante, c'est aller beaucoup trop vite, et probablement beaucoup trop loin en dehors de la réalité.

Jusqu'à preuve du contraire, je préfère justifier l'emploi de la rime, de l'assonance, de la répétition, et de bien d'autres procédés, par ce besoin qu'éprouve l'homme de donner aux productions de son esprit ou de ses mains une cohérence qui est à la fois sa marque de commerce et qui soustrait son œuvre à l'indéterminé dont il a marre. C'est par là, il me semble, que la rime et bien d'autres moyens relèvent de ce besoin fondamental qu'est le rythme.

Si on ajoute que le besoin de se répéter est inhérent à toute passion, chez l'homme d'aujourd'hui aussi bien, autant qu'on sache, que chez les hommes «primitifs»; que cette répétition fait partie intégrante de tout jeu, y compris celui de la vie, il me semble qu'on lui donne une justification plus satisfaisante que celle d'arc-boutant de la mémoire. Ce n'est sûrement pas pour cultiver sa mémoire que l'homme prend plaisir à répéter avec Prévert:

L'amiral Larima
Larima quoi
la rime à rien
l'amiral Larima
l'amiral Rien

Ou bien: Pour chanter tra la la la la
Pour chanter tra la la la la
Pour chanter vive la vie, vive l'amour!

— Le mouvement

Le mouvement d'un vers, d'une strophe, d'un groupe de strophes, ou de tout le poème, est engendré par quelque chose de beaucoup plus impérieux que l'accent tonique; il serait plus juste de dire que c'est le mouvement d'ensemble qui engendre le rythme des parties constituantes: c'est la respiration profonde de l'Océan qui ordonne le flux et le reflux de la marée et des vagues. En sorte que pour étudier le rythme d'un poème, il est plus important de dégager le mouvement d'ensemble, la vague de fond, que d'analyser le rythme des vers isolés, des vaguelettes de surface. Le rythme nous apparaît alors comme une onde qui tend à mouvoir, émouvoir non seulement le sens auditif, mais toutes les puissances de l'homme, en particulier sa sensibilité, son imagination et son intelligence.

Dans le poème de Victor Hugo, les *Soldats de l'an deux*, le mouvement des strophes, souvent jumelées, emporte les vers comme un torrent; et ce mouvement est senti par l'oreille, certes, mais autant, sinon plus, par l'intelligence. C'est elle, et la passion, qui, en définitive, font la synthèse et permettent d'évaluer l'agencement des mots et des rythmes partiels en vue de l'effet global recherché par le poète. L'analyse partielle et, pour ainsi dire, statique, du rythme, ne permet pas de percevoir la composition, le rythme de l'ensemble.

Si, au lieu de lire des yeux le texte de Victor Hugo, on doit l'interpréter, alors on voit à l'évidence que s'il faut respecter le rythme des vers, il importe surtout de s'accorder au rythme profond qui soulève les strophes jusqu'aux «cieux», mot final du poème. Sentir et rendre ce mouvement, ce rythme de l'ensemble, nécessite tout autre chose qu'une analyse de métricien hypnotisé par les seuls accents toniques de chacun des vers.

— La couleur

Quand Péguy écrit:

Adieu! Meuse endormeuse et douce à mon enfance

ce qui nous émeut dans cet adieu de Jeanne d'Arc à la douceur du pays de son enfance, c'est la tendresse du chant, obtenue par une délicatesse de tons comparables à celle des teintes de Fra Angelico, de Giorgione, de Watteau, de Chardin ou de Corot. «La douce douceur de la terre», comme disait Anne de Noailles; les «couleurs de son rêve», dit Proust.

*

Et ce passage d'André Chénier, où l'effet de berceuse est obtenu surtout par la couleur et l'emmêlement joli des sonorités; si joli que c'est presque de la préciosité ou du maniérisme:

Est-ce à moi de mourir? Tranquille je m'endors
Et tranquille je veille, et ma veille aux remords
Ni mon sommeil ne sont en proie.

Ou cette merveille de fluidité que trouve Dante pour parler de la pleine lune sereine:

Quale nei plenilunii sereni

À l'opposé, les fanfares un peu frustres de Lucrèce:

Tympana tenta tonant palmis et cymbala circum
Concava, raucisonoque minantur cornua cantu.

(Il suffit de lire ce texte latin à haute voix, même sans rien comprendre, pour sentir que cela fait un joli vacarme; ce que d'ailleurs le poète recherchait ici.)

Ou les bombes buccales de Victor Hugo:

Les tambours, les obus, les bombes, les cymbales,
Et ton rire, ô Kléber!

Antithèse, répétitions, rime, sonorité, autant de procédés propres à structurer le discours, à le composer, à le rythmer, tantôt étoffant le rythme déterminé par les accents toniques, tantôt se substituant en partie à lui pour donner au texte son ordonnance essentielle.

Et tous ces éléments, conjuguant ou non leurs propriétés, donnent au langage poétique non seulement son unité, son éloquence particulière, en portant le langage à son maximum d'expression, mais aussi son effet envoûtant. Endormir l'animal logique, cette part de l'homme qui, étant une spécialisation, laisse échapper tout ce qui, dans l'existence, ne peut se réduire à des schémas rationnels. Car si la raison logique est la spécialité et l'orgueil légitime de l'homme, c'est aussi un instrument de perversion, dans la mesure où cette raison prétend faire entrer toute la réalité dans des sillons passablement étroits.

*

En résumé, il n'est pas de poésie sans prise de possession véhémente du monde par tout ce que l'homme possède de facultés appréhensives; et, réciproquement, sans que le monde ne s'empare violemment du poète. Dans cette union, cette extase d'amour, les deux vies n'arrivent à la fusion créatrice que si l'une et l'autre sont à leur maximum de malléabilité, de don. Faire de la poésie, c'est faire l'amour avec la vie. Et alors, «Toutes les fois que je tombe en amour, on dirait que le monde est à l'envers», dit la chanson. La poésie tourne à l'envers le monde quotidien, vu de façon banale, pour remettre à l'endroit l'homme et le monde.

L'image a pour objectif inconscient de rompre les amarres, de pousser au large sur l'océan de la vie; le rythme, lui, tous les éléments du rythme que nous avons brièvement signalés, ont pour effet d'envoûter: le mouvement continu, et la forme, et la couleur, et la sonorité des vagues. Image et rythme concourent ainsi à créer un état de dépaysement, d'enivrement, de séduction, où l'homme reconnaît sa véritable patrie, qui est la contemplation:

Là tout n'est qu'ordre et beauté,
Luxe, calme et volupté.

BAUDELAIRE.

Purification des passions, avec leur incohérence, leur discordance, leur véhémence intempestive, parce que trop hypnotisées par le particulier; purification de la logique qui, en voulant échapper aux contraintes du particulier, tombe trop souvent dans un désordre aussi grave: celui de l'encadrement stéréotypé, tout près de la savante stérilité du chiffre.

La poésie qui n'arrive pas à créer cet état d'incantation, par l'un ou l'autre procédé, manque son objectif et tombe dans la prose. Et cet état d'incantation ne se crée pas de façon artificielle. On ne mime pas longtemps l'incantation, sans que la vie rende un son creux. On ne fait pas danser ou chanter indéfiniment un mort, sans que la mort trahisse sa présence. C'est donc une règle sage de ne pas demander à un mort de jouer le jeu de l'amour, ni même celui du hasard, en faisant de la poésie mort-née.

B. Publicité et poésie

La poésie, avec ses qualités essentielles de l'image et du rythme, porte donc le langage humain à ce degré de perfection que, consciemment ou inconsciemment, on ne peut s'empêcher d'admirer. Tout philosophe, par exemple, dès qu'il maîtrise suffisamment son langage spécialisé, souhaiterait pouvoir parler de l'Être, de la Vie, de l'Homme, autrement qu'avec les seuls outils de la logique. S'il est assez vivant pour éprouver l'extase et la brûlure de la Vie, il voudrait parler de cette vie, la communiquer par d'autres courroies de transmission que celle de la mécanique du syllogisme. Même quand ils font semblant, comme Platon et Pascal, de mépriser la poésie comme inférieure à la philosophie, ils ne peuvent s'empêcher de parler en poètes, dès qu'ils abordent des sujets qui passionnent à la fois leur intelligence et leur cœur. Et Dieu, quand il parle à l'homme, lui parle en poète; car il a fait l'homme à sa ressemblance.

Méfie-toi d'un philosophe sec, imperméable à la poésie; crains-le autant que tu fuirais comme la peste un homme allergique à la musique: «*Let no such a man be trusted*: Ne faites pas confiance à cet homme-là», c'est Shakespeare qui nous le conseille. Un philosophe sans musique et sans poésie, c'est dangereux comme un homme sans cœur, ou un philosophe incapable de rire: ses théories seront peut-être brillantes, mais elles auront la brillance de la vitre ou de l'acier poli. Et ces théories brillantes seront aussi indigestes et stérilisantes pour l'esprit et le cœur que la vitre et l'acier.

Il en est de même pour l'homme politique, le romancier, l'épicier et le jardinier. Devenu assez compétent dans la culture des légumes et des fleurs, il m'arrive d'être consulté à ce sujet. Au cours de l'entretien avec l'apprenti jardinier, je devine assez vite maintenant si je suis en train de faire quelque chose d'utile ou de nuisible en essayant de cultiver cet apprenti. Si tu ne sens pas chez lui la passion, l'amour des fleurs, ce serait criminel de l'encourager à s'occuper des lavatères, des rudbeckies, ou même des patates ou des carottes: ce serait livrer légumes et fleurs aux mains d'un criminel au cœur sec. Il les cultiverait comme un théoricien ou un ordinateur peuvent cultiver un bébé. Voilà une philosophie qui vaut bien celle de Kant, de Nietzsche ou de Marx-Staline-Pinochet-Duvalier.

*

La publicité, c'est une évidence, cherche à séduire pour vendre sa salade ou sa limonade. Pour masquer son impudence ou son imposture, pour faire oublier son objectif premier qui est les plaisirs que lui paieront les consommateurs, elle leur promet qu'eux, les consommateurs, auront bien du plaisir s'ils paient pour enrichir leur séducteur. N'osant avouer son objectif très prosaïque et vulgaire, elle va le maquiller, lui donner toutes les apparences de la beauté, de la vérité, pour que le «poisson» leurré morde à la mouche. Elle sait que son mannequin est de plâtre; elle va donc l'habiller comme un vivant et l'exposer dans des vitrines féeriques. Le client achètera les apparences, et vivra avec le mannequin de plâtre, croyant avoir fait une bonne affaire, surtout si les bébelles sont offertes au rabais, à prix d'aubaines: «Épargnez, économisez, en achetant nos mannequins! Vous ferez l'envie de vos voisins de plâtre, bande de caves!»

Oui, mais ces choses-là, ces vérités-là ne sont pas bonnes à dire pour la publicité. Aussi dira-t-elle exactement le contraire. Et alors, nous la voyons mentir effrontément, en prenant toutes les apparences de la poésie. Elle sait que la poésie parle à l'homme un langage autrement plus efficace qui celui de la prose; c'est pourquoi toute la publicité singe la poésie. Cette mégère se déguise en princesse, en Cendrillon, en Belle au bois dormant, en Belle séduisant la grosse Bête qu'est l'acheteur.

La mécanique de la publicité est ce qu'il y a de plus simple. Étudiez la mécanique d'une affiche publicitaire ou d'une annonce publicitaire à la télévision, et vous comprendrez toutes les autres. Cette technique consiste à envoûter le client par les procédés poétiques de l'image et du rythme.

Le procédé de l'image permettra de rendre le produit irrésistible, en le comparant à une ou des choses belles, avec lesquelles, apparemment, il n'a aucun lien. Et de fait, le plus souvent, il n'y a aucun lien entre les choses comparées; contrairement à la poésie qui, si elle est authentique, ne tire pas ses images par les cheveux, mais les laisse se créer organiquement, enracinées réellement dans le sujet du poème.

Mais ces images de la publicité, même si elles sont tout à fait artificielles, purement gratuites et fabriquées avec du plâtre, produisent un effet réel sur l'émotivité, l'imagination de l'oiseau acheteur. Elles l'atteignent dans sa sensibilité, sa subsconscience, anesthésiant ainsi son sens critique, le livrant désarmé à la gueule du serpent, l'offrant, tout embobiné de beaux fils de soie, aux mandibules de l'araignée. Le tout, de préférence, sur un rythme musical envoûtant, irrésistible d'optimisme béat et d'extase conne.

Voyez Pepsi. L'objectif? Faire boire le plus possible de Pepsi, pour le bien-être présent et à venir des promoteurs de Pepsi. Comment t'amener à boire du Pepsi à la tonne? C'est très simple. On va t'embobiner par l'image et te faire marcher sur un rythme extasié. On va te montrer une belle plage des pays tropicaux: le soleil, la mer, les vacances, l'évasion, la liberté! Une belle fille, bronzée, évidemment, bien sculptée, longs cheveux (blonds, de préférence), sourire et dents en cœur et en chœur, souple comme un dauphin, ruisselante de perles marines comme une sirène; et elle court, dans un éclaboussement de vagues, vers son grand amour: Pepsi! À ses côtés, un beau gars, musclé, bronzé, enivré, lui aussi, par l'eau, la mer, les vacances, la liberté, la jeunesse, et entraînant par la main cette déesse salée, vers leur idéal commun: Pepsi! Et au moment où ces deux merveilleux imbéciles s'élançent sur la miraculeuse bouteille de Pepsi pour se fondre dans un grand amour, on te montrera une joyeuse troupe d'autres merveilleux imbéciles, exaltés, eux aussi, à la perspective de partager leur extase divine dans l'ambroisie de Pepsi.

C'est simple: pour avoir tout ça, buvez Pepsi! Pepsi, c'est comme la liberté, c'est comme la jeunesse, c'est comme la mer, c'est comme les vacances, c'est comme l'amour. Bref, Pepsi, c'est tout. Buvez Pepsi, et tout le reste vous sera donné par surcroît. Et toi, tu te lèves, tu vas au frigidaire, tu prends un Pepsi numéro uno, et tu as l'impression qu'en buvant Pepsi, tu bois l'éternité, ou presque. Et s'il n'y a pas de Pepsi au frigidaire, tu courras chez le dépanneur , pour ne pas rater le train de l'éternité bienheureuse et conne. Et le promoteur de Pepsi te regarde et dit: «Quel con!» Et toi, tu lui souris, tout ruisselant de gratitude, comme une bouteille de Pepsi sortant des mers tropicales. «Que c'est beau, c'est beau, la vie!»

Pas bête, ce Big Brother qui préside aux destinées très humanitaires de Pepsi, et qui s'est fixé l'objectif très louable de te pepsifier! Il a fait appel aux psychologues de pointe qui lui ont tous dit que le meilleur moyen de faire marcher l'humanité tout entière vers l'idéal Pepsi, c'était de mettre en œuvre tous les pouvoirs séducteurs de la poésie, pour laquelle l'homme, même mécanisé, robotisé, aura toujours une invincible tendresse et admiration. Oui, mais au lieu de te laisser séduire par les charlatans et leurs images artificielles à contenu creux, mieux vaudrait te laisser séduire par les poètes qui, avec les mêmes procédés, veulent te donner à boire une tout autre ivresse. À toi de choisir. L'homme est libre; et il a les goûts qu'il s'est mérité d'avoir.

3.4 EN CONCLUSION AU LANGAGE POÉTIQUE

Après avoir ainsi parlé du langage poétique, de l'image, du rythme et de la musique comme moyens d'expression indispensables à la poésie, nous n'avons peut-être pas encore dit l'essentiel. Reste à savoir pourquoi telle cadence des sons, de la couleur ou des volumes produit l'enchantement, l'extase.

Car si le poème cherche cette perfection, cet équilibre et cette harmonie qui le sauvent de l'in-signifiance, c'est justement pour signifier quelque chose d'autre que sa propre perfection. Dans un tableau de Vermeer, il y a autre chose qu'un équilibre de couleurs et de formes extasiées; il y a aussi, surtout, l'extase de Vermeer. L'extase du peintre avait besoin des couleurs extasiées, mais l'extase des couleurs n'est qu'une partie de l'extase du peintre. Sans le tableau, l'extase du peintre resterait une nébuleuse, incandescente, mais informe; avec le tableau, l'extase est soustraite aux contours flous de l'indéfini, mais elle a perdu ses liens avec l'infini, sauf ce je ne sais quoi, indéfinissable, par où les couleurs et les formes portent les reflets de la nébuleuse où elles furent engendrées. Ce je ne sais quoi qui permet aux âmes bien nées de participer, par delà toute analyse, à l'extase du créateur.

L'érable est beau dans l'équilibre de ses formes et dans le lyrisme de ses couleurs embrasées; mais l'érable n'est-il pas qu'une étincelle produite par un brasier? Le poème le plus fulgurant est-il autre chose qu'un rayon de lumière tombée des galaxies? Les pleurs ou la joie dont ruissellent les vers les plus touchants sont-ils toute la joie, toute la douleur de l'homme? En un mot, toute œuvre d'art est-elle autre chose que le premier mot d'une énigme que Prométhée vole aux divinités jalouses?

Toute œuvre parfaite, enfermée dans la perfection de son orbite, n'est-elle pas en même temps ouverte au vertige des galaxies, entraînée par une force centrifuge vers les plus inaccessibles lointains? Le rythme et la rumeur de la vague, l'élégance des spirales du remous, le pourpre ou le rose aux joues de la houle, toute cette perfection ne me donne pas la mer, m'explique peu de chose de la mer, sinon qu'elle est inexplicablement savoureuse. Toute l'harmonie sculptée au corps de l'homme, toute la noblesse ou l'ignominie de ses sentiments, ne me révèlent pas son mystère; et je me trompe si je crois que le poète ou le sculpteur, par leur œuvre, ont fait autre chose que m'inviter à mieux regarder l'homme inaccessible, le mystère de l'Être.

Parce que la poésie est en nous, tout lui sert de prétexte à chanter. Oui, mais c'est donc qu'elle est autre chose que rythme, musique, image. Que tout cela, qui l'accompagne habituellement, n'est pas son essence même. Qu'elle est autre chose d'aussi mystérieux que l'amour. Si Paul dit qu'il aime Micheline à cause de ses cheveux flous, des horizons inaccessibles de ses yeux pourtant si limpides, du rythme souverain de ses hanches, du poli envoûtant de ses cuisses, de sa «salive qui mord» et autres propriétés indicibles de son architecture, c'est bien, c'est vrai; mais si peu vrai, si Paul y pense un peu sérieusement. Aucune de ces qualités, ni toutes ensemble, n'expliquent un peu sérieusement l'origine et la nature de ce volcan, de cette tornade, de ce parfum de muguet. Quand il aura donné cent bonnes raisons, Paul devra admettre, s'il est un peu lucide, que l'amour, c'est tout autre chose. Mais quoi? C'est ce qu'on se demande passionnément, depuis la préhistoire. De même, pour la poésie. Le feu s'alimente au bois, mais il peut s'alimenter à tout autre combustible, sans jamais cesser de s'en distinguer. Et l'étincelle de feu peut jaillir de l'électricité, du briquet, de l'allumette, du silex ou du bois.

La poésie, c'est donc beaucoup plus que le poème; comme la musique et la peinture vont bien au-delà des couleurs et des sons. À travers l'œuvre limitée, c'est l'inaccessible que l'artiste veut rejoindre. La poésie, comme tout art, est un effort douloureux et enivrant pour sauver de la nuit dévorante cette forme immortelle qui en nous s'agite, gémit, pleure, chante et voudrait naître à l'éternel. Cette quête de l'infini, comme un regret et une indomptable espérance au cœur de tout homme. L'art veut sauver de l'anéantissement cet être fragile fait d'éléments contradictoires: pétri de mortalité, mais enfiévré dans sa chair et dans son esprit d'une ivresse d'immortalité, tantôt voilée comme une musique lointaine, tantôt éclatant dans le délire des cuivres, des tambours, dans le chant fou de l'âme devenue incandescente.

Cet appel vers l'infini, cette inconsolable mélancolie d'être enfermés dans le temps, le fini, le malheur, alors que nous sommes faits pour l'éternel, l'infini, la joie, c'est cet appel qui est à l'origine et au terme de l'art. Le tableau, le poème, la statue, la page de musique, sont une fenêtre percée aux murs de notre prison. À travers elle, l'homme voit la mer, entend l'oiseau, s'unit au vertige des nébuleuses. La fin de l'œuvre d'art, ce n'est pas de décorer la vie présente: c'est d'abord de prolonger la ferveur présente pour en faire de l'éternité; c'est de frapper au mur de pierre, dans l'espérance de recevoir un message de l'extérieur; c'est de vouloir incarner l'Invisible.

Edgar Allan Poe dit à ce sujet des choses aussi définitives que peuvent l'être la cathédrale de Chartres, un marsouin de L'Île-aux-Coudres ou la *Petite musique de nuit* de Mozart:

> Un instinct immortel, enraciné dans l'esprit de l'homme, tel est donc, vraiment, le sens du Beau. C'est lui qui procure à l'homme le plaisir qu'il trouve dans la variété des formes, des sons, des odeurs et des sentiments au milieu desquels il existe. Et de même que le lys se reflète dans le lac, ou les yeux d'Amaryllis dans son miroir, ainsi la simple répétition orale ou écrite de ces sons, de ces couleurs, de ces odeurs et de ces sentiments est une nouvelle source de plaisir. Mais cette répétition n'est pas, à elle seule, la poésie. Celui qui se contentera de chanter, même avec un enthousiasme brûlant, ou une extraordinaire puissance de description, les spectacles, les sons, les odeurs, les couleurs et les sentiments – choses qui s'offrent à lui comme à tout le reste de l'humanité – celui-là, dis-je, demeure encore impuissant à justifier son titre divin. Il se trouve encore, dans le lointain, quelque chose qu'il n'a pu atteindre. En nous demeure une soif inextinguible, et il ne nous a pas encore découvert les sources limpides qui pourraient l'apaiser. Cette soif témoigne de l'immortalité de l'homme. C'est tout à la fois une

conséquence et un signe de son existence immortelle, c'est le désir de la phalène pour l'étoile. Ce n'est pas simplement l'admiration de la Beauté présente sous nos yeux, mais un effort farouche pour atteindre la Beauté au-delà d'elle-même. Inspirés par une prescience extatique de la gloire située au-delà du tombeau, nous luttons, par de multiples agencements entre les choses et les pensées du Temps, pour saisir une partie de ce Charme dont les éléments mêmes appartiennent peut-être à la seule éternité. Ainsi donc quand, à l'occasion de la poésie, ou de la musique, le plus envoûtant des modes d'expression poétique, nous fondons en larmes, ce n'est pas, comme le suppose l'abbé Gravia, par suite d'une joie excessive, mais bien à cause d'un regret vif et impatient dû à l'impossibilité où nous sommes de posséder aujourd'hui et pleinement, ici même sur terre, immédiatement et pour toujours, ces joies divines et extatiques dont nous ne saisissons que de brefs et vagues reflets, à travers le poème ou à travers la musique.

Le principe poétique.

On retrouvera à peu près la même conception de la Beauté dans le *Phèdre* de Platon. Dans cette œuvre, le philosophe devient poète et, dans une magistrale allégorie, il essaie de nous expliquer l'origine et les conséquences dans l'âme humaine de ce sentiment de la Beauté. C'est tout autre chose que la conception de la Beauté, selon la mode, le ministère de l'Éducation, le concours Miss Univers, ou les éblouissantes images de Pepsi et du catalogue Sears.

CHAPITRE QUATRIÈME

LA POÉSIE ENGAGE TOUT L'HOMME

On s'en souvient peut-être, et surtout on me le concédera très volontiers: les définitions que j'ai données de la poésie au chapitre premier, manquaient de rigueur. Ces définitions très approximatives sont devenues un peu plus précises en cours de route; mais sûrement pas au point de satisfaire les esprits uniquement géomètres ou logiciens. Pour ces derniers, heureusement, il reste les définitions impeccables données par les dictionnaires...

Ajoutons une dernière définition, aussi imprécise que les autres, mais qui a peut-être l'avantage de les synthétiser, tout en les rendant plus concrètes. Disons que le poète, le créateur, est en amour avec la vie; mieux: il fait l'amour avec la vie. La création est acte d'amour; et cet acte engage tout l'être, comme l'acte de la génération charnelle. On n'engendre pas à froid, par une déduction purement logique, ni dans l'ordre intellectuel, ni dans l'ordre charnel: il faut que tout l'être soit élevé à un état d'exaltation, de paroxysme, de transport, d'extase: l'intelligence, la mémoire, l'imagination, la sensibilité doivent devenir incandescentes pour que, dans ce flux de lave, soit fécondé l'ovule de l'œuvre à naître.

Deux êtres humains engendrent un vivant quand ils sont portés à un état physique d'exaltation, faite de fureur et de tendresse. (Et il y aurait long à dire, ici, sur la fureur et la tendresse, aussi nécessaires dans toute œuvre d'art que dans la relation charnelle: toute œuvre qui n'allie pas étroitement ces deux qualités apparemment contradictoires, est une œuvre ratée, déséquilibrée, comme tout être humain incapable à la fois de fureur et de tendresse. Par exemple, le chansonnier savonneux et mielleux, tout guimauve et sentimentalité, dégoûte par sa mollesse visqueuse de mollusque; par contre, l'autre, survolté mais dur et anguleux comme un robot, ne peut satisfaire que ceux dont la sensibilité usée, désabusée, ne réagit plus qu'aux électrochocs, aux cris hystériques, aux coups de poing, aux coups de pied. Notre époque, comme toutes les autres, a produit en surabondance ces deux types de monstres; elle a aussi produit des Brassens, des Vigneault, des Brel, admirables réussites d'équilibre humain: ni robots, ni mollusques.)

Dans la génération charnelle, il suffit, à la rigueur, d'avoir une «crise» d'exaltation physique. Dans la création artistique, il y aura, en plus, collaboration de toutes les facultés psychiques, comme la mémoire, l'imagination, l'intelligence et la volonté, portées, elles aussi, à un état de surexcitation, de tension et de désir extrêmes. Cet état d'effervescence n'est pas exclusif à la création artistique: Napoléon et Einstein l'ont sans doute éprouvé avec autant d'intensité que Chopin, Baudelaire ou Van Gogh. L'homme, pour réaliser de grandes œuvres, pour engendrer la vie, dans tous les domaines d'activité, doit être tout autre chose que logicien pur, calculateur froid: il doit «brûler d'un impossible rêve». Organiser des soldats «pour atteindre l'inaccessible étoile» ressemble étrangement à l'organisation des couleurs, des sons, des mots ou des formes, en vue d'incarner un rêve qui demande impérieusement à naître. La source est commune; seuls diffèrent les matériaux utilisés et les moyens d'exécution.

Mais alors, on peut bien se demander pourquoi les Grecs ont tiré le mot *poésie* d'un verbe qui veut dire: *faire*, *créer*. Car le musicien, lui aussi, tout comme le peintre ou le stratège, fait, crée. Sans doute parce que les Grecs accordaient une particulière importance à l'activité intellectuelle, à la pensée; et que cette pensée, à leurs yeux, s'exprimait de façon privilégiée par le Verbe, parlé ou écrit. Et le Verbe n'est jamais plus expressif que lorsqu'il s'incarne dans la poésie, toute pétrie d'intelligence et de sensibilité, synthèse savoureuse à l'image même de l'homme, chair et esprit. Pour les Grecs, celui qui faisait, qui créait à ce niveau d'humanité, apparaissait donc comme le plus créateur de tous. Faire, créer un navire, c'était bien; faire, créer un poème, c'était mieux:

c'était exprimer davantage l'humanité, la dignité de l'homme. Pour les Grecs, un «brasseur d'affaires» illustrait moins bien la dignité de l'homme qu'un coureur olympique; et un coureur olympique était moins digne d'admiration qu'un poète.

Et l'Histoire a confirmé ce jugement, cette échelle de valeurs. Car les «brasseurs d'affaires», les millionnaires, et même les coureurs olympiques passent très vite dans l'admiration des hommes. Pour un temps, ils semblent occuper la première place, sinon toute la place; mais ce qui nous reste de plus précieux des civilisations antérieures, ce sont les œuvres «inutiles» des créateurs spirituels, parmi lesquels le poète occupe une place de choix. Pour recueillir l'essentiel, le plus précieux d'une civilisation, lire Isaïe, Homère, Shakespeare, Virgile, Dante, Hugo, Baudelaire, Miron, Ferron, Anne Hébert... Ces «phares» ont un tout autre rayonnement que Staline, Rockefeller et autres dérisoires magnats ou géants qui, pour un temps, semblaient «faire la pluie et le beau temps». Mieux vaut faire un poème que faire la pluie et le beau temps, ou «faire la une» dans les journaux, à la télévision, dans les dictionnaires et les sondages en vue d'élire «le plus bel homme de l'année».

* *
*

L'art, toute forme d'art, est un subtil équilibre obtenu entre la sensibilité et l'intelligence. S'il n'était que sensible, il se tiendrait au niveau de la passion, du cri, et, comme eux, il serait confus, désordonné, soumis au trouble et au vague de cette passion. S'il n'était qu'intelligence, il aurait la froide clarté de l'algèbre et de la géométrie. Livré à l'impulsion pure, l'art tombe dans le grandiloquent, la boursouflure, la vaine agitation criarde; il gronde, éructe, crie, pétarade comme un chansonnier rôti au courant de sa guitare électrique. Cet «art» lasse très vite, parce qu'il ressemble trop à ce que le quotidien, à profusion, nous fournit de plus frustre et de plus brut. Rien de plus banal et décevant que le poète hypnotisé par ses sentiments primitifs ou qu'un peintre faisant tableau de tout ce qui lui tombe dans l'œil, sous prétexte de spontanéité et de sincérité.

Par contre, si l'artiste veut n'être qu'intelligent, il se desséchera en squelette. Pour échapper au trouble de la passion et de la sensibilité, il devient banquise, équerre ou tournevis. S'il se veut poète, il tournera des vers habiles et vides, comme un autre tourne habilement des boulons ou des talons.

Si l'art grec classique apparaît comme une réussite miraculeuse, c'est précisément par cet équilibre unique réalisé entre l'intelligence et la sensibilité. Le nu grec n'a rien de la schématisation et de la froideur mathématiques: il garde la sensibilité de la chair, une référence chaleureuse au corps humain. En même temps, il reconstruit ce corps humain selon un idéal de proportions dicté par l'intelligence la plus raffinée et exigeante. Ces nus sont de la chair spiritualisée, et de l'intelligence incarnée. Tout le contraire du naturalisme borné et de l'intellectualisme désincarné. Et les grandes réussites des autres civilisations portent toutes le double sceau de la sensibilité frémissante et de l'esprit tranchant.

*

Donc, la poésie engage tout l'homme, fait appel à toutes ses facultés. Comme la vie, l'homme, le cosmos, elle ne se laisse pas saisir par un seul sens ou par une seule faculté.

Pourtant, un préjugé qui traîne partout et encombre bien des esprits, dit à peu près ceci: «Un artiste peut dire n'importe quoi et le dire n'importe comment, au hasard de ses caprices; il n'a donc pas besoin d'être bien intelligent; du moins, sûrement pas autant que les hommes de science qui, eux, ne peuvent pas dire n'importe quoi n'importe comment: ils doivent vérifier, contrôler, prouver tout ce qu'ils disent. L'artiste, lui, n'est pas obligé de prouver quoi que ce soit.»

«D'ailleurs, il vaut même mieux qu'il ne soit pas trop intelligent: ainsi pourra-t-il mieux nous divertir, nous amuser avec ses frivolités, sans nous poser des questions embêtantes, et sans nous donner de réponses difficiles à comprendre. L'artiste est un clown qu'on va voir quand on veut ne penser à rien. Qui aurait le mauvais goût de s'adresser à un clown pour lui poser des questions sérieuses? Et qui tolérerait qu'un clown veuille parler «sérieusement»? Quand on veut être sérieux, on ne s'adresse pas aux artistes; on s'adresse aux hommes de science, ceux des sciences humaines, et surtout ceux des sciences pures.»

*

Ne me dites pas que je suis le seul à avoir entendu cette brillante conception de l'art dans la bouche d'à peu près tout le monde; que ce beau monde fût installé en haut ou au bas de l'échelle sociale, qu'il fût *in* ou *out*, Firestone ou *stone*. Si vous ne me croyez pas, prenez une enregistreuse et allez faire votre petite enquête au supermarché pas loin de chez vous, dans les salons des cégeps et des universités. Pas nécessaire de vous rendre à l'Assemblée nationale de chez nous et à la Chambre des communes des autres: les témoignages enregistrés en ces deux endroits louches n'influenceraient en rien la moyenne de folie enregistrée ailleurs.

Donc, Einstein devait être bien intelligent pour être un grand physicien. Mais Shakespeare? Mais Mozart? Mais les bâtisseurs de cathédrales? Mais Michel-Ange?

Le premier venu, innocent au sens originel du mot, admettra volontiers que la navette Challenger, c'est épatant; qu'il a fallu, pour la construire, des gars terriblement intelligents; car, pour que cette navette fonctionne, il a fallu faire des millions de calculs d'une précision effrayante, assembler un nombre non moins terrifiant de pièces, toutes indispensables. Qu'on néglige un détail, et la navette, au lieu d'entrer en orbite ou d'en sortir, s'en ira au diable vauvert, explosera au niveau des corneilles, ou plongera, à son retour, dans le Vésuve ou dans la piscine nord-sud de Trudeau.

Et je n'ai aucunement envie de nier tout cela: la navette Challenger témoigne hautement du génie de l'homme.

Mais quel homme «sérieux» soutiendrait, sans rire, que dans un bon poème, chacun des mots est aussi important que chacun des boulons de ladite navette? Qui oserait dire que dans la *Cinquième Symphonie* de Beethoven chacune des notes est aussi importante que chacun des fils de ladite navette? Qui aurait le front de prétendre que, sur un tableau de Cézanne, chacune des touches de couleur a été contrôlée avec autant de rigueur que chacune des pièces qui s'envolent avec la sublime navette?

Eh bien! n'importe qui, parmi ceux qui connaissent la poésie, la musique ou la peinture, ou n'importe quel art, vous dira qu'un artiste de qualité doit être, dans l'exercice de son art, aussi intelligent, aussi sérieux et aussi responsable que les superingénieurs de la NASA. Certes, les artistes, comme d'ailleurs les scientifiques, qui font voler des navets ou des lavettes, plutôt que des fleurs ou des navettes, n'ont pas à se casser la tête: le bousillage, l'à-peu-près leur suffisent, amplement. Mais ceux des artistes qui lancent de vraies navettes doivent travailler aussi longtemps, aussi passionnément, aussi intelligemment que ces messieurs de la NASA. Et pourquoi donc? Parce que les navettes que lancent ces artistes, se rendent pas mal plus loin que la navette Challenger. Certaines de ces navettes sont en orbite depuis des millénaires, alors que la navette Challenger d'aujourd'hui sera, d'ici peu, ferraille démodée. Certaines navettes construites par des artistes sont rendues si loin que pratiquement plus personne aujourd'hui n'en a souvenir. Pensez, si vous le voulez bien, à l'*Iliade*, à la *Divine comédie*, à *Job*, à l'*Énéide*, et dites-moi si vous voyez leur sillage dans le vide de vos espaces infinis...

*

Voici deux réactions d'artistes majeurs; elles sont plus éclairantes que mes balles traçantes.

Cézanne, après quelque cinquante ans de peinture pratiquée à raison de quelque douze heures par jour, reçoit un jour dans son atelier un brave homme qui veut avoir son portrait exécuté de main de maître. Cézanne le fera poser pendant 103 séances d'une durée de deux, trois heures chacune. Pour finalement lui dire, après la 103e séance: «Monsieur, je suis désolé: je ne peux finir votre portrait. Il me manque une touche de lumière pour l'une de vos phalangettes. Je vais aller au Louvre, consulter les grands maîtres; peut-être qu'ils m'inspireront...»

Vous croyez, comme à peu près tout le monde, que Cézanne se moquait de son modèle; qu'il exagérait effrontément, pour donner plus d'importance à sa peinture; bref, qu'il se prenait pour un autre. Absolument pas! Cézanne se prenait pour Cézanne, et prenait la peinture pour la peinture. Pour lui, une tache de couleur qui n'est pas juste, dans un ensemble qui compte plusieurs milliers de taches colorées, fait s'écrouler toute l'harmonie du tableau. Comme une seule pierre que vous enlèveriez dans une ogive gothique: le plafond de la cathédrale vous croule sur la tête, avec les murs, les colonnes et les vitraux. Cézanne était aussi sérieux qu'Einstein; et, peut-être bien, un peu plus que vous et moi.

> La peinture, ce n'est pas bien difficile quand on ne sait pas. Mais quand on sait... oh alors! c'est autre chose!
>
> DEGAS.

Avant de poser la première touche de peinture, avant d'écrire le premier mot, avant de jouer la première note, tu es libre, parfaitement libre, de choisir parmi les milliards de possibles. Mais en posant le premier mot, la première note ou la première touche de couleur dans le champ du réel, tu entres dans le champ de la nécessité. Le geste suivant devra tenir compte du geste premier; il devra composer, concerter avec lui. Et le millionième geste sera en dépendance de chacun et de tous les gestes qui l'ont précédé. En sorte que l'œuvre s'élève avec la rigueur de la pyramide qui, pour rester pyramide de la base au sommet, doit exclure impitoyablement tout ce qui n'entre pas dans sa géométrie. La première pierre pouvait être ceci ou cela, ici ou là, mais à mesure que monte la pyramide, les pierres doivent se soumettre au tyrannique dessin de l'esprit géométrique; et la pierre à la pointe de la pyramide a dû sacrifier tous les possibles, pour n'être plus qu'un point géométrique pur, soustrait à tous les hasards, un point qui est exactement ici, et ne peut absolument pas être là.

La pyramide, et aussi l'arbre. Tout arbre, qui, au départ, pouvait être n'importe quel arbre, cerisier ou baobab. Et qui décide, – seul ou avec d'autres, je ne sais –, d'être un érable. Par cette décision, il dénoue tout le réseau du possible, pour entrer dans celui de la nécessité libre. Désormais, indifférent aux troubles suggestions du chaos et du cosmos, il élabore avec un farouche et serein entêtement, sa forme unique, soustraite au possible. Il lui reste une liberté presque illimitée de choix dans la façon d'agencer sa forme d'érable; mais en même temps, tout ce qui lui viendra du sol, du vent, de la pluie, du soleil et des plus lointaines galaxies, il le soumettra au dessein de l'érable, avec une passion jalouse qui, chez les humains, s'appelle l'amour.

«Le premier vers est donné par les dieux», dit Valéry. Comme l'idée de l'érable est donnée gratuitement à l'érable. Mais tous les autres vers, c'est le poète qui les invente, pour faire s'épanouir sur la branche les feuilles et les fleurs contenues dans le germe obscur et fécond. Et tous les autres vers devront être coulés dans le prolongement organique du premier, sous peine de trahir les dieux, le poème et la vie. Les dieux t'inspirent un pissenlit parce qu'ils prennent plaisir à te voir modeler un pissenlit; et le dieu qui t'a fait don d'une graine de pissenlit, saura bien te châtier si, quelques mois plus tard, tu lui offres un machin, pivoine-navet-pissenlit. Les dieux n'ont pas le pardon facile pour ce genre d'offense, ni non plus ceux des hommes qu'aiment les dieux. Le châtiment dont les dieux usent le plus volontiers, c'est de livrer le coupable à l'envoûtement du possible, c'est-à-dire du chaos, c'est-à-dire de l'in-signifiance.

*

Toscanini, alors chef d'orchestre de réputation internationale, dirigeait un jour la *Cinquième Symphonie* de Beethoven. À la fin de l'exécution, il fait une colère blanche. Pourquoi donc?

Parce qu'un sacré trompettiste est allé trompeter un *si* naturel, au lieu d'un *si* bémol. Et, ici encore, toute l'architecture sonore de la *Cinquième Symphonie*, qui compte pourtant quelques centaines de milliers de notes, s'écroule, à cause de ce foutu *si* bémol mal foutu.

Toscanini était Italien. Vous pensez peut-être que le tempérament fougueux et démonstratif hérité de son peuple est à l'origine de sa colère spectaculaire? Détrompez-vous. Toscanini est en colère, parce qu'à ses yeux le trompettiste intempestif a fait une faute grave; non pas contre Toscanini, non pas contre les Italiens, mais contre la musique. C'est ça, un artiste de qualité. Toscanini savait, bien que la navette spatiale ne fût pas encore née, que la *Cinquième Symphonie*, ou tout autre véritable chef-d'œuvre artistique, était aussi bien construite que les avions supersoniques d'alors et que les navettes spatiales à venir. Maintenant qu'elles sont venues, ces fameuses navettes, avec l'ordinateur et autres superbes inventions, elles n'ont rien de plus miraculeux que la *Petite musique de nuit* de Mozart et la plupart des poèmes contenus dans ce livre.

> Quand les cloches ont un son juste, dit le philosophe chinois, les fonctionnaires publics sont d'accord entre eux (Chou-King, V, 10). Plus généralement, quand la lyre d'Amphion est bien accordée, la ville qui s'élève à ses accents a des murailles droites et des habitants sains et sages. Mais qu'une corde se détende de la valeur d'un comma, déjà les remparts commencent à onduler dans l'air chaud, le nombre des bossus et des boiteux augmente par la ville, et le visage d'Hélène est un peu moins beau dans la mémoire des palais.
>
> Étienne SOURIAU, *La correspondance des arts*.

Au total, évidemment, tous les jeux, tous les métiers, toutes les activités de l'homme peuvent à bon droit, si on les mesure à l'échelle de l'Absolu, être qualifiées de néant ou de sinistre absurdité: cet homme doit mourir (or, tout homme est mortel), et il s'amuse à jouer au tennis, à conquérir le monde, à lire, à vendre des chaussures, à écrire! Soit. Mais, après s'être mis en règle avec l'Absolu et l'avoir salué bien bas, un homme sensé s'occupe passionnément à bien placer ses balles ou ses mots, s'il a décidé d'échapper au vertige de l'abîme en jouant sur les sentiers qui mènent à la falaise ou s'en éloignent. S'il décide d'écrire de la poésie, il voudra que ses poèmes soient beaux, absolument beaux, réplique, en quelque sorte, de la Beauté idéale, de l'Absolu.

Bien placer ses balles ou ses mots, selon les règles du jeu, impitoyablement rigoureuses et, en même temps, ouvertes à toutes les inspirations de la liberté et de l'imagination. C'est à ces deux conditions que le jeu poétique, comme tout autre jeu, devient passionnant. Se scandaliser de ce que les poètes aient pris plaisir à couler la poésie dans les moules impeccables du sonnet, c'est comme se scandaliser de ce que les joueurs aient emprisonné, étouffé la passion du jeu, dans les règles du tennis. Demandez à deux champions de tennis de pratiquer leur sport sur un court vaste comme le Sahara, sans filet, sans galons, sans aucune règle fixant la mise au jeu, le nombre de bonds permis pour la balle, etc. Dites-leur: «Épanouissez-vous, les gars! Laissez libre cours à votre inspiration et à votre passion!» Vous verrez qu'ils auront vite fait de maudire le tennis et les conseillers de votre espèce, apôtres de la pagaille spontanée, sans queue, ni milieu, ni tête surtout.

*

Par contre, les novices trouvent volontiers inadmissibles les innombrables règles du jeu. Ils s'insurgent, au nom de la liberté et de la raison, les pauvres! Les compétents, eux, ne s'insurgent pas, gardent leur sérénité, et laissent en paix la raison et la liberté. Pourquoi? Parce que le jeu les aurait déformés, rendus esclaves? Non, mais parce que le jeu les a formés. Ils savent que leur raison et leur liberté ne sont en rien humiliées par la hauteur du filet et la longueur du court; ils savent qu'à l'intérieur de l'espace strictement délimité, ils ont de quoi déployer une prodigieuse variation de manœuvres intelligentes, et qu'au surplus leur adversaire, s'il est suffisamment déluré et intelligent, les obligera à improviser des ripostes aussi imprévisibles que variées.

Exactement comme un écrivain français, espagnol ou anglais, s'il a quelque chose à dire et travaille, pourra écrire tous les chefs-d'œuvre qu'il lui plaira, malgré les multiples règles, disons mieux: grâce aux multiples règles de sa langue d'expression. Le paresseux bousilleur, lui, est toujours à se plaindre des bornes et des contraintes qui, paraît-il, sont des entraves à son génie. Il pense, sans le dire, qu'avec une langue sans bornes et sans contraintes comme le Sahara, il créerait des chefs-d'œuvre épatants, à l'image de son esprit vierge. Et, ma foi, il a bien raison: le Vide fait bon ménage avec le Néant. Si le paresseux génialement vide était sincère, il inventerait une langue sans règles, sans fond, sans murs ni plafond, pour y couler les chefs-d'œuvre qui l'oppressent. Attendons, pour voir.

Ce besoin des règles est si enraciné dans la nature de l'homme que, s'il les brise, il ne voit rien de plus urgent que de les remplacer. Qu'il s'agisse des cadres sociaux, des règles de la syntaxe, des credos littéraires ou des tabous de la mode. Les sans-culottes eurent tôt fait de restaurer les hiérarchies, les décorations, les privilèges, les prisons, les machines à canaliser les idées et à niveler les têtes. Au XIVe siècle, les révolutionnaires de la Perspective passaient des nuits blanches à se libérer des contraintes de la vision ancienne et à couler les arbres, les hommes, les montagnes, le ciel, la mer, la terre et le cosmos dans les moules de leur vision nouvelle. Les hippies les plus farfelus et non conventionnels auront leurs murmures de ralliement, leurs tables de la Loi dessinées sur les fesses ou ailleurs, leur panoplie rituelle, tout un protocole infaillible en vertu duquel tu es *in* ou tu es *out*. Et si un poète ou un peintre décide d'être surréaliste, il y a autant de choses qu'il ne peut plus faire, ou qu'il doit faire, qu'il n'en est de permises ou d'interdites au Chartreux et au comptable du ministère des Finances. Quant à celui qui voudra n'avoir aucune allégeance, aucune croyance, aucune morale, rien, sinon les purs élans de son moi épanoui, il apprend assez vite, s'il a quelque intelligence, qu'il n'y a rien de plus tyrannique et ennuyeux que les règles du moi voguant dans le vide infini.

*

Cela, pour dire, au moins, que l'océan de la poésie a ses courants, ses marées, ses cyclones, ses raz-de-marée; qu'il est à la fois aussi libre et ordonné que toute activité humaine.

*

Certes, le monde de l'art est celui de l'imaginaire, mais d'un imaginaire qui doit s'imposer avec l'évidence, la cohérence d'un sapin. Tant que le poème, le tableau, la sculpture ou le concerto n'ont pas acquis cette autonomie, cette rigueur organique interne, qui les soustrait aux faciles, langoureuses et lascives divagations du hasard, ces œuvres informes sont condamnées à disparaître dans les remous de l'incohérence vorace.

Rendre l'imaginaire aussi cohérent, aussi enraciné dans l'évidence, qu'un sapin. Et ce sapin évident, le rendre aussi fantaisiste que le tapis volant des *Mille et une nuits*. Il te plaît de faire voguer deux seins sur des ondes de transistor en direction de Mars, et en compagnie de dauphins ou d'aigrefins? Bravo! Mais que tes deux seins transistorisés aient la même nécessité, la même cohérence organique que les seins de Marie-Lou dans l'organisme de Marie-Lou. Une faute dans le volume, dans le ton, dans le granuleux, dans la hauteur, la densité ou la vitesse, produit un désaccord qui trouble toutes les relations de ce cosmos imaginaire.

Il faut que la forme soit parfaitement close pour s'ouvrir au mystère, que la parole soit incisive pour traduire l'ineffable. Le mot *cheval* conjure l'indéterminé où cet animal se confondait avec le cosmos; et il devient monture pour s'avancer au royaume étrange où le chevalier chemine en compagnie d'un chien fatidique et de la pâle mort, comme dans l'univers hallucinant de Dürer. Les surréalistes qui explorent l'inconnu ont besoin d'un style plus précis que celui des vagues romantiques; et Vermeer, pour dire le mystère de la lumière, doit parler une langue picturale déliée comme celle de Mozart.

Et c'est à partir des ténèbres savamment burinées que Rembrandt fait chanter le mystère de l'ombre. L'informe ne traduit éloquemment que l'informe. Le cri n'est que la forme la plus rudimentaire de l'émotion; pourtant, il jaillit de source!

Autrement dit, les libres créations de l'esprit doivent se donner des lois aussi rigoureuses que les lois de la circulation du sang, des planètes, ou de l'évolution de l'œuf en grenouille. Sinon, tu obtiens de la bouillie libérée, l'exultation dans l'in-signifiance, l'enivrement du chaos.

Ainsi, l'Océan monstrueux, inépuisablement fécond, n'engendre pas des monstres. L'étoile de mer, la méduse, le dauphin ne doivent rien à l'à-peu-près, au rafistolage, au délire envoûtant et béat. De même, le poète, de son extase cosmique, de sa plongée aux sources de la Vie, doit rapporter des plantes fabuleuses, des poissons bizarres, des coquillages étranges ou savoureusement familiers. Ces œuvres imaginaires auront l'évidence des formes naturelles si, comme ces dernières, elles ont été engendrées par un vivant. L'éléphant imaginaire de Max Ernst, composé d'éléments hétéroclites: baril, tuyau de lessiveuse, pattes de table, devra avoir, sur la toile du peintre, l'autorité indiscutable de l'éléphant réel engendré par deux authentiques éléphants de la jungle.

Du creuset où l'artiste jette pêle-mêle les débris les plus étranges tirés de sa mémoire, de son imagination, des suggestions multiples offertes par toutes les forces de la nature, doit sortir une œuvre dont toutes les parties s'imposent avec cette autorité, cette nécessité, cet équilibre que trouve la nature quand elle s'amuse, elle aussi, à monter un cactus, un kangourou, un crocodile, une autruche, un héron, une girafe ou un philistin. Ce qui ne peut s'obtenir sans une extrême vigilance de l'esprit et, surtout, sans ce feu intérieur qui seul permet de fondre en un tout homogène les matériaux disparates confiés à l'action de ce feu. Passer du bouillonnement confus de la vie intérieure à l'affirmation d'une forme unique, impeccable en sa géométrie et sa grâce libres, mais soumise à l'harmonie de ses propres lois.

*

Voici, pour faire un peu mieux comprendre que la poésie fait appel à toutes nos facultés, quelques commentaires sur le poème d'Aragon, *Un jour Elsa ces vers*, donné au chapitre deuxième.

C'est un poème d'une étonnante virtuosité de facture. Il se divise en deux parties strictement égales: 4 strophes de 8 vers chacune. La première partie décrit, sans le nommer, ce que l'amour pour Elsa provoque chez Aragon. Passion impérieuse, aux forces d'une ampleur cosmique comme celles que provoquait chez Claudel l'invasion poétique décrite dans *La muse qui est la grâce*. La deuxième partie s'attarde à décrire comment ces vers, engendrés par l'amour d'Elsa, seront à la fois couronne pour Elsa, gloire pour le poète, et nourriture pour ceux qui, dans l'avenir, «n'auront plus le mal étrange de ce temps». (Quel est ce mal?)

Les 64 vers sont tous des alexandrins, avec, exactement dans chaque strophe, la même disposition des rimes, soit des rimes *embrassées*. (Est-ce le fruit du hasard?)

A-t-on idée de l'intelligence qu'il faut pour organiser ainsi les 768 syllabes de ce poème et en composer une architecture impeccablement rigoureuse qui, cependant, bien loin d'étouffer la vie dans ses moules stricts, permette à cette vie d'exprimer son maximum de vie? La balle qui atteint d'autant plus efficacement son objectif que le canon d'acier a exercé sur elle la plus forte pression. La cataracte d'eau qui produira d'autant plus d'énergie que la turbine l'aura énergiquement domptée.

Facile, l'art? Plus facile que la science? Et le poète est un rêveur, bohème, paresseux, distrait, qui dit n'importe quoi un peu n'importe comment?

*

Le poème-chanson, *Les moulins de mon cœur*, est, lui aussi, mais d'une manière très différente, une remarquable réussite de composition. Ici encore, le texte est rigoureusement construit; tout y chante, concerte comme les différents instruments de l'orchestre; tout s'harmonise, comme s'équilibrent et concertent les différentes parties de la gazelle, d'un lys, d'un goéland. Voyons un peu.

Au cœur de ce poème, dans le refrain, où normalement est dit et répété l'essentiel d'une chanson, l'image-clé, l'image-mère, la matrice où seront coulées les multiples images du poème. Cette image-matrice: un moulin dont les pales tournent au vent, comme son cœur à elle tourne, dès qu'elle (pourquoi *elle*, et non *lui*?) entend le nom de son aimé. Un mouvement enivré dont les cercles vont se propager d'un pôle à l'autre du poème. L'image-matrice engendrera toutes les autres, à son image et ressemblance. Ce qui suppose, chez le créateur, une sensibilité et une imagination intelligentes qui éliminent impitoyablement tout ce qui, même génial, n'entrerait pas dans l'organisme très précis de la chose à dire, se collerait comme une patte de caoutchouc, une flûte à bec ou un rétroviseur, sur un corps de gazelle.

Une fois repérée l'image centrale qui donne en même temps l'orientation, le *sens* du poème, reste à voir comment chacune des images de chaque strophe reprend en écho, multiplie, répercute et amplifie cette image du moulin-cœur. Dans la première strophe, il est assez facile de voir que chaque image reproduit l'image centrale: toutes sont de forme ronde, et toutes elles tournent à la manière du moulin-cœur. Dans la deuxième strophe, cette unité est aussi rigoureuse, mais devient plus subtile; et dans la troisième, il faudra encore plus de finesse, de sensibilité, d'imagination et d'intelligence, pour voir que tout est dit en images, et que ces images sont aussi fidèles à l'image-mère que celles des première et deuxième strophes. La quatrième strophe ou couplet reprend à la fois l'image centrale et la première du poème. Le cercle des images et des strophes revient ainsi à son point de départ et laisse entendre que son amour enivré tourne et tourne sur lui-même, au vent des quatre saisons, sans arrêt, à l'infini. Ce qui pourrait s'illustrer ainsi:

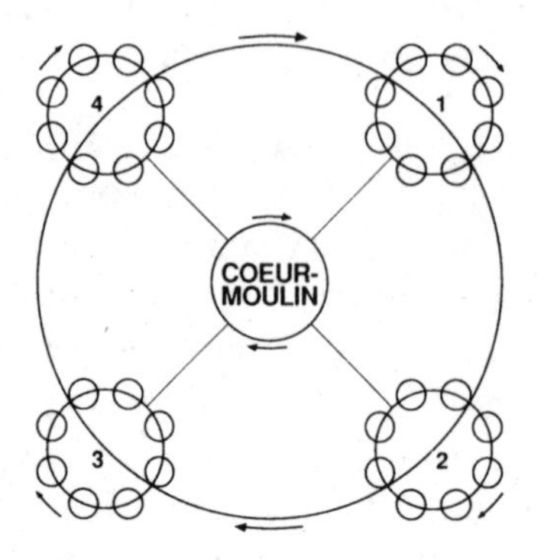

Un autre sujet d'admiration dans ce poème, c'est de voir que s'il y a quatre strophes ici, ce n'est pas l'effet du hasard, de la fantaisie gratuite. Les trois premières nous présentent trois phases différentes d'un même amour. Amour qui, à son début, dans la première strophe, a tout l'éclat, la joie du printemps; les couleurs chaudes créent un climat d'enfance, de carnaval, d'émerveillement à l'état pur: un amour à reflet d'étoiles et de tournesol. Dans la deuxième strophe domine le blanc-gris, couleur des goélands, des moutons d'océan, des tourbillons de neige. L'amour-hiver, gris monotone; avec, tout de même, un tournesol qui se moque de l'hiver. Dans la troisième strophe, c'est l'amour-tragédie, les tisons rouges de l'automne qui rougeoient, mais en même temps noircissent et calcinent l'amour; du moins chez lui, qui l'a quittée. Et en finale, dans la quatrième strophe, son amour à elle, qui est resté le même, à travers toutes ces étapes, et qui continue sa ronde enivrée.

*

Je n'ai rien inventé: je n'ai fait que rendre un peu plus visibles, sensibles, quelques-unes des qualités de construction de ce petit bijou de chanson. Celui qui l'a créée vivait une grande émotion; et toutes ses facultés ont travaillé de concert pour traduire cette émotion en langage poétique.

Réussite admirable, qui n'a rien à envier aux spectaculaires réalisations de la Nature, de la science, ou de l'industrie aérospatiale. L'art, le vrai, a en horreur le bousillage et l'à-peu-près.

*

Pour le vérifier davantage, voici un petit test que tout un chacun peut faire sans beaucoup de frais matériels. Relisez *J'ai pour toi un lac*, ou *La Manikoutai*, ou le poème de Césaire, ou *L'abatis* de Savard; puis essayez de les illustrer à l'aide de l'aquarelle ou du fusain. Il vous faudra transposer ce que vous avez compris de ces textes; trouver les couleurs, les formes et la composition qui créent un peu la même impression que celle engendrée par les mots et les images du poète. Même si vous êtes relativement habile en arts plastiques, il vous faudra déployer tout ce que vous avez d'intelligence, d'imagination et de sensibilité pour obtenir un résultat quelque peu satisfaisant. Vous devrez multiplier les essais, les esquisses, refaire en quelque sorte le travail de création qu'a fait l'artiste. Vous ferez face aux mêmes problèmes, si, au lieu d'un tableau, vous avez l'objectif de transposer en musique, en danse, en images cinématographiques, ce que ces textes disent avec les images et le rythme du langage.

Et vous comprendrez alors, je l'espère, que la mer à boire, ce n'est pas seulement la construction d'une navette spatiale, mais la simple (?) création d'une chanson, ou d'un simple (?) tableau, ou d'un simple (?) poème. Au poids d'efforts que vous devrez fournir, vous comprendrez mieux si les préjugés contre l'art sont lourds de bon sens ou lourds d'ignorance crasse.

*

J'utilise un autre poème, *La Manikoutai* de Gilles Vigneault, pour faire voir que la compréhension d'un poème exige non seulement qu'on s'arrache à la banalité du langage prosaïque stéréotypé, à une vision banale de l'homme et de la vie, qu'on mette en œuvre toute son imagination et toute sa sensibilité, pour les accorder à celles du poète, mais aussi qu'on fasse appel à toutes ses réserves de matière grise pour saisir ce que le poète intelligent a voulu dire. Et si, jusqu'à ce jour, tu pensais que les sciences, ça demandait beaucoup d'intelligence, mais que la poésie et les arts, tous les arts, c'était le royaume de l'à-peu-près et des esprits mous, eh bien! j'espère que tu sortiras de cet exercice, sinon complètement guéri, du moins passablement inquiet de ce complexe de supériorité «scientifique» supérieurement déplacé.

La Manikoutai

Ils ont dit que c'était une fille
Moi je dis que c'était la Manikoutai
L'œil en feuille et la dent de coquille
Telle était la Manikoutai.

C'était plus haut que la plaine
Il fallait pour aller là
La patience et l'aviron
Connaissance de la chute
Du portage et du courant
Où et comment l'eau culbute
Les oreilles de charrue
Et l'eau morte et les cirés
Les corps morts et les écumes
Veille à gauche et veille à droite
À la pince et au ballant
Sans vouloir te commander
Tiens-toi bien mais laisse aller
Pas grande eau mais c'est assez
Pour te dire qu'à l'eau douce
On finit par dessaler.

Et ça c'était pour l'été...

Ils diront que c'était une femme
Moi je dis que c'était la Manikoutai
Le dos souple et la danse dans l'âme
Telle était la Manikoutai.

Fatiguée de la semaine
En rapides et gros bouillons
Elle faisait son dimanche
En amont du quatrième
Vive encore et paresseuse
Avec du sable en dorure
Et les beaux cailloux tout ronds
À deux pas c'est une source
À trois pas c'est un brûlé
Le foin haut puis les framboises
Les bleuets puis les béris
Et le petit bois d'argent
Prends ton temps prends pas ta course
C'est piquant puis déchirant
Pas si vite assis-toi là
On va compter les cailloux.

Ça c'était pour le beau temps...

Ils croyaient que c'était une fée
Moi je dis que c'était la Manikoutai
De feu, d'or et d'automne attifée
Telle était la Manikoutai.

Aux premiers jours de gelée
Elle a pris le gros dos
Les manchons puis les manteaux
Tout en blanc et beau et chaud
Elle a la race et la grâce
Elle est de chasse et de glace
Les renards et les visons
Les rats-musqués les castors
Le loup-cervier puis la loutre
Lui font dentelle de traces
Et quand la glace est trop mince
Pour la tenir enfermée
Elle saute la fenêtre
Elle est noire et douce-froide
Et c'est le froid qui la dompte
À la tombée de la nuit.

Et c'est le temps de l'hiver...

Ils croiront que c'était une amante
Je dirai que c'était la Manikoutai
Jeune et vieille et muette et parlante
Telle était la Manikoutai.

C'était le temps du trappeur
Et le temps des compagnies
On partait le vingt octobre
On revenait vingt janvier
Quand un homme est à la chasse
Sa blonde a des cavaliers
Sont partis le même jour
Mais chacun de son côté
On a trouvé par les traces
Qu'une fois rendus aux pièges
Avaient chassé tous les deux
Jusqu'à ce trou dans la neige
Attention la glace est mince!
Tu la salueras pour moi.
Non. Viens pas! Tiens-toi, j'arrive!
Les chiens sont revenus seuls...

Ça c'était pour le printemps...

Ils ont dit que c'était la Julie
Moi je dis que c'était la Manikoutai
Ils diront qu'avec l'âge on oublie
Telle était la Manikoutai.

Tam ti delam,
Éditions de l'Arc, Québec, 1967, 91 pages.

Il se peut qu'on ait entendu ce poème plusieurs fois, chanté par Vigneault ou par un autre interprète. Il se peut qu'on l'ait trouvé beau, peut-être à cause de la musique (c'est un phénomène très fréquent), ou parce qu'on trouvait l'interprète sympathique, beau ou belle (phénomène non moins fréquent). Et tout cela n'a rien de mauvais; à la condition de ne pas noyer l'essentiel.

L'essentiel, ici, c'est le texte. Et il se peut que ce texte nous captive, parce que nous saisissons, par-ci par-là, des mots, des expressions qui nous plaisent, mais sans nous dire rien de précis. Et cela non plus n'est pas un mal: nous tombons sous le charme, sans trop savoir pourquoi. C'est là une impression très saine que nous éprouvons très souvent dans la vie, et pas nécessairement, pas surtout, à l'occasion de la poésie. Mais jusqu'ici, notre intelligence et nos autres facultés n'ont pas fourni un effort olympique.

Pourtant, vient un moment où, normalement, nous nous disons: «Mais ce texte, tout de même, doit dire quelque chose de précis. Quoi donc?» Et alors, si on veut avoir une réponse satisfaisante, il faudra mobiliser toutes ses forces intellectuelles. Il s'agit maintenant d'escalader l'Himalaya, plus seulement de le regarder dans le lointain, couronné de nuages, et soi-même assis langoureusement à ses pieds.

*

L'une des premières questions qui nous viendront alors à l'esprit, c'est: Qui donc ou quoi donc est cette Manikoutai? Et il vous faudra peut-être quelques heures ou quelques jours avant de trouver une interprétation qui semblera se justifier par l'ensemble du texte, et que vous pourriez soutenir intelligemment devant Vigneault lui-même. Quel que soit le temps nécessaire pour obtenir cette réponse sensée, elle aura exigé de vous autant d'intelligence qu'il vous en faut pour analyser les causes de la guerre 1914-18, ou celles qui expliquent l'hystérie provoquée par Jim Jones.

J'aimerais voir nos députés et nos ministres se pencher sur ce texte au cours d'une session parlementaire. La discussion durerait une semaine, deux mois, avant que la majorité ait suffisamment compris pour voter intelligemment? Et si le ministre de l'Éducation québécoise n'arrivait pas par lui-même à donner une explication sensée de ce poème, quelle confiance voulez-vous que j'aie en un tel homme choisi pour présider à la formation intellectuelle des jeunes Québécois? Et si vous donniez ce texte à nos diplômés d'université, et qu'après cinq heures, ils vous remettaient une copie bourrée de commentaires ineptes, que faudrait-il en conclure sur leur formation intellectuelle? Car il ne s'agit pas ici, mesdames et messieurs, d'une activité réservée à des spécialistes, comme celles de l'organiste, de l'informaticien ou du dentiste: il s'agit de choses universelles, dites au moyen de cet outil universel que doit être pour chacun sa langue maternelle. Alors, comment faire confiance à un homme «instruit», incapable de s'ouvrir suffisamment l'esprit pour comprendre ce genre de choses?

Une autre question simple sera de nous demander pourquoi ce poème est divisé en quatre strophes. Il doit bien y avoir une raison, si on a affaire à un écrivain intelligent. Laquelle? Votre réponse exigera un peu, ou beaucoup de temps. Chose certaine, vous devriez pouvoir la prouver à quelqu'un d'intelligent qui ne vous laisserait pas affirmer n'importe quoi, sans preuves tirées du texte.

*

Et ce n'est qu'un début. Il faut maintenant en venir aux détails. J'en signale quelques-uns. Dans les première, deuxième et quatrième strophes, quelqu'un parle à un autre. Qui est ce quelqu'un? Qui est cet autre? Et est-ce le même quelqu'un et le même autre dans les trois strophes? Essayez d'identifier convenablement ces personnes ou ces choses qui parlent. Et avant que vous m'en donniez des nouvelles sensées, j'aurai eu le temps, peut-être, de monter et descendre plusieurs fois la Manikoutai en compagnie de Vigneault.

Pour la première strophe, par exemple, j'ai entendu à peu près toutes les hypothèses possibles. En voici quelques-unes: Vigneault parle à la rivière. La rivière parle à Vigneault. Vigneault se parle à lui-même. Vigneault parle à son lecteur, toi et moi. La Nature parle à Vigneault. Vigneault parle à la Nature. Vigneault parle à quelqu'un qui est dans le canot avec lui. Vigneault n'est pas dans le canot, mais dans ce canot il y a deux personnes qui se parlent? Qui sont ces personnes? Deux hommes ou deux femmes? La Manikoutai et un gars de l'asphalte? La Manikoutai et un marin d'eau douce? Ou un marin du grand large? Un marin d'eau douce et un marin du grand large?

Avant d'avoir éliminé toutes les hypothèses farfelues, pour n'en retenir qu'une, la bonne, celle qui ne trahit pas le texte, certains y passeront des nuits blanches, sans trop de résultats présentables. Et, les pauvres! ils accuseront Vigneault d'être obscur.

Et si vous arrivez à identifier nettement ces deux personnages, d'autres pièges vous guettent; pièges tendus, non pas par Vigneault, mais par votre imagination et votre bon sens plus ou moins anesthésiés ou pervertis par les examens dits objectifs, ou par un usage abusif de la paresse intellectuelle et de la prose efficace-pratique-rentable. Si, par exemple, vous êtes arrivés à la conclusion que les deux personnages de la première strophe sont deux hommes, vous aurez eu tellement de mal à les identifier que vous serez tout spontanément, tout paresseusement, portés à dire que ces deux mêmes personnages reviennent dans les deuxième et quatrième strophes. Et là, si votre meneur de jeu a le sens de l'humour, il passera de bons moments. Vous aviez identifié les deux personnages de la première strophe comme deux gars de bois, habillés en *lumberjacks,* et voilà que, dans la deuxième strophe, l'un de ces deux costauds dirait à l'autre:

Prends ton temps prends pas ta course
C'est piquant puis déchirant
Pas si vite assis-toi là
On va compter les cailloux.

Bizarre! Bizarre! Surtout si tu sais que cela se passe vraisemblablement sur une rivière de la Côte-Nord, non dans une ruelle de San Francisco, et que nos deux personnages ne sont probablement pas des fans de l'unisexe gai lon la, gai le rosier.

*

Et vous continuerez l'étude de ce texte, à la recherche fervente du bon sens, celui de Vigneault et le vôtre. Après avoir dégagé nettement, intelligemment, l'essentiel de ce poème, il vous faudra passer aux détails, si vous voulez en avoir une compréhension non seulement squelettique, mais charnelle, sensuelle, émotive et stimulante pour l'imagination.

Vous pourrez, par exemple, essayer de dire clairement dans votre prose à vous ce que Vigneault dit clairement dans sa poésie à lui, dans les troisième et quatrième strophes. Ce qui supposera que vous ayez nettement compris ce qui se passe dans ces strophes. Et si vous êtes incapables de le dire clairement en prose, il me semble que vous devriez être gênés de dire à Vigneault: «J'ai bin compris ce que tu veux dire, mais chus pas capabe de te l'dire. T'sé zveu dire? C'est clair dans ma tête, mais j'trouve pas les mots pour le dire.» Ou bien: «Je vibre beaucoup à ta poésie, ça m'fait tripper, je trouve ça super, mais j'comprends pas ce que tu m'as dit. T'sé zveu dire?» Et autres excuses du genre, paresseuses et creuses.

Il vous faudra, aussi, pouvoir justifier les images de ces vers, par exemple:

L'œil en feuille et la dent de coquille
De feu, d'or et d'automne attifée
Fatiguée de la semaine... Elle faisait son dimanche

Et dire qui est la Julie de la quatrième strophe.

Et comprendre pourquoi, à cause du contenu même du couplet, le refrain varie légèrement après chacun des couplets.

Quand tu poses ce genre de questions sensées, et que tu exiges des réponses sensées, certains étudiants, en nombre variable selon le cru de chaque année, courent chez l'API (Aide pédagogique individuelle) et lui déclarent solennellement: «Je quitte le cours de poésie, *parce que j'ai des conflits d'intérêt avec le professeur.*» De conflit d'intérêt avec le bon sens, il n'en est pas question.

*

Bref, ce poème, comme d'ailleurs à peu près tous les autres utilisés dans ce livre, est une création rigoureuse, subtile, intelligente, sensible. Et pour le goûter vraiment, le lecteur doit être rigoureux, subtil, intelligent, sensible. Et en l'étudiant sérieusement, le lecteur devient plus rigoureux, subtil, intelligent et sensible. C'est quelque chose, vous trouvez pas? Ca ne donne rien, apparemment, je vous le concède volontiers. Ce n'est pas en devenant plus rigoureux, subtil, sensible et intelligent, que vous gagnerez à la loto, que vous deviendrez un personnage à la une, que vous accrocherez des oscars, ou que vous décrocherez l'estime de vos contemporains. Pour tout ça, la mentalité prosaïque est infiniment plus rentable.

*

Jusqu'ici, j'ai surtout insisté sur le fait que la poésie, comme toute grande œuvre humaine, porte la marque fulgurante de l'intelligence humaine qui l'a engendrée.

Un autre poème nous permettra de voir que la poésie atteint l'homme, le rejoint, l'émeut (*movere:* mettre en mouvement) à un autre point de vue: celui de sa sensibilité, de ces facultés non logiques, grâce auxquelles l'homme entre en contact avec la vie, autant, sinon plus, qu'avec sa raison.

Je veux parler de cette ivresse rythmique, essentielle en poésie; aussi essentielle qu'elle peut l'être en musique et dans la danse. C'est un envoûtement, un charme, qui ne charme pas d'abord la raison, sinon par l'anesthésie partielle de son sens critique, mais qui nous atteint dans notre être global, qui nous électrise, avant même que la raison ait pu s'en rendre compte ou savoir pourquoi. Et selon le bon plaisir du poète, et surtout selon le bon plaisir du sujet qui l'a charmé, ce rythme nous endort à la manière d'une berceuse, ou nous emporte avec la fureur d'un pur-sang ou d'une avalanche, ou nous balance comme un tangage, entre deux positions ou états également instables.

Soit le texte de Victor Hugo,

Les soldats de l'an deux

Ô soldats de l'an deux! ô guerres! épopées!
Contre les rois tirant ensemble leurs épées,
Prussiens, Autrichiens,

Contre toutes les Tyrs et toutes les Sodomes,
Contre le czar du Nord, contre ce chasseur d'hommes
Suivi de tous ses chiens,

Contre toute l'Europe avec ses capitaines,
Avec ses fantassins couvrant au loin les plaines,
Avec ses cavaliers,
Tout entière debout comme un hydre vivante,
Ils chantaient, ils allaient, l'âme sans épouvante
Et les pieds dans souliers!

Au levant, au couchant, partout, au sud, au pôle,
Avec de vieux fusils sonnant sur leur épaule,
Passant torrents et monts,
Sans repos, sans sommeil, coudes percés, sans vivres,
Ils allaient, fiers, joyeux, et soufflant dans des cuivres
Ainsi que des démons!

La liberté sublime emplissait leurs pensées,
Flottes prises d'assaut, frontières effacées
Sous leur pas souverain,
Ô France, tous les jours, c'était quelque prodige,
Chocs, rencontres, combats; et Joubert sur l'Adige,
Et Marceau sur le Rhin!

On battait l'avant-garde, on culbutait le centre;
Dans la pluie et la neige et de l'eau jusqu'au ventre,
On allait! en avant!
Et l'un offrait la paix, et l'autre ouvrait ses portes,
Et les trônes, roulant comme feuilles mortes,
Se dispersaient au vent!

Oh! que vous étiez grands au milieu des mêlées,
Soldats! l'œil plein d'éclairs, faces échevelées
Dans le noir tourbillon,
Ils rayonnaient, debout, ardents, dressant la tête;
Et comme les lions aspirent la tempête
Quand souffle l'aquilon,

Eux, dans l'emportement de leurs luttes épiques,
Ivres, ils savouraient tous les bruits héroïques,
Le fer heurtant le fer,

La Marseillaise ailée et volant dans les balles,
Les tambours, les obus, les bombes, les cymbales,
Et ton rire, ô Kléber!

La Révolution leur criait: — Volontaires,
Mourez pour délivrer tous les peuples vos frères! –
Contents, ils disaient oui.
— Allez, mes vieux soldats, mes généraux imberbes! –
Et l'on voyait marcher ces va-nu-pieds superbes
Sur le monde ébloui!

La tristesse et la peur leur étaient inconnues;
Ils eussent, sans nul doute, escaladé les nues,
Si ces audacieux,
En retournant leurs yeux dans leur course olympique,
Avaient vu derrière eux la grande République
Montrant du doigt les cieux!

Victor HUGO, *Les châtiments.*

Avec quelques notions d'histoire, ce poème se comprend à la première lecture, comme une fable de La Fontaine; il n'y a donc pas lieu de s'évertuer ici à le rendre intelligible.

C'est le mouvement, le rythme général de ce texte que je veux surtout souligner. On est ici emporté par un véritable fleuve déchaîné. Le poème est une course impétueuse, une ascension de tornade vers son point culminant donné au dernier vers: «les cieux!» Dans «leur course olympique», les strophes se bousculent, souvent enchaînées deux par deux.

Une interprétation à haute voix devrait surtout faire ressortir cet élan général. Certes, chacun des vers doit recevoir le rythme que le poète lui a donné; mais le poète a surtout voulu, ici, que ce soit le rythme de l'ensemble qui porte et emporte celui des vers et des strophes. Dans certains poèmes, le poète ralentit le rythme, comme on peut le faire au cinéma; mais ailleurs, il peut, comme au cinéma, accélérer le rythme; et alors, on n'a presque plus le temps de saisir les détails: une foule, par exemple, filmée à l'accéléré, parcourt une rue à une vitesse si vertigineuse, qu'à la suivre on n'a pas le temps de remarquer les affiches ni même les maisons.

Évidemment, quand on défriche ce texte, il faut prendre le temps de contrôler tous les détails; mais justement pour pouvoir les oublier par la suite. Car peu à peu, à mesure qu'on acquiert de l'assurance, on accélère le débit, jusqu'au point de ferveur que le poète a voulu lui donner.

Et alors, quand le texte est interprété à ce niveau de ferveur (*Fervere*: brûler), il atteint l'auditeur, non pas dans sa logique surtout, mais dans tout son être, profondément remué. Exactement comme peut le faire un orchestre ou une troupe de danseurs. Et je vous jure qu'exiger de tout son être cette tension et cette ferveur extrêmes a de quoi désankyloser, dégeler, décrasser, dérouiller, déniaiser et, pourquoi pas? déconstiper toutes les facultés d'un homme vivant.

Connaissez-vous beaucoup d'autres activités intellectuelles, autres que celles artistiques, qui humanisent l'homme à ce point, à ce niveau, de façon plus globale?

Ce qui explique, en partie, pourquoi les activités artistiques, et éminemment la poésie, soient les bêtes noires (et, dans un second temps, les ennemis jurés) de ceux qui ont rangé leur âme au congélateur: ils savent, par un instinct sûr, que pour goûter ces œuvres, il leur faudrait décongeler tout leur être et redevenir vivants. Éluard le dit mieux que moi:

> Toute tête doit oser porter une couronne.
>
> Une des principales propriétés de la poésie est d'inspirer aux cafards une grimace qui les démasque et qui permet de les juger. La poésie de Benjamin Péret favorise comme nulle autre cette réaction aussi fatale qu'utile. Car elle est douée de cet accent majeur, éternel et moderne, qui étonne et fait le vide dans un monde de nécessités prudemment ordonnées et de rengaines murmurantes. Car elle tend, avec ses images extra-lucides, ses images claires comme de l'eau de roche, évidentes comme le *cri strident des dents rouges*, à la compréhension parfaite de l'inhabituel et à son utilisation contre les ravages de l'exploitation maligne de la bêtise et d'un *certain* bon sens. Car elle milite insolemment pour un nouveau *régime*, celui de la logique liée à la vie non comme une ombre mais comme un astre.

Léon Bloy nous dit avoir connu «un aveugle de l'Académie française devenu tel par éblouissement, à force de lire Hanotaux et Paul Bourget.» Et il ajoute: «Comme je m'étonnais qu'il ne fût pas devenu idiot en même temps, il eut un sourire supérieur que je ne compris pas.» (*Exégèse des lieux communs.*)

Bloy fait semblant de ne pas comprendre. En réalité, il comprend très bien que ce monsieur devenu aveugle est en même temps devenu idiot; et que son petit sourire supérieur manifeste cette idiotie et cet aveuglement supérieurs.

Lire Hanotaux et Bourget ne sont pas les seuls moyens efficaces pour se rendre à la fois aveugle et idiot. J'en signale deux autres: ne rien lire, quand on est étudiant ou enseignant; ou lire un texte intelligent, en aveugle volontaire, sans rien comprendre, et arriver ainsi à l'éblouissante conclusion que l'auteur est idiot.

Chaque année, je vois ce petit sourire supérieurement idiot, cette «grimace qui les démasque», sur le visage de certains étudiants. Soyons honnêtes et francs: ce petit sourire, cette grimace, je les retrouverais, exactement les mêmes, si mon auditoire se composait de députés, d'enseignants ou de fonctionnaires supérieurement complexés du Complexe G. Pourquoi donc ce petit sourire idiot? Parce qu'ils viennent de lire une page de prose lumineuse ou un petit poème de Prévert pas mal plus lumineux que les élégances mortuaires de Hanotaux et Bourget.

Ils ont lu, n'ont rien compris, et en concluent, avec une évidente satisfaction, que le plus imbécile des trois, ce n'est pas eux. Ils se disent intérieurement: «On ne me fera pas marcher, j'en ai vu d'autres, et on ne me fera pas prendre le soleil pour ma vessie.» Ils savent, eux, d'un instinct infaillible, ce qui, en littérature, mérite éloge ou blâme. Ils n'ont à peu près rien lu, mais, comme le bourgeois gentilhomme de Molière, n'ont-ils pas, en gens de qualité, tout reçu à la naissance? Ils savent ce que devrait être le rythme, tous les rythmes; ils savent tout ce que les images peuvent et ne peuvent pas se permettre; ils savent tous les sujets qu'on peut ou qu'on ne peut pas aborder. Bref, avec toutes leurs connaissances, leurs instincts infaillibles, leurs intuitions capables d'alimenter des millions de génies, comment diable se fait-il qu'ils soient impuissants à comprendre quoi que ce soit et à produire autre chose que des graffiti de latrines avec un petit sourire supérieur? Ca demanderait réflexion. Car c'est ça, «l'exploitation maligne de la bêtise» dont parle Éluard.

*

Ce qui m'amène à insister davantage sur l'utilité que peut avoir pour les étudiants, et les autres, l'initiation à la poésie. En répondant aux deux questions suivantes: Peut-on expliquer la poésie? Peut-on enseigner la poésie?

4.1 PEUT-ON EXPLIQUER LA POÉSIE?

Il y aurait long à dire ici sur le télescope, le microscope ou la vitre, et sur l'usage criminel qu'on en fait dans l'interprétation des œuvres poétiques. Essayons brièvement de démasquer cette duperie ou cette imposture.

Expliquer, commenter l'ineffable, le mystère, est toujours une aventure périlleuse. Le poème écrit, sculpté, dansé, chanté ou coloré, est une fenêtre ouverte sur l'infini de la vie; c'est un périscope balayant l'Océan; c'est un télescope trouant les galaxies. Le danger, c'est d'examiner le télescope à la loupe, mais d'oublier la galaxie au bout du télescope; de contempler la vitre, de scruter le cadre de la fenêtre, mais d'oublier la fonction de la fenêtre, qui est de faire voir le paysage.

Il n'est pas rare d'entendre, de lire des exégèses d'œuvres poétiques qui sont des considérations, sublimes ou ridicules, sur le télescope, le périscope ou la fenêtre. L'analyse de l'œuvre terminée, tu sais où, quand, comment, pourquoi, avec qui, le poète a bâti son télescope; mais tu ne sais pas ce qu'il a regardé avec ce télescope. Ironie du sort, si c'était le sort qui est coupable ici. Le coupable, c'est le lecteur ou l'exégète qui, négligeant la fin, se noie dans les moyens. Au lieu de goûter un fruit, il suce laborieusement des noyaux secs.

Mais qui empêchera l'homme normal de raisonner sur le mystère, de vouloir s'expliquer lui-même et expliquer l'ineffable? Même celui qui est le plus envoûté par le poème, essaie, parfois du moins, d'analyser la nature de cet envoûtement, de voir en quoi il avait raison d'être charmé. Il sait fort bien qu'on ne *démontre* pas plus la poésie qu'on ne démontre l'amour; ce qui ne le détourne pas de réfléchir intensément sur la poésie, comme ses réflexions sur l'indéchiffrable amour remplissent d'innombrables ouvrages et des heures de loisir encore plus innombrables.

Dans ce désir de sonder l'abîme et d'explorer au moins les rivages du mystère, y a-t-il autre chose qu'une frivole illusion, une téméraire ambition? Il semble que non. À une condition, cependant: que l'explorateur de l'ineffable sache au préalable les limites de sa recherche. Sans cette conviction, l'aventurier serait un éléphant explorant de ses pieds une toile d'araignée.

*

Cette condition posée, le désir d'analyser l'émotion poétique est d'autant plus légitime qu'il y a une part de la poésie accessible à la raison. La racine, la sève, la vie secrète du poème échappent plus ou moins à l'analyse et encore plus à la psychanalyse; mais la tige, les feuilles et les fleurs, leur dessin, leurs couleurs et leur rythme ne sont pas si impalpables et mystérieux qu'on ne puisse les soumettre dans une certaine mesure au jugement critique.

Certes, Braque a raison de dire: «Il n'est en art qu'une chose qui vaille: celle qu'on ne peut expliquer.» Après quoi, un peintre peut encore inviter l'apprenti à travailler l'équilibre de la composition et des couleurs; Péguy et Baudelaire peuvent encore parler utilement de la poésie de Victor Hugo, et Apollinaire, de la poétique cubiste.

> Que la poésie se rattache aux arts de la peinture, de la cuisine et du cosmétique par la possibilité d'exprimer toute sensation de suavité ou d'amertume, de béatitude ou d'horreur, par l'accouplement de tel substantif avec tel adjectif, analogue ou contraire.
>
> Pourquoi tout poète, qui ne sait pas au juste combien chaque mot comporte de rimes, est incapable d'exprimer une idée quelconque.

Jugements de Baudelaire qui peuvent étonner, scandaliser. Parce qu'ils nous introduisent dans la cuisine de l'art, dans les coulisses où s'amoncellent les oripeaux du spectacle. «Je le répète, le public serait effaré s'il savait dans quelle marmite de sorcière a bouilli une œuvre littéraire avant de lui être présentée», dit Montherlant.

Marmite de sorcière, cuisine, ateliers de maquillage, accouplements du substantif avec l'adjectif, voilà de quoi désenchanter bien des âmes élégiaques enivrées de sublime frelaté ou d'à-peu-près. Les femmes savantes de Molière avaient de ces répulsions raffinées devant «les vulgarités de la vie». Parce qu'elles étaient de fausses savantes. Les accouplements de tous genres, fût-ce les chastes accouplements du substantif et de l'épithète, avaient de quoi scandaliser leur mauvais goût éthéré nourri de trissotinades.

Sans doute, Baudelaire et Montherlant sont-ils des plus sensibles à la vertu du sublime, au pouvoir souverain de l'imagination, de la passion, de la noblesse d'âme et de pensée qui transfigurent les matériaux les plus humbles ou les plus vils. Mais si Delacroix prend un tel soin de sa palette et de ses pinceaux, c'est pour que, le moment venu, l'imagination, la passion créatrices ne soient pas entravées par les défaillances de l'outil. Un faiseur n'a pas de ces scrupules: que la scie écorche, déchire le bois au lieu de le couper, cela lui semble secondaire; que le mot louche ou dérape lui importe peu; pourvu que le bleu soit bleu, il vit heureux. Il croit que sa dignité de créateur génial ne doit pas descendre à des préoccupations de ce genre.

Mais d'autres savent l'utilité du piolet, de la corde et des crampons pour se hisser à la pointe du sublime, ou du moins pour apercevoir autre chose que son nombril. Et ceux qui ont l'habitude des cimes, s'ils sont de plus en plus discrets sur leur passion d'alpiniste, deviennent de plus en plus respectueux de leur équipement; et ils peuvent, à l'occasion, parler longuement de la manière de placer le crampon ou le talon. Comme d'autres peuvent faire voir si, dans un poème, le rythme ou les adjectifs dérapent, ou mordent dans le réel.

Voir, faire voir que tel rythme, tel choix de mots, telle couleur des voyelles, tel battement des consonnes, tel agencement des strophes traduisent bien, ou trahissent bien, l'émotion poétique ineffable, c'est une entreprise possible et utile. Non pas pour enrichir l'émotion poétique chez le créateur ou le contemplateur, mais pour leur permettre de lui être plus fidèles. Quant au lecteur non enivré, il n'est pas impossible, il arrive même souvent, qu'à respecter les pieds et les autres attributs secondaires de la poésie, il en vienne à tomber en amour avec elle, ou du moins à ne plus la considérer comme la Déesse-Mère du verbiage, du bousillage et de l'informe. Si les gammes ne donnent pas le sens musical, elles peuvent l'entretenir; et à vivre dans la familiarité d'Orphée, peut-être qu'un jour, comme les rochers, les chênes, les tigres et le Cerbère de cette lumineuse légende grecque, on sentira le fluide magnétique qui, engendré par une âme sensible, se propage en ondes amoureuses qui émeuvent jusqu'aux pierres les plus imperméables.

* *
*

Tant l'écheveau du temps lentement se dévide!

L'analyse de ce vers ne me permet pas de sonder le «gouffre amer» où nage la tristesse de Baudelaire; mais je peux expliquer quel effet, ici, la répétition d'un même son produit sur la sensibilité et tout l'appareil émotif de l'homme normalement constitué.

Adieu! Meuse endormeuse et douce à mon enfance

La douceur des voyelles et des diphtongues se démontre, ici, comme il est possible de faire admettre à un incrédule que la soie est un tissu soyeux: en le lui faisant toucher. Sans doute, les *eu* et les *ou* du vers de Péguy, ce n'est pas tout le monde qui en sentira le soyeux avec la même évidence; mais une oreille non systématiquement pervertie pourra saisir que les sons, ici, n'éclatent pas comme dans ces vers de Hugo:

Les tambours, les obus, les bombes, les cymbales
Et ton rire, ô Kléber!

Si une lecture intelligente n'arrive pas à faire passer ces évidences dans des oreilles françaises, il faut abandonner la partie, et espérer qu'un jour le tonnerre ou la dynamite débouchera le goulot de ces obstrués.

Que le bruit des rameurs qui frappaient en cadence (3333)

L'analyse peut faire voir que le rythme éminemment régulier du vers convient, ici, à la réalité décrite. Un rythme cassé, saccadé, primesautier, serait aussi déplacé qu'une décharge électrique pour endormir un beau bébé.

Dans le déroulement infini de sa lame (633)

Pourquoi, dans le premier hémistiche, le rythme est-il si ample? Si on n'arrive pas à le faire voir, c'est que le démonstrateur ou l'auditeur seront roulés et enroulés à l'infini dans une lame de goudron.

Pourtant, est-il si rare de rencontrer des professeurs de français, à l'école secondaire, au cégep ou à l'université, qui ne sachent pas sur quoi se fonde le rythme d'un vers? Ils parlent de «ligne mélodique» ou «d'inflexions dictées par l'instinct, le sentiment, le goût...» En somme, le rythme d'un vers serait quelque chose d'aussi imprévisible et incontrôlable que les bonds d'une sauterelle aux yeux du chaton qui la pourchasse. Et cela, non pas dans les vers libres, mais dans les alexandrins carrés de Leconte de Lisle ou d'Agrippa d'Aubigné! C'est beau de se réfugier dans l'ineffable, si on lui prête gratuitement les charmes de l'ignorance et de la paresse!

*

Voilà donc, il me semble, des propriétés de la poésie, où la sensibilité guidée par l'intelligence, et l'intelligence guidée par la sensibilité, peuvent jouer un rôle de libération. La poésie ne perd rien à se laisser expliquer dans ce qu'elle a de vérifiable; pas plus qu'on n'humilie un homme ou une femme, ou qu'on ne viole leur mystère, si on a le bon sens élémentaire de reconnaître en quoi ils sont un homme ou une femme. Il n'est ni intelligent ni respectueux, au nom de l'ineffable, de confondre les mains et les pieds, le sexe de l'ours avec les antennes du Martien.

«Oui, mais les goûts et les couleurs ne se discutent pas.» Voilà un autre proverbe inventé par la sagesse d'un cancre et popularisé par l'inertie commune. Les goûts se discutent... quand on a du goût. Si on a déjà goûté du vrai champagne, on sait quoi penser de la pisse de jument que les Ontariens et les Américains mettent sur le marché en la baptisant pompeusement de *Canadian* ou *American Champagne*. De même pour le rythme d'un vers: ça se discute, si on entend le rythme.

*

Cela, pour démythifier ou diagnostiquer la maladie de ceux qui recherchent la profondeur par les sentiers louches de l'équivoque, de l'incohérence, et qui se croient inspirés dès lors qu'ils ne savent plus de quoi ils parlent. L'enivrement romantique devant le chaos et les brumes diaphanes de l'à-peu-près! Par contre, quand il arrive à donner à son rêve la forme nette de la rose, l'artiste sait que sa rose demeure parfaitement inexplicable. En même temps qu'elle satisfait pleinement l'intelligence et le goût, cette rose-poème, sortie du mystère inépuisable de l'être, y reste inextricablement enracinée.

Ceux-là qui savent le mieux que la poésie est ineffable, s'acharnent à l'expliquer. L'expliquer? Non pas comme un professeur, dit Baudelaire, mais comme un poète. Un professeur qui n'est pas poète et qui parle de poésie, tue la poésie; mais ni plus ni moins qu'un poète qui n'est pas poète. Il serait trop facile d'être un historien, s'il suffisait pour cela d'écrire de l'histoire, dit Péguy. Quand Baudelaire parle de Delacroix, de Poe, de Wagner, il est, à sa manière, un professeur: il essaie, lui aussi, d'expliquer l'ineffable; du moins, il essaie de faire taire un certain nombre de préjugés aussi bavards que bornés, pour qu'autour des œuvres d'art se crée un climat propice à la contemplation qui, elle, se dispense de tout discours explicatif.

*

Ceux qui ne savent pas trop de quoi ils parlent, trouvent une voie d'évitement royale pour épiloguer longuement sur un poème, un tableau, un film: au lieu de parler de l'œuvre, ils parleront de l'auteur, de sociologie, de psychologie, d'histoire, de psychiatrie. C'est la voie facile, la plus populaire; et la plus sûre pour trahir l'œuvre. L'auteur avait fait le portrait d'un Amérindien ou écrit un poème à la louange des Amérindiens. Le commentateur, lui, au lieu d'analyser le portrait ou le poème, et de nous dire en quoi il y a réussite picturale ou poétique, nous entretiendra longuement de la longue fréquentation qui fut nécessaire à l'artiste pour se familiariser avec le monde mystérieux de l'Amérindien. Il serait plus honnête, et utile, de nous dire en quoi l'œuvre issue d'une si longue, sympathique et patiente fréquentation, est un navet creux ou un fruit plein. Mais pour cela, il faut avoir le respect de la poésie ou de la peinture, plutôt que l'habitude vicieuse de louer ou de blâmer pour toutes sortes de raisons étrangères à la chose dont on parle.

*

Milan Kundera, avec un sens aigu de l'observation et du comique, nous décrit une petite scène où deux oiseaux se croient soulevés par un grand enthousiasme poétique, alors que leur émotion ne doit absolument rien à la poésie:

> Jaromil voit si rarement son père qu'il ne s'aperçoit même plus de son absence et il songe à ses poèmes dans sa chambre: pour qu'un poème soit un poème, il faut qu'il soit lu par quelqu'un d'autre; alors seulement on a la

preuve que le poème est autre chose qu'un journal chiffré et qu'il est capable de vivre d'une vie propre, indépendante de celui qui l'a écrit. Sa première idée fut de montrer ses vers au peintre, mais il y attachait trop d'importance pour prendre le risque de les soumettre à un juge aussi sévère. Il lui fallait quelqu'un que ses vers enthousiasmeraient tout autant que lui-même et il comprit bien vite qui était ce premier lecteur, ce lecteur prédestiné de sa poésie; en proie à une grande émotion, il donna donc à sa mère plusieurs poèmes soigneusement tapés à la machine et courut se réfugier dans sa chambre, pour attendre qu'elle les lise et qu'elle l'appelle.

Elle lut et elle pleura. Elle ne savait peut-être pas pourquoi elle pleurait, mais il n'est pas difficile de le deviner; les larmes qui coulaient de ses yeux avaient sans doute une quadruple origine:

tout d'abord, elle fut frappée par la ressemblance qu'il y avait entre les vers de Jaromil et les poèmes que lui prêtait le peintre, et des larmes jaillirent de ses yeux, car elle regrettait son amour perdu;

ensuite elle ressentit la tristesse banale qui émanait des vers de son fils, elle se souvint que son mari était absent de la maison depuis deux jours et ne l'avait même pas prévenue, et elle versa des larmes d'humiliation;

mais bientôt ce furent des larmes de consolation qui coulaient de ses yeux, car la sensibilité de son fils qui était accouru avec tant de confiance et d'émotion pour lui montrer ses poèmes répandait un baume sur toutes ses blessures;

et enfin, après avoir relu plusieurs fois les poèmes, elle versa des larmes d'admiration, parce que les vers de Jaromil lui paraissaient incompréhensibles et elle se dit qu'il y avait donc dans ses vers plus de choses qu'elle ne pouvait comprendre et qu'elle était par conséquent la mère d'un enfant prodige.

Ensuite, elle l'appela, mais quand il fut devant elle, ce fut pour elle comme de se trouver devant le peintre quand il l'interrogeait sur les livres qu'il lui prêtait; elle ne savait pas quoi dire au sujet de ses poèmes; elle voyait sa tête baissée qui attendait avidement et elle ne sut que se presser contre lui et lui donner un baiser. Jaromil avait le trac et il se réjouit de pouvoir cacher sa tête sur l'épaule maternelle, et la mère, quand elle sentit dans ses bras la fragilité de son corps enfantin, repoussa loin d'elle le fantôme oppressant du peintre, reprit courage et commença à parler. Mais elle ne pouvait libérer sa voix de son chevrotement et ses yeux de leur humidité et, pour Jaromil, c'était plus important que les paroles qu'elle prononçait; ce tremblement et ce larmoiement lui apportaient la garantie, plus précieuse que tout, du pouvoir que possédaient ses vers – un pouvoir réel, physique.

La vie est ailleurs.

Avez-vous compris pourquoi l'enivrement de ces deux oiseaux ne doit absolument rien à l'ivresse poétique?

*

Si quelqu'un parle à la télévision, la plupart des spectateurs approuveront ou blâmeront ce qu'il dit, à cause de sa chevelure, de son sexe, de sa barbe, de son âge, de son accent, de sa cravate ou de ses cuisses; ou à cause du temps qu'il fait, de l'état de leur digestion, des événements de la journée en cours, de leurs projets d'avenir... Il y a moyen d'amener le spectateur ou l'auditeur à dissocier le contenu d'un discours des cuisses de l'orateur, mais il y faut beaucoup de temps et de persévérance, et souvent des explosions de colère. C'est vrai de la prose; imaginez donc ce qu'il faudra de lucidité pour garder toute l'attention du lecteur sur la poésie, plutôt que sur la barbe ou les cuisses du poète et du poème!

Comme la musique, la poésie est insupportable à ceux qui ne l'aiment pas pour elle-même. On l'utilise alors comme prétexte pour parler de choses étrangères, plus «sérieuses». Voyez Radio-Canada nous offrant une symphonie. Bon, enfin! autre chose que du sport ou des annonces publicitaires: on va écouter de la musique! Détrompez-vous: tout au long de l'émission, on va s'ingénier à vous faire oublier que vous écoutez de la musique. Les caméramen sont de fins spécialistes de la diversion, comme la plupart des exégètes de la poésie et la tendre mère de Jaromil.

Ils vous montreront vingt fois comment le pianiste utilise ses doigts pour faire de la musique; ils vous montreront aussi plusieurs fois ses pieds, c'est important; l'œil de la caméra et le vôtre voyageront à l'intérieur même du piano pour voir comment les petits marteaux frappent les cordes, car si le marteau ne frappait pas la corde, il n'y aurait pas de musique, n'est-ce pas? Après quoi, le caméraman vous invitera à la contemplation des archets des violonistes: quelle danse, ou langoureuse ou frénétique, mais toujours passionnée et toujours gracieuse! Puis il prendra plaisir à vous convaincre, par un gros plan, qu'il faut souffler très fort dans l'énorme tuba pour qu'il en sorte quelque chose. Tous les instruments auront ainsi droit à une remarque, émue ou amusée, de la part du virtuose de la caméra.

Si l'œuvre musicale dure un peu trop longtemps à son goût, le caméraman tuera le temps, et la musique, en vous décrivant, en plongée, en contre-plongée, en travelling avant, en travelling arrière, en panoramique, puis en gros plans, l'architecture, les peintures, et même les boiseries de la salle de concert. Il aura aussi tout le temps nécessaire pour vous montrer les réactions de l'auditoire, et cherchera à repérer parmi les spectateurs les plus photogéniques ceux qui semblent les plus sympathiques à sa cause. Bref, on aura tout fait pour vous convaincre que de la musique, écoutée avec la seule sensibilité auditive et l'intelligence, c'est absolument indigeste et insupportable; il faut agrémenter, étoffer, *excuser* tout ça, pour que ça *passe*. Eh oui! la musique, passe-temps des sourds!

*

Ce qui me rappelle la réflexion d'un grand musicien, hongrois, je pense, obligé d'enseigner la musique dans un conservatoire de son pays hautement surveillé par la police du Régime téléguidé de Moscou. Quelqu'un l'invitait à modérer ses remarques contre le Régime régentant tout, y compris la musique, parce que, disait ce sage conseiller, «Ici, les murs ont des oreilles.» Et le musicien de répondre: «C'est ça: ici, seuls les murs ont des oreilles!» C'est ça: il ne faut pas demander à Radio-Canada d'avoir des oreilles. Et il ne faut pas demander à la plupart de ceux qui parlent de la poésie de savoir ce qu'est la poésie. Ce qui ne les empêche pas de pleurer, comme la suave mère de Jaromil et son tendre fils, pour des raisons qu'ils croient poétiques.

*

Il existe aussi une poésie pour les sourds, les sourds d'intelligence. Une première forme de cette poésie s'adressera uniquement aux yeux: le poème devient purement visuel, comme un lever ou, de préférence, un coucher de soleil. Quand la disposition graphique est terminée, le texte s'est donné tout son sens; le sens est donné par le contenant, comme dans le cas des petits commis habillés comme des cartes de mode. «Voyez: tout est là, dans le graphisme. La seule chose à comprendre, c'est de voir la grosseur, l'épaisseur des caractères d'imprimerie, la disposition des mots sur la page. C'est un tableau qui n'a pas d'autre sens que celui de sa structure. Ne vous cassez pas la tête à chercher d'autre sens que celui-là.» Ces auteurs définiraient ainsi la poésie: «Un art dont l'objectif est d'étonner l'œil.»

Apollinaire, grand poète, a fait de ces recherches, qu'il appelle *Calligrammes*. C'est un jeu qui a son charme, comme tout jeu; jeu qui aura la qualité du calligraphe. Et je n'ai pas envie d'en nier l'utilité et le plaisir. Ce que je soutiens, c'est que Apollinaire, le plus souvent, a senti le besoin de faire dire autre chose à sa poésie. Dans *Alcools*, dans *La chanson du mal-aimé*, par exemple, sa poésie joue un autre jeu: celui de parler à l'homme un langage compréhensible par toutes les facultés de l'homme, y compris son intelligence.

*

Une autre forme de poésie inexplicable, certes, est celle qui prend le non-sens comme guide incorruptible. Vive le signifiant à l'état pur, et au diable le signifié! Le mot échappant au dictionnaire, la phrase à toute syntaxe, l'image à toute analogie, le discours à tout sujet. Tout est relatif, y compris vous et moi; tout veut dire tout, ou tout ne veut rien dire. La liberté de l'esprit humain, c'est précisément de se libérer de tout, et surtout de lui-même. Il n'y a plus de lois, chacun invente la sienne; chaque mot invente son sens; chaque sens, s'il y en a un, invente ses mots. Livrez-vous au non-sens, si vous tenez à vous délivrer de cet être insensé que vous êtes ou qu'on a fait de vous! En poésie, vos phrases pourront avoir une fin, sans nécessairement avoir de commencement, ni milieu, ni fin: des épaves de sens flottant à la dérive sur l'infini du grand Possible insipide!

*

J'ai entendu deux poètes soutenir deux thèses contradictoires devant mes étudiants. L'un disait: «Tout ce qui est clair n'est pas poétique.» Et l'autre: «Tout ce qui n'est pas clair n'est pas poétique.» Comme point de départ d'une discussion sur la poésie, les deux formules, par leur outrance, peuvent être utiles. Mais si, après quelques heures ou quelques jours de discussion, les idées des deux conférenciers et celles de leurs auditeurs sont encore dans cette position désaxée, eh bien, il faudra, au cours suivant, prendre un peu de temps pour replanter les arbres, racines en terre et branches dans le ciel; en étudiant quelques poèmes où des poètes équilibrés ont planté des arbres capables de fructifier sur terre plutôt que de voyager sans orbite dans les espaces infinis.

Si, devant un texte en prose, incompréhensible, emberlificoté, mité et dynamité par l'incohérence, tu dis que tu ne comprends pas, l'auteur lumineux de ce texte vaseux te dira volontiers: «Il faut savoir lire entre les lignes!» Et s'il est inscrit à un cours de poésie, cet esprit fulgurant pense en secret: «Pour comprendre les poètes, il faut savoir lire entre les lignes. Moi, je lis et j'écris entre les lignes; je suis donc bien placé pour comprendre les poètes et leur faire dire tout ce que je ne comprends pas.»

C'était peut-être vrai jadis, quand on savait lire ce qu'il y avait d'écrit sur les lignes. Mais aujourd'hui? À quoi peut bien servir le conseil de lire entre les lignes, quand on ne trouve pas, parmi les étudiants du cégep ou les diplômés d'universités, quatre lecteurs sur dix capables de déchiffrer ce qu'il y a d'écrit sur les lignes, dès qu'il s'agit d'un texte un peu plus subtil qu'une liste électorale, un bottin téléphonique, une liste d'épicerie ou une convention collective?

Demander à tous ces gens d'avoir la subtilité voulue pour lire un texte entre les lignes, c'est faire un pléonasme très vicieux: ils ne font que ça, lire entre les lignes! croyant incompréhensible ou superflu ce qu'il y a d'écrit sur les lignes. Donnez-leur à lire n'importe quel texte un peu plus évolué que *L'almanach du peuple* ou les petites annonces classées des journaux, puis ayez l'audace indécente de leur demander ce qu'ils en ont compris. Vous verrez qu'ils ont développé au maximum la seule forme de lecture qui leur réussisse: celle de lire ce qu'il n'y a pas d'écrit sur les lignes; c'est-à-dire de comprendre n'importe quoi, n'importe comment. En s'imaginant que c'est ça, le Progrès, la compréhension intuitive, globale, poétique, celle propagée par toutes les formes infantiles de l'audio-visuel.

Inutile de dire que s'ils écrivent eux-mêmes, tu devras, impérieusement, avoir le bon goût de te mettre toi aussi à cette méthode de lecture moderne. Car si tu lis ce qu'il y a sur les lignes qu'ils écrivent et essaies d'en tirer un sens, tu verras bien que ta méthode de lecture ne fonctionne pas: tout ce qui ressort de leurs lignes, c'est du non-sens. C'est entre les lignes qu'il te fallait lire, idiot! En cherchant là, tu aurais trouvé la pensée du scripteur, et tu aurais mis la bonne note qui convient à ce texte subtil, subliminal, élaboré entre les lignes du cerveau, ou quelque part entre les lignes du chemin de fer, les lignes aériennes, tout en surveillant ta ligne. Cette manie de croire que l'homme a inventé le langage pour communiquer sa pensée! Eh non! l'homme a inventé l'écriture pour que la pensée de son lecteur, cheminant entre les lignes du texte, puisse s'épanouir en toute liberté, en comprenant ce qu'il lui plaît d'imaginer.

*

S'il est devenu d'une urgence criante d'apprendre à nos contemporains à lire ce que dit la prose la plus limpide en suivant la ligne du sens et non l'interligne du non-sens, en poésie, c'est encore plus urgent. Parce que la paresse et l'incohérence y trouvent encore plus de prétextes à s'y exercer effrontément. Au lieu du slogan populaire: «Il faut savoir lire entre les lignes!», il faut plutôt rappeler, à temps et à contretemps, cette pensée scandaleuse de Walter Lowenfels: «Le secret du poète consiste à dire la vérité si clairement et si simplement que personne ne croie un mot de ce qu'il dit.»

Une des preuves que Lowenfels avait raison, c'est que, en lisant son texte, la plupart chercheront à comprendre ce qui est dit entre les lignes, parce que ce qui est dit sur les lignes de Lowenfels leur semblera indéchiffrable ou proprement insensé. Par contre, à peu près tout le monde au Québec comprend très bien une phrase comme celle-ci, dite par un de nos pionniers de l'aviation, qui confiait avec fierté aux ondes de la radio nationale cette révélation épique: «J'ai été le premier à voler un avion de Halifax à Chicoutimi!» Il avait peut-être été le premier à tracer la ligne aérienne Halifax-Chicoutimi, je ne sais; ce que je sais, c'est que ce gars héroïque parlait entre les lignes du bon sens et que ses auditeurs, émerveillés, le suivaient très bien entre les lignes de leur non-sens. Voler un avion, même un monoplace primitif, sur une si longue distance, c'est quelque chose! Vous trouvez pas? Ce gars bien de chez nous méritait sûrement une médaille bilingue; Mermoz et Lindberg, les pauvres! auraient été bien incapables de pareils vols spectaculaires entre les lignes. Eux, ils devaient se surveiller constamment pour que leur avion vole sur la ligne. Et ils auraient été bien incapables de voler un avion sur leurs chétives épaules et sur une si longue distance.

Donc, beaucoup parmi les étudiants, et parmi les autres, ont reçu, pris, appris, cultivé cette idée qu'un texte en prose dit ceci, ou cela, selon que le lecteur juge bon de lui faire dire ceci ou cela. La liberté de penser, c'est sérieux! On est libre, ou on l'est pas! Si la prose la plus directe, la plus limpide, la plus monodique, la plus monokini, peut s'interpréter aussi bien comme ceci que comme cela, imaginez donc ce qu'il en sera en poésie. Même une fable de La Fontaine comme *Le lièvre et la tortue* pourra signifier qu'ici le poète parle directement des Chutes Montmorency, ou décrit en détail Brigitte Bardot en train d'enfiler ses petites culottes en peau de blanchon, ou Diane Dufresne s'envolant au vingtième étage dans un ballon tout rose: «Donnez-moi de l'oxygène!» Qu'on lui en donne, Seigneur Dieu! si ça peut l'empêcher de crier.

Dans l'état actuel de la civilisation, le cours de poésie n'aurait-il que cet unique avantage d'apprendre à lire et à écrire sur les lignes, que ce serait beaucoup. Beaucoup. Réforme majeure, s'attaquant à la racine de l'incohérence et de la bouillie mentale. Et c'est là une entreprise pas mal plus urgente que celle de préserver la paix mondiale. Préserver la raison humaine, c'est la priorité des priorités. Si on prend un peu le temps de raisonner.

4.2 PEUT-ON ET DOIT-ON ENSEIGNER LA POÉSIE?

Il en a déjà été question. Mais on peut y revenir, pour préciser davantage, à l'aide de ce qui a été acquis.

La poésie s'enseigne, comme la danse, la peinture, la musique ou la contemplation. Comme on enseigne à cultiver des carottes, à tirer au cœur de la cible, à garder son équilibre en marchant sur un fil de fer dans les airs. On peut écrire cent livres pour faire la preuve que la poésie, comme toute création, trouve sa racine dans la sensibilité, l'imagination, l'être global de l'homme, relève du don gratuit; donc échappe à l'enseignement. Reprendre l'éternel dialogue socratique sur la possibilité d'enseigner la vertu. Et renvoyer dos à dos les champions de l'une et l'autre hypothèses qui, sans cesse reprises, et défendues avec un courage désespéré, ont pour elles la promesse d'un éternel et brillant avenir. Des millénaires de discussions intelligentes et passionnées n'ont pas épuisé le sujet. Et les citoyens de l'âge postatomique seront aussi désarmés que nous et le premier poète. Et aussi compétents. Car la poésie remet toujours tout en cause, et l'homme et l'univers, et trouve à s'alimenter aux mystères de l'un et de l'autre.

Quant à ceux qui se livrent ou se sont livrés avec succès à la poésie, je leur conseille de ne jamais l'abandonner. La poésie est un des arts qui rapportent le plus; mais c'est une espèce de placement dont on ne touche que tard les intérêts, – en revanche très gros.

Quoi d'étonnant d'ailleurs, puisque tout homme bien portant peut se passer de manger pendant deux jours, – de poésie, jamais?

L'art qui satisfait le besoin le plus impérieux, sera toujours le plus honoré.

BAUDELAIRE, *Conseils aux jeunes littérateurs.*

«Car toute vie humaine a besoin de rythme et d'harmonie.» (PLATON, *Protagoras*) Et parmi les arts qui cultivent le rythme et l'harmonie, la poésie occupe le premier rang, s'il est vrai que la parole humaine est la plus haute expression de l'humanité, de la dignité de l'homme.

Cette parole rythmée, chant de l'esprit et de l'âme, comment ne serait-elle pas pour l'âme et l'esprit des jeunes la plus pure semence de noblesse? Initier les jeunes à la poésie, c'est libérer et solliciter en eux cette part la plus précieuse qui sommeille ou veille dans le cachot des servitudes prosaïques. Tout enseignement valable a pour résultat de faire s'épanouir l'humanité en attente chez celui qui le reçoit. Mais il semble que la poésie rejoigne l'homme à des profondeurs inaccessibles aux autres formes du savoir qui ne sont pas en même temps une manière d'être, et d'être global. La poésie s'adresse non pas à l'homme spécialisé, mais à l'homme sauvage, dans sa spontanéité cosmique, à cet homme vierge, tout interdit devant la joie, tout blessé devant la souffrance, en continuelle interrogation devant son mystère et celui du monde.

On peut percevoir cette merveilleuse fécondité de la poésie en mille circonstances: à voir les réactions d'un public face à une toute simple petite chanson vraie, à voir les jeux de l'enfant avec son chien fou, à sentir la puissance des mots magiques autour d'un feu de camp; bref, partout où l'homme, échappant à ses occupations et préoccupations d'insecte industrieux, redécouvre sa profondeur et ses horizons.

Travailler, goûter des textes poétiques avec un groupe de jeunes pendant quatre ou cinq mois, permet des prises de conscience parmi les plus riches qui soient. Vient un matin, vient une minute où un texte poétique initie à la poésie, à toute la poésie. Comme l'enfant qui, pour la première fois, touche le feu, et qui désormais, pour toute sa vie, saura ce qu'est le feu. Il se produit alors une illumination pour le cœur, l'imagination, l'intelligence. Pour un instant est annulée toute la prose et son bavardage. Le courant poétique passe, incantatoire, un vent de migration comme un large courant sous-marin qui ferait tanguer les continents mal amarrés au milieu des constellations. Il arrive que ce soit un choc, une extase collective; mais il est plus fréquent de voir quelqu'un s'ouvrir, naître à la poésie, dans un recueillement qui ne doit rien à l'ambiance collective: les dieux amis des hommes ne dansent pas toujours en chœur en se tenant par la main comme des ilotes, des zélotes ou des zygotes.

4.2.1 LA POÉSIE LIBÈRE DE LA VISION ET DE LA PAROLE STÉRÉOTYPÉES

Le premier effet libérateur de la poésie, c'est peut-être de faire sortir d'une vision stéréotypée du monde, de l'homme, et par conséquent de la parole ajustée aux seuls besoins primaires. Les étudiants du cégep, par exemple, si libérés qu'ils se veuillent, ont déjà, pour la plupart, le culte des moules de pensée aseptisée et des expressions toutes faites. En littérature, ils vivent au XIXe siècle, au rythme des romans réalistes et des films d'Hollywood; en peinture, ils vont d'instinct aux tableaux grossièrement réalistes, pour ne pas dire aux beaux calendriers Esso en couleurs. Il faut les libérer d'une paresse plusieurs fois millénaire, du cercle étroit de pensées, d'émotions et d'expressions où la famille, la société, l'enseignement et leur propre inertie les ont confinés, emmurés. Et l'effort à faire pour les «ouvrir» à l'art abstrait contemporain est aussi grand que celui de les sensibiliser à la sculpture africaine ou aux fresques égyptiennes.

En poésie, ils vivent également de clichés. Comme les adultes cuits et endurcis dans le jus de la prose, ils éprouvent, pour la plupart, à l'égard de la poésie, un ennui nuancé de mépris. Et leur préférence va à cette molle poésie sentimentale où les clairs de lune voisinent avec les effusions à la Michel Louvain-Julio Iglesias; ou à cette poésie dite «de circonstance», où l'on met en vers des banalités pour leur donner la consécration de la fioriture et de la vanité. Bref, la poésie réduite au rôle d'emballage des colis de Noël; emballage dont le rôle est d'agrémenter pour un instant de ses couleurs la grisaille de la routine, et dont le but ultime est la poubelle, quand on fait le ménage et qu'on revient aux occupations «sérieuses».

Croire que les adolescents ont une âme toute neuve, toute réceptive, toute verte, toute ouverte à l'émerveillement et aux formes originales et multiples par où s'exprime l'art du passé, du présent et de l'avenir, c'est être victime de la même naïveté qui voudrait nous faire croire à l'innocence des enfants. Les enfants et les adolescents ont tous les vices et vertus des adultes, sauf qu'ils n'ont pas encore l'entraînement qui permet de donner à ces vices et vertus toute leur efficacité. Donc, initier des adolescents à l'art et à la poésie, ce n'est ni plus ni moins difficile que d'initier à l'art et à la poésie un groupe de députés, d'enseignants ou de commerçants adultes.

*

Vision et parole stéréotypées, voilà les deux formes de paresse que toute poésie authentique dynamite systématiquement, par nécessité. Le choc peut produire l'éblouissement ou l'irritation; il peut débloquer le tunnel, ouvrir les oreilles endurcies, faire tomber la taie qui voile les yeux; ou au contraire, rendre davantage sourd, muet et aveugle; mais il ne laisse pas indifférent. Tous se rendent à l'évidence que le poète ne parle pas «comme tout le monde». Reste à savoir pourquoi.

Les explications ne manquent pas. Et comme d'habitude, ce sont d'abord les fausses qui se présentent en foule à l'esprit: «C'est de la poésie,

parce que c'est écrit en p'tits bouttes;
parce qu'on ne comprend rien;
parce que c'est écrit en vers;
parce qu'on fait appel aux sentiments
parce que les phrases sont construites de façon bizarre;
parce que le vocabulaire est «spécial».

— Et pourquoi tout cela, je vous prie?
— Parce que le poète vit dans les nuages, s'amuse à dire des balivernes en jouant avec les mots.»

(Ces explications aussi cocasses que populaires ont été données au tout début de ce livre. Le chemin fait depuis devrait permettre de les évaluer maintenant à leur juste poids.)

Nous voilà bien avancés! Bel abatis en perspective! Il est loin dans le futur, le temps des blés mûrs, du lilas, du muguet et des choux! Un continent à défricher!

Commençons avec le bulldozer et la hache, pour déblayer l'esprit encombré de préjugés et dégager le sol arable. Puis, de tous ces débris encombrants nous ferons un beau feu. C'est un dur labeur, mais nous aurons bien du plaisir à voir flamber les préjugés comme d'inutiles et encombrantes fardoches. Ce sera le commencement de l'ivresse libératrice.

*

Devant cette jungle à défricher, que chaque contremaître y aille selon sa méthode et son enthousiasme; l'important, c'est que, le plus tôt possible, on arrive à l'essentiel. Pour que les ouvriers voient qu'ils ne travaillent pas en vain; que, dès les premières heures, la terre poétique commence à produire des fruits succulents.

Pour ma part, j'utilise habituellement des textes où le poète nous dit en poésie ce qui se passe en lui quand il est saisi par la poésie. Alors, des pans entiers de forêt malsaine sont arrachés par la tornade poétique; et l'on en fait un énorme bûcher dont la flamme claire est propre à réchauffer les plus engourdis et ankylosés par la sclérose, l'arthrite, la paresse et la graisse prosaïques et très démocratiques. On commence à se rendre compte que la poésie, c'est aussi sérieux que l'artillerie, l'administration, les transports, l'informatique, l'Iron Ore of Canada, Napoléon, Einstein. Parce qu'elle jette des ponts qui permettent à l'homme de se rendre, non pas sur l'autre rive du fleuve, mais sur ce continent de lui-même que lui interdisent sa démarche et sa marche prosaïques; parce qu'elle trace dans sa nuit des constellations et des points d'interrogation plus vertigineux que celui de la Grande Ourse.

Répétons-le: le premier effet salutaire de la poésie sur l'esprit des jeunes, c'est sans doute un effet de libération. Eux, si libérés en apparence, mais en réalité si durement ficelés dans les bandelettes des préjugés millénaires. Eux, qui devraient être si neufs devant la vie, le possible, et qui se montrent scandalisés de voir que le poète ose ne pas parler comme on parle à l'épicerie et à la télévision! Le poète qui ose inventer un monde imaginaire qui ne ressemble en rien au monde fabuleux des héros du baseball ou du hockey, ou de la politique, ou de la finance, de James Bond et de Superman! La poésie qui, brusquement, leur fait découvrir qu'ils sont timides, bien conformes aux milliers de moules qui moulent leur imagination et leur idéal. Ils se croyaient jeunes, hardis, et voilà qu'un seul poème leur apprend qu'ils sont très vieux, bien dociles, bien passifs devant la vie, anesthésiés, chloroformés par la sainte habitude et la paresse d'esprit. Choc salutaire! coup de trompette qui peut provoquer la résurrection!

Désormais, ils pourront savoir que le langage humain est infiniment plus riche que ce qu'ils avaient cru; que l'homme peut être autre chose qu'un animal tristement prosaïque; que la liberté extrême du langage poétique témoigne de cette liberté royale de l'homme de pouvoir créer le monde à son image; que la sainte révérence à l'égard de l'ordre établi, des ornières verbales ou politiques, n'est en réalité que paresse et manque d'élan créateur. Oui, la liberté que prend le poète avec le langage est une affirmation de sa liberté face à la vie. La poésie est création, exaltation de ce pouvoir qu'a l'homme de n'être plus un animal domestiqué par le présent ou le passé, mais un animal sauvage ouvert sur l'avenir, imprévisible, mais réalisable.

* *
*

Le langage poétique et la vision poétique libèrent donc de la vision stéréotypée de l'homme et de la vie, aussi bien que du langage homogénéisé, banal, anonyme, insipide. Bien plus, ce choc salutaire est sans cesse renouvelé. Je veux dire qu'il ne suffit pas de comprendre un poème pour avoir la clé donnant accès au sens de tous les autres poèmes. Si j'ai compris Baudelaire, je ne suis pas automatiquement préparé à comprendre Anne Hébert ou Gaston Miron. Certes, j'aurai acquis des habitudes utiles, par exemple celle de faire l'effort de comprendre en utilisant toutes mes facultés; celle de prendre avec un grain de sel et deux grains de poivre la première hypothèse d'interprétation qui me vient à l'esprit; celle de savoir que les images «obscures» du poète se révèlent, après compréhension, plus éclairantes que les clartés superficielles et souvent fausses proposées par la prose prosaïque.

Mais ces bonnes habitudes seront mises à une rude épreuve salutaire, dès que je passerai d'un poète à un autre, ou même d'un poème à l'autre à l'intérieur d'une même œuvre. Pourquoi? Parce que tout poème est un monde nouveau, inconnu. Dans un poème, le poète a pu me présenter un éléphant; j'ai pu avoir beaucoup de mal à me familiariser avec cet animal, à le domestiquer. Ta première réaction devant cet animal étrange, ç'avait été, tu t'en souviens? de dire: «Un animal comme ça, c'est pas possible! Ça n'a pas de bon sens! Ni mon père, ni ma mère, ni Einstein, ni moi, n'aurions pensé à faire un animal comme ça!»

Et tu te scandalisais, ou tu rigolais, fier de ton bon sens; et tu protestais, au nom de ton bon gros bon sens. Quelle pitié! D'après ton bon gros bon sens bien borné, il aurait fallu que tous les animaux possibles ressemblent aux quelques animaux que tu connaissais. Si tu en avais eu le pouvoir terrifiant, tu aurais réduit tous les animaux à quelques types bien connus de toi. Tu aurais rempli la terre de chats, de chiens et de vaches, en interdisant solennellement aux hippopotames, aux girafes et à l'opossum d'exister. Et tu aurais fait la même chose avec les arbres et les fleurs: défense au cactus, à l'eucalyptus et au palmier extravagants de croître sur cette planète! défense aux ancolies et autres fleurs «inutiles», invraisemblables, farfelues, saugrenues, cocasses, de prendre racine au soleil, au détriment de tes œillets d'Inde et de tes pissenlits! Et tout cela, toujours, au nom de ce que tu appelais le bon sens. Quelle pitié! (bis) Nous passons tous par là, en p'tits Jos Connaissants impulsifs. Il nous faudra sans doute toute une vie pour sortir des normes étriquées de notre gros bon sens grossier, gros comme nos prétentions et nos ignorances. Pour apprendre à nous émerveiller de la multitude et de la diversité des formes engendrées par la Vie.

*

En poésie, en art, il nous faudra à peu près le même temps pour sortir des bornes de notre fameux bon sens borné. Dès que nous trouvons une chose belle, nous passons paresseusement à la conclusion que toute beauté doit être de même nature que cette beauté. Et quand nous aurons trouvé une chose laide, nous en conclurons trop facilement que toute laideur emprunte les traits de celle-ci. Une beauté nouvelle, une laideur nouvelle nous laisseront toujours abasourdis. Et n'aimant pas être bousculés dans notre sécurité, dans nos couloirs étroits, contre tout vrai bon sens nous mettons le vin nouveau dans nos vieilles outres, ou le vin aigri dans des outres neuves; avec le même résultat: nous buvons le plus souvent un vin de saveur douteuse, quelque chose comme le gros vin Saint-Georges et la grosse bière Labatt. Ivresses d'ilotes!

Chaque poème authentique nous obligera à remplacer nos vieilles outres mentales par des outres neuves, propres, dignes d'accueillir et de préserver cette saveur nouvelle. Faisant l'effort d'entrer dans ce monde nouveau, j'en reçois un rajeunissement, une fécondité comparable à celle qu'apportent le printemps, la naissance d'un enfant. L'enfant, lui aussi, réinvente l'humanité, l'exprime d'une façon tout à fait imprévue, qui bouscule tous les calculs des augures et psychiatres les plus futés. Il donne à la vie un visage nouveau, imprévisible comme le chrysanthème, la gazelle ou le flamant rose. De même, tout poème nouveau est comme cette hirondelle qui, chaque printemps, sans se tromper, fait le printemps, à la barbe de l'hiver ankylosé dans sa routine congelée.

Il est bien probable, par exemple, que très souvent au cours de cette étude, vous ayez éprouvé un choc face à telle forme de poésie qui ne vous était pas familière. Et je ne serais pas étonné que vous ayez réagi en disant: «Ça n'a pas de bon sens! On ne peut pas écrire comme ça! On ne devrait pas écrire ça!» Et pourquoi donc? Uniquement parce que jusqu'ici, vous, vous n'avez pas écrit comme ça, ou pensé ça, et comme ça? Ni vous, ni aucun de vos ascendants directs? Et vous en concluez un peu vite, beaucoup trop vite, que tous les humains, dans le passé, dans le présent et même dans le futur, auraient dû, doivent et devront penser comme vous et s'exprimer comme vous. Avec un peu de réflexion, ne trouvez-vous pas cette exigence bien prétentieuse? Tout à fait déraisonnable? Disons le mot: insensée?

*

À titre d'exemple, je prendrai l'extrait du *Cantique des Cantiques*. Beaucoup d'expressions, dans ce poème hébreu datant de près de trois mille ans, peuvent paraître, non seulement étranges, mais tout bonnement ridicules à un lecteur québécois contemporain. Peu de jeunes Québécois amoureux s'adresseraient à leur jeune amoureuse québécoise en ces termes:

> Tes cheveux sont comme un troupeau de chèvres,
> suspendues aux flancs de la montagne de Galaad.
> Tes dents sont comme un troupeau de brebis tondues,
> qui remontent du lavoir.

Ton cou est comme la tour de David,
bâtie pour servir d'arsenal;
mille boucliers y sont suspendus...

Tes deux seins sont comme deux faons...

Ta taille ressemble au palmier,
et tes seins à ses grappes.
J'ai dit: je monterai au palmier,
j'en saisirai les régimes.

Ces images leur sembleraient, pour le moins, détonner. Imaginez donc: des dents qui ressemblent à un troupeau de brebis! un cou solide comme une tour, assez solide pour qu'on puisse y suspendre mille boucliers! des seins en grappes de vigne! des cheveux en troupeaux de chèvres! Il y a de quoi rigoler! Et la plupart des jeunes Québécoises à qui on rendrait pareils hommages, croiraient, je pense, qu'on se moque d'elles, ou que le beau jeune homme qui leur dit ces absurdités est bel et bien capoté, cinglé, détraqué, fou à lier, ébaroui, fêlé, avec une tête où il manque pas mal de bardeaux.

Pourtant, les deux jeunes Hébreux qui s'exprimaient leur amour en ces termes, n'étaient certainement pas plus stupides que vous et moi. Je serais même porté à croire... Oui, ils étaient éminemment sensés. Pourquoi donc leur langage nous étonne-t-il à ce point? Tout simplement parce qu'ils construisent leurs images avec des réalités de leur milieu, qui sont très loin des nôtres. Pour un Palestinien de ce temps et même d'aujourd'hui, un troupeau de chèvres vues de loin au flanc de la montagne de Galaad, c'est très joli à voir: taches de blanc pur piquant le vert du gazon. Il vaudrait pas mal mieux se déplacer pour aller voir ça, que se déplacer pour aller voir l'Empire State Building ou la Tour Eiffel. C'est sûrement aussi beau, en tout cas, que les panaches de fumée blanche flottant au-dessus de nos villes noires piquées de cheminées d'usines. Et avoir les dents aussi blanches que des brebis sortant toutes propres du lavoir, c'est aussi beau que d'avoir des dents polies au Colgate, ou des joues rasées de frais avec le miraculeux rasoir Braun, ou des yeux «plus doux que du coton: doux comme Cottonelle». Non? Oui.

Bref, pour le Palestinien de ce temps, chèvres, brebis, faons, palmier, tour de David, c'était – et c'est toujours, même pour des non-Palestiniens quelque peu évolués – des choses réelles et belles. Faire l'effort suffisant pour s'ouvrir l'esprit et voir que tout cela est bel et bon, c'est une opération qui humanise, qui ouvre sur d'autres horizons que ceux de «la belle province», si belle soit-elle.

C'est aussi salutaire que de constater un jour qu'un Noir n'est pas nécessairement un homme plus sale qu'un Blanc, ou que le Jaune n'est pas nécessairement un homme blanc atteint de la jaunisse. Pourtant, vous et moi, si nous avions été élevés dans une ignorance totale du Noir et du Jaune, et qu'un jour, à un coin de rue, en plein soleil ou par clair de lune, nous étions venus brusquement face à face avec un Noir ou un Jaune, imaginez notre ébahissement! Et nous aurions eu, ou bien une peur terrible, ou bien une terrible envie de rire. Épouvante et rire qui en auraient dit long sur l'élévation et l'ouverture de notre esprit. Et qui aurait eu raison: le Noir d'être noir, le Jaune d'être jaune, ou nous, qui aurions décrété dans notre sagesse qu'un homme noir ou jaune, c'est pas possible, une offense à notre bon gros bon sens grossier?

Évidemment, un poète d'ici, d'aujourd'hui, comme Gaston Miron, tirera plutôt ses images du milieu québécois contemporain. Ces images ne seront pas nécessairement supérieures en qualité expressive à celles du Palestinien d'autrefois: elles seront tout simplement plus adaptées aux gens d'ici et d'aujourd'hui. C'est pourquoi Miron, dans *Recours didactique*, parlera d'*inconscient résineux*: le Québécois connaît mieux les résineux que les palmiers, la tour de David et la montagne de Galaad. Il parle aussi de *brunante*, terme québécois inconnu des autres francophones actuels.

Dans *Poème de séparation*, il parle de son *cœur derrick*; ce qui aurait fait sourire un Palestinien du temps de David, mais pas les Palestiniens d'aujourd'hui, travaillant à monter les derricks de l'Arabie Saoudite. Et quand il parle de *feu de terre noire*, la plupart des Québécois comprennent bien, car la plupart des Québécois ont vu des feux couver pendant des semaines dans la terre noire; mais pour un habitant du Sahel, c'est une expression aussi étrangère que peuvent l'être pour lui l'hiver et les lièvres blancs chaussés de raquettes. Ce qui ne veut pas dire qu'il ne peut pas comprendre ces réalités: tout simplement, il a besoin d'un peu d'initiation à ces réalités; comme le Québécois a besoin d'un peu d'initiation aux cheveux-chèvres, aux dents-brebis, au cou-tour de David. Et si pour le poète du *Cantique des Cantiques*, les seins de la bien-aimée se comparaient avantageusement aux grappes du palmier et aux grappes de la vigne, le Québécois Miron parlera plutôt de *seins de pommiers en fleurs*, parce que, au Québec, les pommiers, ça pousse mieux que les palmiers et la vigne.

Et quand Vigneault parle de sarcelles, de swell, de corps morts, de cirés, de béris, d'huile de bras, de guidounes, de ballounes, de drave, de talle d'amour, il embrouille pas mal de Tunisiens, même francophones, et presque autant de Québécois, même francophones, s'ils ont été élevés sur l'asphalte. Reste aux Tunisiens et aux Québécois à faire l'effort de dépaysement pour découvrir le pays de Vigneault, et, l'ayant découvert, élargir les horizons de leur pays intérieur.

Et par tous ces dépaysements successifs, l'esprit du lecteur intelligent ne devient pas nécessairement encombré de bébelles touristiques. Ce lecteur ne devient pas nécessairement un déraciné, quelqu'un «dont le centre est partout et la circonférence nulle part». Non. Il pourra garder toutes ses racines d'ici; il pourra même légitimement se considérer comme le nombril du monde (un homme qui ne se considère pas comme le nombril du monde, c'est un être très inquiétant: il est devenu bouillie inconsistante dans un grand Tout, un grand ON aussi insignifiant qu'illimité); mais il aura appris que d'autres hommes, ayant des nombrils rouges, jaunes ou noirs, vivant dans des régions où il n'y avait pas d'orignaux et de ville de Montréal, et à des époques où personne ne marchait dans l'espace, ont pu, en marchant avec leurs pieds, et la tête au-dessous des arbres, faire de grandes et belles choses, très différentes de celles que nous n'avons pas encore faites. Vous pensez que c'est peu d'en arriver à cette conviction, et à quelques autres du genre, en étudiant la poésie?

* *
*

4.2.2 LA POÉSIE LIBÈRE DES FAUSSES CLARTÉS

Une autre prise de conscience salutaire, c'est celle-ci, véritable paradoxe: il n'y a rien comme le langage «obscur» du poème pour dire les choses avec une fulgurante clarté. Car il y a obscurité et obscurité. L'obscurité du charabia, de l'incohérent et de l'informe, débouche sur l'obscurité. Plus tu es lucide, moins tu comprends; seuls sont à l'aise dans le charabia des autres ceux qui baragouinent leurs propres pensées. Ce qui m'amène fréquemment à dire à ceux de mes étudiants qui baragouinent en pensant, en parlant ou en écrivant: «Si tu tiens pareil langage à quelqu'un qui n'est pas trop conscient ou lucide, toi et lui aurez l'heureuse et criminelle impression de comprendre; mais si tu t'adresses à quelqu'un de conscient et d'intelligent, il ne comprendra pas; et ce ne sera pas lui le coupable.»

Deux pages où Aimé Césaire parle en poète de sa race noire. Je lis ce texte aux étudiants, je leur demande s'ils ont compris. Si c'était aux premiers cours, ils n'oseraient répondre; mais après quelques semaines, ils répondent par un cri unanime: «NON! RIEN!». Je les félicite de leur sincérité: le contraire m'aurait non seulement surpris, mais choqué: je n'aime pas qu'on me prenne pour un imbécile ou qu'on me serve une menterie pour me faire plaisir ou pour ménager ma prétendue susceptibilité.

Alors, commence le travail d'initiation. Appelez ça comme vous voudrez. Ne levez pas au ciel des bras scandalisés: «La poésie, ça ne s'explique pas!» Si c'est vrai, il faudra abandonner le jeu de l'autruche: faisons évacuer le local des cours et allons dire au Directeur pédagogique, au ministre de l'Éducation et à l'Unesco, que la poésie, ça ne s'enseigne pas, ni à la maternelle, ni à l'université; nulle part; pas même dans les salons d'initiés. Et d'ailleurs, il faudrait être logique jusqu'au bout: interdire à quiconque d'écrire de la poésie, puisqu'elle est ineffable, inexplicable, incommunicable, totalement hermétique!

Moi, je pense pouvoir faire un travail utile – et utile pour la poésie – à partir de deux cents images «obscures» du texte de Césaire. Si je n'ai pas affaire à un écrivain imbécile, si l'écrivain n'a pas voulu systématiquement écrire un texte incompréhensible, si je ne suis pas en présence d'un texte limité à la seule sonorité du langage ou à un vague désir de mimer l'absurde, le néant ou le subconscient, eh bien! il me semble qu'il y a là quelque chose à comprendre. Je veux bien que cette compréhension fasse appel à tout autre chose qu'à la seule logique mathématique, mais dans ce «tout autre chose», il y a aussi l'intelligence. Puisque, tout de même, la poésie, ça ne se mange pas! Ça se lit; et pas seulement avec les yeux! Elle s'adresse à l'homme global; et dans l'homme global, il y a *aussi* l'intelligence.

Quand nous sommes entrés dans le rythme de ce poème; quand nous avons éclairé les images les unes par les autres; quand nous avons compris qu'elles tendent toutes au même but, il devient évident qu'elles ont un *sens*, une direction, donc une signification. Et cette signification, ce n'est pas celle que je veux bien leur donner, mais celle que l'auteur a bien voulu leur donner. Cette signification, je veux bien qu'elle ressemble plus au soleil qu'à un chat: elle éblouit, si je la regarde trop directement et fixement; mais elle éclaire, si je regarde la chose qu'elle éclaire; ici, le Noir dans son mystère lumineux et noir. J'obtiendrais d'ailleurs le même résultat si, au lieu du soleil, je regardais bien le chat: ce chat, je peux le regarder bien en face, aussi longtemps que je veux, et, apparemment, il apparaît très clair; mais si je suis quelque peu exigeant, si je veux *saisir* le chat, comme Césaire a voulu *saisir* le Noir, je me rendrai vite compte que ce sacré chat est aussi mystérieux et éblouissant que le soleil clair ou le Noir obscur.

Mais revenons à ce vieux soleil qui éclaire toutes choses. Comme lui, la poésie éclaire l'homme et les choses. Elle les rend vivants, présents, colorés, savoureux de pulpe et de forme. Elle les sort de l'anonymat, de l'obscurité prosaïque; elle les nomme, elle les distingue (dans les deux sens du terme), leur restitue une signification que l'inattention leur avait fait perdre. Elle les identifie, les singularise à un degré extrême, en même temps qu'elle rend sensibles les liens infinis qui les soudent au cosmos, celui du réel et celui du possible.

Vigneault, par exemple, nous apprend à voir et à goûter les choses et les gens d'ici. Comme Savard l'a fait avec les colons de *L'abatis*, Vigneault nous fera prendre conscience qu'un bûcheron, un facteur, un débardeur, un marin d'ici, personnages classés au bas de l'échelle sociale par l'opinion vulgaire, sont des humains à part entière, qu'ils peuvent vivre tous les sentiments humains avec autant d'intensité que les héros de toutes les autres civilisations. Mais il faut apprendre à les regarder, à voir plus loin que les apparences. Et la poésie est précisément un des moyens les plus efficaces pour nous faire redécouvrir l'homme, tout homme, sous ce fatras des apparences, des préjugés, de nos jugements aussi superficiels que bien clairs. La poésie, comme l'amour, replace l'homme, tout homme, dans sa dignité:

> Qui seul amour change la face de l'homme
> qui seul amour prend hauteur d'éternité
>
> MIRON.

Donc, après deux semaines où le Noir a été éclairé au soleil de la poésie de Césaire, ce Noir devient pour la plupart des étudiants au moins aussi évident qu'un Noir rutilant d'huile sous les rayons de la pleine lune. Et alors se posent les questions: «Ce Noir que nous a présenté Césaire à l'aide d'images «obscures», est-il aussi signifiant, intéressant, vrai, savoureux, que le Noir présenté par l'économiste, le politicien, l'historien, le psychologue, le biologiste, le philosophe ou tout autre spécialiste considéré, lui, comme *objectif*, *réaliste* et *clair*? Le Noir de Césaire a-t-il plus de présence et de vérité que le Noir passé au crible de la seule raison et d'une grille d'analyse dite scientifique? Est-ce vrai que le poète dit des balivernes? Est-ce vrai qu'il parle à peu près, pour dire confusément des choses confuses?» Mais alors, quand, il y a deux semaines, vous m'avez dit que vous ne compreniez rien, est-ce le poète qui était coupable ou son lecteur? Et si Césaire nous avait décrit en deux pages son Noir, en une suite de phrases parfaitement intelligibles à la première lecture, sans images troublantes (images que vous jugiez alors troubles, confuses, voire insensées), est-ce qu'il nous aurait donné du Noir cette connaissance profonde et chaleureuse que nous en avons maintenant?

La plupart répondront que la poésie, ce n'est pas une bisounerie pour désœuvrés maladifs; que son langage est l'un des mieux adaptés pour saisir l'homme en profondeur et l'exprimer en plénitude. Comme le font la musique et tous les arts.

Et quand nous aurons vu un poème où Brassens danse avec la mort, en effeuillant d'une main le chrysanthème et retenant de l'autre la queue de son chat; puis deux poèmes où Apollinaire nous présente la savoureuse Lou et où Anne Hébert nous parle du terrible amour, grand cheval noir et fougueux; des poèmes où Saint-Denys Garneau ou Villon essaient de dire l'angoisse et l'espérance de l'homme; puis Gaston Miron et Paul Chamberland allumant l'abatis des résineux où flambe le désir de libération du peuple québécois; et d'autres poèmes de même qualité qui s'intéressent à l'homme dérisoire et sublime, nous pourrons nous arrêter pour un moment de synthèse et nous demander de quoi parle la poésie. D'intuitions en évidences, il se crée chez quelques-uns des initiés la conviction que la poésie est quelque chose de si précieux que toute leur vie ils lui resteront fidèles, sinon comme à une femme uniquement aimée, du moins comme au ciel et à la terre où se déroule l'histoire de l'homme. Quant aux autres, ils sauront au moins que la poésie n'est pas ce qu'on en dit, quand on en parle à travers la sainte paresse de l'ignorance.

4.2.3 ÉCRIRE DE LA POÉSIE?

Voilà pour l'initiation à la poésie à partir de textes poétiques. Il y a une autre initiation, qui consisterait à écrire soi-même de la poésie. Et c'est l'initiation la plus initiante, sans aucun doute. Mais pour qui? Pour tous? ou pour ceux qui ont le don poétique?

Même si le maître est capable de distinguer le poétique du non-poétique, est-il sûr qu'il rendra service à tout le monde en obligeant tout le monde à écrire des poèmes? Tout le monde peut admirer avec grand profit un acrobate, mais faut-il demander à tout le monde de s'exercer à marcher sur un fil de fer, à trente pieds au-dessus de la piste prosaïque? On ne méprise pas l'homme, ni tel homme, si on ne demande pas à tout homme d'écrire de la poésie, même si la poésie est une nourriture indispensable à tout homme. Comment ne pas voir que le langage poétique est un langage aussi spécialisé que celui de l'orgue ou du japonais? Le besoin poétique est commun, l'aptitude à goûter la poésie est aussi répandue que l'aptitude à goûter l'amour; mais pas nécessairement à goûter la poésie s'exprimant par le langage, et surtout pas nécessairement à créer par le langage un monde poétique.

Alors, il me semble que c'est déjà un défi presque téméraire d'essayer d'initier tous les jeunes d'un groupe à goûter les poèmes écrits par d'authentiques poètes; vouloir *atteler* tout le monde à écrire de la poésie me semble un défi non seulement aventureux, mais proprement insensé. Chez un grand nombre, pour ne pas dire chez la plupart, pareille corvée ou emballement ne produirait que des caricatures poétiques du genre de: «L'astre du jour dételle.» Avec des enfants, peut-être que les résultats seront plus convaincants, comme dans le cas de la pratique des arts plastiques et de la musique; avec cette restriction toutefois que ce qu'on admire comme poétique chez eux doit être mis le plus souvent au compte de l'équivoque «savoureuse» ou de la liberté et du mystère à bon marché.

Pour ma part, je laisse aux étudiants la liberté de s'exercer à la poésie ou de réfléchir en prose sur la poésie. Même parmi ceux qui décident librement de produire des textes poétiques, il me faut très souvent faire voir aux auteurs en quoi leurs textes dits poétiques ne sont que de la mauvaise prose qui essaie de se donner des apparences poétiques; bref, que leurs textes sont de la *proésie*. Et quand je leur fais ces remarques, je ne crois pas étouffer la poésie naissante, mais tout simplement signaler qu'il vaut mieux écrire de la prose honnête que de faire de la poésie mort-née.

Par contre, dès qu'il y a signe de vie poétique vraie, il faut applaudir. Quitte à signaler, s'il y a lieu, l'effort à faire pour permettre à ce germe vivant de s'épanouir avec plus d'éloquence et de plénitude. Ainsi, sur un groupe de trente étudiants, il s'en trouvera peut-être trois ou quatre pour faire la preuve qu'ils savent de quoi ils parlent quand ils parlent en poésie. Trois ou quatre, c'est trop ou pas assez? Cela prouve que ma méthode étouffe la vie poétique généreuse qui ne demanderait pas mieux que s'épanouir, si elle trouvait des circonstances pédagogiques plus favorables? Je ne sais; mais j'en sais tout autant que les psychologues d'avant-garde qui voudraient me convaincre que tout le monde peut écrire de la poésie valable.

Au lieu de laisser quelqu'un détraquer tout son système mental à pratiquer l'art le plus subtil, mieux vaut lui conseiller la bonne vieille prose qui a, elle aussi, son univers et son infini. «Il faut suivre sa pente; à la condition qu'elle monte», disait Gide. Il faut suivre sa poésie; à la condition que ce ne soit pas de la mauvaise prose. Comment savoir si sa poésie est vivante ou mort-née? Peut-être bien que Nixon ne le savait pas; mais peut-être bien que Shakespeare le savait; et tous les vrais poètes avec lui.

4.2.4 LA POÉSIE ET LE POSSIBLE

Un dernier mot sur la libération de l'esprit qu'apporte l'étude de la poésie et, de façon plus générale, de toute activité artistique. J'ai déjà signalé que la poésie ouvre au royaume du possible, fait prendre conscience que l'homme et l'univers sont en devenir, qu'ils échappent de toutes parts aux formules qui se veulent définitives, exhaustives. «Berçant notre infini sur le fini des mers», des thèses, des antithèses et surtout des synthèses. À notre époque de petites spécialisations, il est urgent de faire éclater les moules où s'enferment les fausses certitudes qui prennent toutes les apparences de l'objectivité dite scientifique. Un jeune ou un adulte qui ne jurent plus que par l'économie, la sociologie, la robotique, la biologie, l'informatique, la psychologie et la philosophie, quand ce n'est pas tout bonnement par l'astrologie, le spiritisme ou la parapsychologie, ce sont des animaux tristement raisonnables et domestiqués. Pas assez raisonnables pour voir que la vie, l'homme, fuient comme de l'eau à travers les mailles de leur filet à papillon.

Dieu sait pourtant si les jeunes y croient dur comme fer à leurs petites spécialisations dites objectives, sérieuses, «dans le sens de l'Avenir»! D'où l'impérieuse nécessité de leur rappeler que la réponse aux problèmes éternels de l'homme, ce n'est pas 28, ou $H + F = Con^2$, ou toute autre formule magique, sacrée, y compris celle de la relativité absolue et du pessimisme intégral. Un enseignement des sciences, ouvert, intelligent, devrait conduire au même résultat; mais il se trouve que, de façon générale, cet enseignement conduit à l'admiration béate du tournevis, de la pompe ou de l'ordinateur.

De tout temps, les hommes quelque peu réfléchis ont compris que le merle était incompréhensible; aujourd'hui, avec le progrès des sciences, qui toutes ont avoué leur désarroi face aux problèmes infinis que leur pose le merle qui fait le printemps ou le merle qui défait l'automne, personne n'a plus le droit d'ignorer qu'un merle, c'est infiniment plus énigmatique que le fameux sourire de la Joconde. Regardez bien un merle, et vous me direz si ce sacré merle, si rouge d'évidence, ne vous laisse pas bouche bée, et intelligence bée. Quand viendra le printemps, regardez bien, écoutez bien le premier merle de rencontre, et il vous expliquera pourquoi l'homme, un beau jour, a inventé la poésie. Si vous êtes plus pressés de l'apprendre, le premier chat venu vous satisfera tout aussi bien que le merle. Et vous obtiendrez le même résultat si vous regardez bien votre Moi dans un miroir ou dans les profondes ténèbres de votre conscience.

*

Insistons quelque peu sur notre science et notre conscience enténébrées. Au mois de juillet, monte dans ta barque, prends le large. Le ciel est clair, le fleuve est calme. Jette l'ancre, penche-toi sur l'eau et regarde, regarde attentivement. À quelle profondeur plongent tes yeux de lynx? Dix pieds? Quinze pieds? Passé cette mince couche éclairée, qu'aperçois-tu? Plus tu regardes, plus tu ne vois rien. Tu nages en pleine confusion et obscurité. Que vois-tu du fleuve? Une mince couche à sa surface. Cette expérience, faite la tête en bas, peut être fort utile pour remettre la tête à l'endroit, en chassant du cerveau les gaz de la vantardise qui le gonflaient comme un ballon creux.

Le soir de cette journée mémorable, rentre dans ta chambre, fais le silence le plus complet, ferme bien les yeux, et, avec toute ta science disponible, essaie de voir clair dans ta conscience. Pose-toi, non pas cent questions, mais une seule, très simple, enfantine, à laquelle chacun de nous, semble-t-il, devrait pouvoir répondre avec la plus grande clarté: *Qui suis-je?* Concentre-toi au maximum. Et alors, quelles réponses entendras-tu dans la nuit, en provenance des profondeurs de ta science et de ta conscience? Des banalités comme celles-ci: «Je suis Paul; j'ai 18 ans; j'ai les cheveux bruns; je digère bien; je suis beau; je recevrai bientôt mon diplôme en Sciences pures; j'irai à l'université; je me marierai; je serai riche et heureux, etc.» Oui, mais tout cela est bien superficiel comme réponse: un peu de clarté, des scintillements éparpillés à la surface de cet océan de ta conscience que ton pénétrant regard scientifique arrive tout au plus à effleurer. Et plus tu chercheras à te saisir, plus ton fameux Moi se dissipera en fumée insaisissable.

Et si toi, tu ne peux te comprendre, penses-tu que le physicien, le psychologue, le mathématicien, le biologiste, l'économiste et autres «compétences» y parviendront? Alors, tu comprends que toutes les sciences dites exactes, objectives, expliquent très peu du mystère de l'homme et de l'univers. L'art, la mystique, la poésie, il est vrai, n'expliquent pas plus ce mystère que ne font les sciences; mais ils ont une très grande utilité: garder l'homme conscient de son mystère, attentif, ému, émerveillé face à ce mystère.

La poésie et l'art, qui associent étroitement contemplation et action, en même temps qu'ils ouvrent l'esprit à l'infini de la vie et du possible, lui permettent d'agir, d'entrer dans le processus qui donne au possible la possibilité de devenir forme. Une forme inédite, ouverte sur le futur. Une forme par laquelle l'homme se forme lui-même en fécondant le passé et le présent. L'homme, il est vrai, se forme lui-même en fabriquant une charrue, en pilotant un avion, en construisant des barrages; dans toutes ces activités, il arrache le possible à l'informe.

Mais toutes ces activités comportent une bonne dose de routine, de préfabriqué, de passivité, autant dire: de mort. Pas besoin de beaucoup de vie pour être un citoyen modèle, productif de boulons ou de programmes gouvernementaux. Inventer un monde inédit à partir de mots, de volumes, de sons et de couleurs, voilà une entreprise qui exige un esprit éminemment ouvert à la contemplation du Tout, et farouchement déterminé à agir sur l'informe pour en faire un arbre. Être poète, c'est infiniment plus que faire de la poésie: c'est participer à la création de l'homme et du monde, non pas sur des points secondaires, mais sur l'essentiel. Car la poésie engage tout l'homme et le cosmos. C'est, au milieu des idoles mortes, l'incarnation du verbe vivant. Ce qui peut redonner le goût de la vie, du monde et de l'homme à ceux que désespère l'organisation scientifique et bornée de l'homme et de la vie.

Je surprenais aussi les confidences que l'on échangeait à voix basse. Elles portaient sur les maladies, l'argent, les tristes soucis domestiques. Elles montraient les murs de la prison terne dans laquelle ces hommes s'étaient enfermés. Et, brusquement, m'apparut le visage de la destinée.

Vieux bureaucrate, mon camarade ici présent, nul jamais ne t'a fait évader et tu n'en es point responsable. Tu as construit ta paix à force d'aveugler de ciment, comme le font les termites, toutes les échappées vers la lumière. Tu t'es roulé en boule dans ta sécurité bourgeoise, tes routines, les rites étouffants de ta vie provinciale, tu as élevé cet humble rempart contre les vents et les marées et les étoiles. Tu ne veux point t'inquiéter des grands problèmes, tu as eu bien assez de mal à oublier ta condition d'homme. Tu n'es point l'habitant d'une planète errante, tu ne te poses point de questions sans réponse: tu es un petit bourgeois de Toulouse. Nul ne t'a saisi par les épaules quand il en était temps encore. Maintenant, la glaise dont tu es formé a séché, et s'est durcie, et nul en toi ne saurait désormais réveiller le musicien endormi ou le poète, ou l'astronome qui peut-être t'habitait d'abord.

SAINT-EXUPÉRY, *Terre des hommes*,
Gallimard, Paris, 1939, 182 pages.

4.2.5 INTERPRÉTATION DE POÈMES

Je ne crois pas m'être trompé en disant que la meilleure initiation à la poésie, c'est d'écrire de la poésie. L'autre forme d'initiation la plus initiante me semble aussi évidente: c'est d'interpréter la bonne poésie écrite par d'autres.

Pour interpréter la poésie, il faut faire un travail comparable à celui de l'écriture. À peu près tout le monde devrait savoir qu'écrire exige une réflexion poussée jusqu'au deuxième, ou troisième degré. Aussi longtemps que tu n'écris pas ce que tu penses, tu penses que tu penses sensément et clairement. Et tu as l'heureuse impression que tu en sais beaucoup plus sur le sujet que tu n'en sais réellement. Tu vis heureux, dans une brumeuse et confortable illusion. Mais écris, et ta page blanche te sera un miroir plus impartial que tous les autres miroirs: ce miroir te renvoie, sans complaisance, l'état de ta pensée et de tes connaissances. Le noir sur ta feuille en dit long, dit tout, sur les blancs de ta pensée. Tu pensais avoir beaucoup à dire; tu croyais tes connaissances presque sans fond, illimitées, et voilà qu'après quelques lignes, quelques pages, ta science est épuisée; et que même ce que tu as réussi à dire est loin d'avoir cette fulgurante clarté et cette profondeur que tu prêtais gratuitement à ta pensée.

L'interprétation d'un poème fera vivre à peu près la même expérience.

Elle oblige d'abord à comprendre le texte, et en profondeur, et dans toutes ses subtilités. Sinon, tu ne sauras pas quel ton, quelle vitesse, quel rythme adopter; où faire les arrêts; quels mots mettre en relief; où employer le fortissimo ou le pianissimo; quand brûler de colère, ou de joie, ou de tristesse; quand pimenter d'humour ou d'ironie, selon les besoins du texte. Pour le savoir, tu devras lire, relire ton texte, des douzaines de fois, en l'annotant, explicitement ou implicitement, de multiples signes d'interprétation. Tu es amené à redécouvrir la vie que le créateur a mise dans son œuvre, avec toute sa force et toutes ses nuances.

Et ce n'est qu'une étape, la plus facile. Car jusqu'ici, tu n'as fait qu'explorer sur ta carte l'anatomie de la montagne. Maintenant, il te faut vaincre la montagne. C'était déjà beaucoup de savoir que là se trouve un glacier, ici une crevasse, là une pente en face de singe, ici une corniche. Mais maintenant, il faut te battre corps à corps avec la montagne. Et la montagne ne fait pas de quartier. Si tu dérapes, si tu bafouilles, cafouilles et bredouilles, si tu t'enfarges dans les buissons, si tu culbutes dans les poches de neige, si tu t'essouffles et ahanes, elle, impitoyablement, sereinement, continue à monter, et te dit que le sommet est *là*! non pas où tu es rendu, mais *là où elle est rendue*. Et tu pestes contre la montagne, et tu lui lances des injures bien senties. En vain: elle monte, et tu dois monter; sinon, tu es un couillon. Et je suppose que tu ne veux pas être un couillon; et tu te remets à l'attaque.

Et comme l'ascension dure longtemps, tu as tout le temps de faire un douloureux mais bien salutaire examen de conscience. Tu pensais, par exemple, avoir du caractère; mais tu constates que, pour incarner le caractère du héros du texte, il t'en manque beaucoup. Tu veux parler comme, dans le texte, parle le lion enragé; et tu arrives tout au plus à pleurnicher comme le minet ou le minou de Marie-Louise; à moins que, passant d'un extrême à l'autre, tu hurles, au lieu de parler. Tu pensais avoir des lèvres et des dents plus que convenables; mais ces lèvres et ces dents, quand tu veux faire retentir les consonnes, ou baiser les voyelles, ont la consistance de la margarine fondue, et vagissent mollement de l'informe et du visqueux. Tu pensais avoir des poumons olympiques, et voilà qu'à tout bout de vers tu es à bout de souffle, et que ta bouche, quand ton intelligence lui commande un fortissimo, répond par un piano exténué et chevrotant.

Dans ces conditions, pourrais-tu parler au nom de ton peuple à l'ONU? Pourrais-tu même tenir le coup pendant cinq minutes devant n'importe quel auditoire composé d'autres personnes que tes intimes et ceux qui t'aiment bien? Soyons francs et honnêtes jusqu'au bout: avec cette voix et ce caractère que tu n'as pas développés, pourrais-tu en imposer au chien qui fait la loi dans ton quartier, et qui, lui, a développé suffisamment son flair, sa voix et ses dents pour savoir qui il peut faire monter dans les rideaux ou les poteaux, et qui, de la voix, du geste de la main et du geste du pied, peut lui commander de ramper sous la galerie ou d'escalader le poteau?

Jusqu'ici, évidemment, j'ai insisté surtout sur les difficultés de l'ascension. Pour te faire voir qu'elle exige, impérieusement, que tu prennes possession de ton corps, de ton intelligence, de tout ton être; que tu leur commandes de te suivre là où tu veux monter: pas à mi-pente, pas aux trois quarts, mais au sommet. Et quand tu croiras y être rendu, enfin! et peut-être même un peu plus haut, que tu exagères, te semble-t-il, à force d'être bon, il faudra que quelqu'un de charitablement lucide te dise que tu viens à peine de franchir la ligne du médiocre; et que le meilleur reste à venir. Ce n'est pas une raison pour te décourager: tu es parti de 12%, du fond de ta coquille, et te voilà rendu à 60,3%. C'est quelque chose; mais des sommets à 60,3%, ce n'est pas très vertigineux. Un chansonnier qui se donne à 65% sur la scène, tu as envie de lui lancer des œufs pourris. Pour qu'il te semble bon, il faut qu'il se donne à 120%; alors, toi qui le suis avec nécessairement un certain décalage, tu monteras à 85% de ferveur, et tu auras l'impression d'être bon, de n'avoir perdu ni ton temps ni ton argent. Des ferveurs à 65%, c'est flasque, visqueux, dégoûtant.

D'autre part, il y a toutes les réussites. Tu n'as pas encore gagné la guerre, mais tu gagnes des batailles. Contre ta paresse, contre tes illusions, contre ta mollesse de lèvres, de dents, de langue, de poumons, de gosier et surtout de caractère; contre l'à-peu-près insipide et le bousillage. Tu commences à devenir quelqu'un d'intéressant à écouter, ailleurs que devant une bouteille de bière avec des chums, ou sur le divan de la cave. Tu progresses, et ça se voit. Tu le vois, les autres le voient. Et quand tu réussis à casser la fameuse glace et la non moins fameuse coquille, les autres voient, noir sur blanc, que tu n'es plus gelé, embobiné, encoquillé. Bref, tu commences à prendre la forme d'un homme, à devenir statue éloquente, et non plus botte de foin mouillé ou poule mouillée.

*

Je connais peu d'exercices plus fructueux que celui-là parmi tous ceux qu'on peut faire pour se former l'esprit, le caractère, et pour avoir une personnalité autre que celles de Colgate, Cottonelle, Pepsi, Molson ou pop corn.

Les années où la nature se montre généreuse et t'offre, sur un groupe de trente étudiants, cinq, dix pur-sang que tu vois, en fin de session, évoluer avec une force gracieuse, crinière au vent, l'œil étoilé, dans la ferveur de l'intelligence et de la passion, tu rends des actions de grâce à l'Homme, et tu te dis qu'il n'est rien comme l'inutile poésie pour féconder l'Homme, l'ensemencer d'étoiles.

Tu t'assois quelque temps au sommet de la montagne, pour contempler tout ce qu'on ne voit pas d'en bas. Puis tu redescends, pour te faire le guide d'un autre groupe d'apprentis alpinistes. En espérant... En espérant trouver au pied de la montagne poétique d'autres jeunes dont la pente monte. C'est ça, sauver la civilisation, contre l'inertie des prosaïques montagnes de margarine.

CHAPITRE CINQUÈME

LES THÈMES POÉTIQUES

Les p'tits oiseaux, les clairs de lune, les beaux couchers de soleil, de préférence exotiques, ont engendré beaucoup de *proésie*, de limonades pseudo-poétiques.

Parce que les auteurs de ces poèmes sentimentaux croient qu'un texte, pour être poétique, doit mariner dans de l'eau de rose sucrée et être servi à la tarte avec beaucoup de crème. Ils seraient bien étonnés d'apprendre que l'ingrédient essentiel de la poésie, ce n'est pas le sucre: c'est le feu!

Aussi les poètes liquéfiés, non pas au feu, mais au sirop, forment-ils une belle confrérie, avec les peintres et les écrivains sans imagination ni caractère. Les uns et les autres ont cette belle personnalité *White Swan* qui rayonne chez les beaux gars et les belles filles idéales de notre fameux catalogue Sears. Inutile de dire – mais il faut le dire quand même, puisqu'à peu près personne ne le croit ou n'ose le dire – que ces personnalités falotes ou pâlottes, bien que fardées et rutilantes, rejoignent en ligne directe celles de nos téléromans et les héros synthétiques des *best sellers* américains dont on fait des séries télévisées très populaires, pour crétiniser à l'américaine notre peuple qui aspire à vivre l'*American way of life*, pour être à la fine pointe de cette civilisation si bien incarnée par les élégants gorilles de *Dallas*.

Le matériau poétique, c'est toute passion, si elle est portée à l'état d'incandescence. Toute forme de vie intérieure à l'homme, et toute forme de vie extérieure à l'homme; pourvu que le feu la dégage de sa gangue de routine et en fasse voir l'éclat et la richesse. Les prophètes et les mystiques, pour parler de Dieu, parlent habituellement d'une lumière éblouissante, d'un feu dévorant. La Colombe de la Pentecôte s'accompagne de langues de feu. Le vrai poète, lui aussi, s'il parle des clairs de lune, en parle brûlé par le soleil; et ses p'tits oiseaux, comme le phénix, seront consumés sur un bûcher, pour renaître de leurs cendres avec les ailes et le rythme puissants de l'albatros.

*

Je donne ici quelques-uns des innombrables thèmes qui ont alimenté la poésie authentique. En classant tel ou tel poème dans l'un ou l'autre de ces thèmes, je n'ai pas l'intention de lui accoler une étiquette éternelle ou de prétendre qu'on a dit l'essentiel d'un poème en le classant parmi les poèmes de haine ou d'amour. Quand le touriste superficiel et, naturellement, très pressé, s'est fait dire par le guide que tel tableau de Delacroix s'intitule *La Liberté guidant le peuple*, il se considère en règle avec la peinture et le dénommé Delacroix; et il se demande ce qu'il peut bien y avoir d'autre à comprendre dans ce tableau. C'est ainsi que 99,2% des touristes perdent dans les musées un temps qu'ils occuperaient plus utilement à compter des petits pois. Quand on dit d'un homme qu'il est en colère, on ne soutient pas pour autant que cet homme ne contient que de la colère. Ceci dit, je crois qu'il n'est pas tout à fait impertinent de classer *Le Cantique des Cantiques* parmi les poèmes d'amour, et *Le temps de la haine*, parmi les poèmes qui ne sont pas des cantiques d'amour.

Comment utiliser ces poèmes?

Leur première utilité sera sans doute d'élargir quelque peu l'horizon poétique. Une étude de la poésie, même sommaire, ne saurait se limiter aux quelques poèmes analysés sommairement plus haut.

Ces poèmes peuvent servir à des exercices de tous genres, au gré du professeur et de l'étudiant: étude de l'image, du rythme, de la cohérence, de la structure, de la sonorité, de la progression, de la qualité de la langue, de la relation du poème avec la société où il a pris racine; pourvu que l'angle ou les angles d'étude choisis aient un lien direct avec la poésie. Dans les textes poétiques utilisés au cours des chapitres antérieurs, c'est moi qui choisissais l'angle d'étude; en prenant soin de signaler de temps à autre qu'il y avait bien d'autres angles possibles. Ici, je m'efface complètement: chaque professeur, chaque étudiant a toute liberté d'engager avec le poème le genre de dialogue qu'il lui plaira d'avoir.

Et jusqu'ici, c'est moi surtout qui travaillais: j'expliquais, et le lecteur n'avait qu'à me surveiller pour voir si je disais sur la poésie des choses sensées ou insensées. Par exemple, j'ai étudié la cohérence des images dans quelques poèmes; ailleurs, j'ai fait quelques analyses de rythme. Reste au lecteur à faire l'essentiel: vérifier si, libéré du moniteur ou du guide, il est en mesure d'escalader les poèmes, ou de les contempler de façon active.

5.1 L'AMOUR

Le Cantique des Cantiques

Comme un pommier au milieu des arbres de la forêt,
tel est mon bien-aimé parmi les jeunes hommes.
J'ai désiré m'asseoir à son ombre,
et son fruit est doux à mon palais.
Il m'a fait entrer dans son cellier,
et la bannière qu'il lève sur moi, c'est l'amour.
Soutenez-moi avec des gâteaux de raisin,
fortifiez-moi avec des pommes,
car je suis malade d'amour.
Que sa main gauche soutienne ma tête,
et que sa droite me tienne embrassée.
...
Oui, tu es belle, mon amie; oui, tu es belle!
Tes yeux sont des yeux de colombes derrière ton voile;
tes cheveux sont comme un troupeau de chèvres,
suspendues au flanc de la montagne de Galaad.
Tes dents sont comme un troupeau de brebis tondues,
qui remontent du lavoir;
chacune porte deux jumeaux,
et, parmi elles, il n'est pas de stérile.

Tes lèvres sont comme un fil de pourpre,
et ta bouche est charmante;
ta joue est comme une moitié de grenade,
derrière ton voile.
Ton cou est comme la tour de David,
bâtie pour servir d'arsenal;
mille boucliers y sont suspendus,
tous les boucliers des braves.
Tes deux seins sont comme deux faons
jumeaux d'une gazelle,
qui paissent au milieu des lis.
Avant que vienne la fraîcheur du jour,
et que les ombres fuient,
j'irai à la montagne de la myrrhe,
et à la colline de l'encens.
...
Que tu es belle, que tu es charmante,
mon amour, au milieu des délices!
Ta taille ressemble au palmier,
et tes seins à ses grappes.
J'ai dit: je monterai au palmier,
j'en saisirai les régimes.
Que tes seins soient comme les grappes de la vigne,
le parfum de ton souffle comme celui des pommes,
et ton palais comme un vin exquis!...

Qui coule aisément pour mon bien-aimé,
qui glisse sur les lèvres de ceux qui s'endorment.
...
Mets-moi comme un sceau sur ton cœur,
comme un sceau sur ton bras;
car l'amour est fort comme la mort,
sa jalousie est inflexible comme le schéol.
Ses ardeurs sont des ardeurs de feu,
une flamme de Yahweh.
Les grandes eaux ne sauraient éteindre l'amour,
et les fleuves ne le submergeraient pas.
Un homme donnerait-il pour l'amour toutes les richesses
de sa maison,
on ne ferait que le mépriser.

Extraits.

Chanson

Quand il est entré dans mon logis clos,
J'ourlais un drap lourd près de la fenêtre.
L'hiver dans les doigts, l'ombre sur le dos...
Sais-je depuis quand j'étais là sans être?

Et je cousais, je cousais, je cousais...
— Mon cœur, qu'est-ce que tu faisais?

Il m'a demandé des outils à nous.
Mes pieds ont couru, si vifs, dans la salle,
Qu'ils semblaient, – si gais, si légers, si doux, –
Deux petits oiseaux caressant la dalle.

De-ci, de-là, j'allais, j'allais, j'allais...
— Mon cœur, qu'est-ce que tu voulais?

Il m'a demandé du beurre, du pain,
— Ma main en l'ouvrant caressait la huche –
Du cidre nouveau, j'allais, et ma main
Caressait les bols, la table, la cruche.

Deux fois, dix fois, vingt fois je les touchais...
— Mon cœur, qu'est-ce que tu cherchais?

Il m'a fait sur tout trente-six pourquois.
J'ai parlé de tout, des poules, des chèvres,
Du froid et du chaud, des gens, et ma voix
En sortant de moi caressait mes lèvres...

Et je causais, causais, causais...
— Mon cœur, qu'est-ce que tu disais?

Quand il est parti, pour finir l'ourlet
Que j'avais laissé, je me suis assise...
L'aiguille chantait, l'aiguille volait,
Mes doigts caressaient notre toile bise...

Et je cousais, je cousais, je cousais...
— Mon cœur, qu'est-ce que tu faisais?

Marie NOËL, *Les chansons et les heures*,
Stock, Paris, 1935, 199 pages.

Le figuier maudit

Je fus cet arbre mâle et véridique
Qui cherche sa cime au delà des vents paniques;
Je montais comme une source monte à la mer,
Comme un saint stylite à mi-hauteur du ciel.
Enchâssant dans ma chair le seul anneau des ans,
Je me ceinturais de l'aridité des géants.

Je montais pur sous ma floraison solitaire
Plus caché que l'ombre sous la pierre;
Mes fleurs intérieures, interdites au jour,
Ne surent point l'étonnement d'embaumer
Ni le souci de l'oiseau paré d'amour
Qui cherche trois feuilles pour chanter couronné.
J'avais des fruits plus sensibles à la lèvre
Que la meurtrissure portée jusqu'à la sève,
Par cette pulpe, par cette luxure du fruit
Remontait en moi l'impureté des paradis!

Par cette ruse amère de la stérilité
Je multipliai l'insolence de la feuille;
Fermant de chaque figue l'œil étoilé,
Je devins cette confusion de tours et de vigie,
Cette grappe de fiel que refuse l'Esprit.

Du soleil très haut et du feu bas de la terre
La mer s'est formé un cœur chaud et fluent
Pour rassembler ses poissons de lame en lame;
Le ciel s'est trouvé des ombres et des arbres
Pour couvrir ses oiseaux et reposer ses lumières;
Je n'ai que ces branches embarrassées d'élans,
Cette impasse verte par ces allées de feuilles.
Je n'adhère ni à la couleur ni à la luisance,
Je suis évidé de la moelle d'obéissance;
Mes jonchées n'ont point de baume pour les automnes
Ni manne suspendue comme une ruche comble.

D'un seul regard de sa faim l'Amour m'a jugé,
D'une seule goutte de sa soif l'Amour m'a brûlé,
Pour un seul nid désert l'Amour m'eût béni!
Je suis le paraphe noir de la malédiction,
Et j'attends la fruition de ma désespérance,
J'attends Judas pour l'élever dans la dérision!

Rina LASNIER, *Poèmes*,
Fides, Montréal, 1972, 322 pages.

5.2 LA COLÈRE

Le temps de la haine

Des balles dans le vitrail un matin
le cœur cesse de battre
belles cadences girouettent dans la sacristie saccagée des images
adieu adieu je me tais désaffecté le carrousel halluciné du pur poème
le face-à-main de la belle âme pourrit déjà dans une flaque
où j'ai bu l'aube des villes
adieu adieu puisqu'il était une fois une princesse dans son blanc château...
me voici aussi nu que l'herbe des fossés
et je m'attends déjà par les rues quotidiennes

j'ai cassé le miroir du pur poème et fracassé l'image mur
je rends mes yeux je rends mon front et mes poings nus au privilège du vent ras hurlant aux brèches de colère
et rien plus rien ne me sauvera désormais contre l'âpre tourment des hommes de ma terre

je marche nu dans la distance du silence saigné à blanc
d'où le poème – salve s'arme jusqu'aux dents
du bibelot fracassé la rumeur de l'image déjà s'épuise
la poésie s'emmanche et vibre au même bois que le couteau

homme de boue je marche à la hauteur commune
je me tais et j'entends crépiter sous mon crâne la grêle des pas dans le canon des rues

je suis l'affiche d'où votre sang gicle camarades
éclabousse la nuit des traîtres
et le petit matin des vengeances

Paul CHAMBERLAND, *Terre Québec*,
Librairie Déon, Montréal, 1968, 80 pages.

5.3 L'ENGAGEMENT SOCIAL

La poésie doit avoir pour but la vérité pratique

Si je vous dis que le soleil dans la forêt
Est comme un ventre qui se donne dans un lit
Vous me croyez vous approuvez tous mes désirs

Si je vous dis que le cristal d'un jour de pluie
Sonne toujours dans la paresse de l'amour
Vous me croyez vous allongez le temps d'aimer

Si je vous dis que sur les branches de mon lit
Fait son nid un oiseau qui ne dit jamais oui
Vous me croyez vous partagez mon inquiétude

Si je vous dis que le golfe d'une source
Tourne la clé d'un fleuve entrouvrant la verdure
Vous me croyez encore plus vous comprenez

Mais si je chante sans détours ma rue entière
Et mon pays entier comme une rue sans fin
Vous ne me croyez plus vous allez au désert

Car vous marchez sans but sans savoir que les hommes
Ont besoin d'être unis d'espérer de lutter
Pour expliquer le monde et pour le transformer

D'un seul pas de mon cœur je vous entraînerai
Je suis sans force j'ai vécu je vis encore
Mais je m'étonne de parler pour vous ravir

Quand je voudrais vous libérer pour vous confondre
Aussi bien avec l'algue et le jonc de l'aurore
Qu'avec mes frères qui construisent leur lumière.

Paul ÉLUARD, *Paul Éluard par lui-même*,
Éditions du Seuil, Paris, 1968, 190 pages.

Recours didactique

Mes camarades au long cours de ma jeunesse
si je fus le haut-lieu de mon poème, maintenant
je suis sur la place publique avec les miens
et mon poème a pris le mors obscur de nos combats

Longtemps je fus ce poète au visage conforme
qui frissonnait dans les parallèles de ses pensées
qui s'étiolait en rage dans la soie des désespoirs
et son cœur raillait la crue des injustices

Or je vois nos êtres en détresse dans le siècle
je vois notre infériorité et j'ai mal en chacun de nous

Aujourd'hui sur la place publique qui murmure
j'entends la bête tourner dans nos pas
j'entends surgir dans le grand inconscient résineux
les tourbillons des abatis de nos colères

Toi mon amour tu te tiens droite dans ces jours
nous nous aimons d'une force égale à ce qui nous sépare
la rance odeur du métal et d'intérêts croulants
Tu sais que je peux revenir et rester près de toi
ce n'est pas le sang, ni l'anarchie ou la guerre
et pourtant je lutte, je te le jure, je lutte
parce que je suis en danger de nous-mêmes aux autres
Les poètes de ce temps montent la garde du monde

Car le péril est dans nos poutres, la confusion
une brunante dans nos profondeurs et nos surfaces
nos consciences sont éparpillées dans les débris
de nos miroirs, nos gestes des simulacres de libertés
je ne chante plus je pousse la pierre de mon corps

Je suis sur la place publique avec les miens
la poésie n'a pas à rougir de moi
j'ai su qu'une espérance soulevait le monde jusqu'ici.

Gaston MIRON, *L'homme rapaillé*,
Les presses de l'Université de Montréal, 1970, 171 pages.

[...]
ô lumière amicale
ô fraîche source de la lumière
ceux qui n'ont inventé ni la poudre ni la boussole
ceux qui n'ont jamais su dompter la vapeur ni l'électricité
ceux qui n'ont exploré ni les mers ni le ciel
mais ceux sans qui la terre ne serait pas la terre
gibbosité d'autant plus bienfaisante que la terre déserte davantage la terre

silo où se préserve et mûrit ce que la terre a de plus terre
ma négritude n'est pas une pierre, sa surdité ruée contre la clameur du jour
ma négritude n'est pas une taie d'eau morte sur l'œil mort de la terre
ma négritude n'est ni une tour ni une cathédrale

elle plonge dans la chair rouge du sol
elle plonge dans la chair ardente du ciel
elle troue l'accablement opaque de sa droite patience

Eia pour le Kaïlcédrat royal!
Eia pour ceux qui n'ont jamais rien inventé
pour ceux qui n'ont jamais rien exploré
pour ceux qui n'ont jamais rien dompté

mais ils s'abandonnent, saisis, à l'essence de toute chose
ignorants des surfaces, mais saisis par le mouvement de toute chose
insoucieux de dompter, mais jouant le jeu du monde
aire fraternelle de tous les souffles du monde
lit sans drain de toutes les eaux du monde
étincelle du feu sacré du monde
chair de la chair du monde palpitant du mouvement même du monde!

Tiède petit matin des vertus ancestrales

Sang! Sang! tout notre sang ému par le cœur mâle du soleil
ceux qui savent la féminité de la lune au corps d'huile
l'exaltation réconciliée de l'antilope et de l'étoile
ceux dont la survie chemine en la germination de l'herbe!
Eia! parfait cercle du monde et close concordance!

Écoutez le monde blanc
horriblement las de son effort immense
ses articulations rebelles craquer sous les étoiles dures
ses raideurs d'acier bleu transperçant la chair mystique
écoute ses victoires proditoires trompeter ses défaites
écoute aux alibis grandioses son piètre trébuchement
Pitié pour nos vainqueurs omniscients et naïfs!

Eia pour la douleur aux pis de larmes réincarnées
pour ceux qui n'ont jamais rien exploré
pour ceux qui n'ont jamais rien dompté

Eia pour la joie
Eia pour l'amour
Eia pour la douleur aux pis de larmes réincarnées.

Et voici au bout de ce petit matin ma prière virile
que je n'entende ni les rires ni les cris, mes yeux fixés sur
cette ville que je prophétise, belle,

donnez-moi la foi sauvage du sorcier
donnez à mes mains puissance de modeler
donnez à mon âme la trempe de l'épée
je ne me dérobe point. Faites de ma tête une tête de proue
et de moi-même, mon cœur, ne faites ni un père, ni un
frère, ni un fils mais le père, mais le frère, mais le fils, ni
un mari, mais l'amant de cet unique peuple.

Faites-moi rebelle à toute vanité, mais docile à son génie
comme le poing à l'allongée du bras!

Faites-moi commissaire de son sang
faites-moi dépositaire de son ressentiment
faites de moi un homme de terminaison
faites de moi un homme d'initiation
faites de moi un homme de recueillement

mais faites aussi de moi un homme d'ensemencement
faites de moi l'exécuteur de ces œuvres hautes
voici le temps de se ceindre les reins comme un vaillant homme

Mais les faisant, mon cœur, préservez-moi de toute haine
ne faites point de moi cet homme de haine pour qui je n'ai que haine
car pour me cantonner en cette unique race
vous savez pourtant mon amour tyrannique
vous savez que ce n'est point par haine des autres races
que je m'exige bêcheur de cette unique race
ce que je veux
c'est pour la faim universelle
pour la soif universelle

La sommer libre enfin
de produire de son intimité close
la succulence des fruits.

Aimé CÉSAIRE, *Cahier d'un retour au pays natal*,
Présence africaine, Paris, 1971, 155 pages.

5.4 LA MORT

Ophélia

Sur l'onde calme et noire où dorment les étoiles,
La blanche Ophélia flotte comme un grand lys,
Flotte très lentement, couchée en ses longs voiles.
On entend dans les bois lointains des hallalis.

Voici plus de mille ans que la triste Ophélie
Passe, fantôme blanc, sur le long fleuve noir;
Voici plus de mille ans que sa douce folie
Murmure sa romance à la brise du soir.

Le vent baise ses seins et déploie en corolle
Ses grands voiles bercés mollement par les eaux.
Les saules frissonnants pleurent sur son épaule.
Sur son grand front rêveur s'inclinent les roseaux.

Les nénuphars froissés soupirent autour d'elle.
Elle éveille parfois, dans un aulne qui dort,
Quelque nid d'où s'échappe un petit frisson d'aile.
Un chant mystérieux tombe des astres d'or.

Ô pâle Ophélia, belle comme la neige,
Oui, tu mourus, enfant, par un fleuve emportée!
C'est que les vents tombant des grands monts de Norvège
T'avaient parlé tout bas de l'âpre liberté.

C'est qu'un souffle inconnu, fouettant ta chevelure,
À ton esprit rêveur portait d'étranges bruits;
Que ton cœur entendait la voix de la Nature
Dans les plaintes de l'arbre et les soupirs des nuits.

C'est que la voix des mers, comme un immense râle,
Brisait ton sein d'enfant trop humain et trop doux;
C'est qu'un matin d'avril un beau cavalier pâle,
Un pauvre fou, s'assit muet à tes genoux.

Ciel, Amour, Liberté: quel rêve, ô pauvre folle!
Tu te fondais en lui comme une neige au feu.
Tes grandes visions étranglaient ta parole.
— Et l'Infini terrible effara ton œil bleu.

Et le Poète dit qu'aux rayons des étoiles
Tu viens chercher, la nuit, les fleurs que tu cueillis,
Et qu'il a vu sur l'eau, couchée en ses longs voiles,
La blanche Ophélia flotter, comme un grand lys.

Arthur RIMBAUD.

Cage d'oiseau

Je suis une cage d'oiseau
Une cage d'os
Avec un oiseau

L'oiseau dans ma cage d'os
C'est la mort qui fait son nid
Lorsque rien n'arrive
On entend froisser ses ailes
Et quand on a ri beaucoup
Si l'on cesse tout à coup
On l'entend qui roucoule
Au fond comme un grelot

C'est un oiseau tenu captif
La mort dans ma cage d'os
Voudrait-il pas s'envoler
Est-ce vous qui le retiendrez
Est-ce moi
Qu'est-ce que c'est

Il ne pourra s'en aller
Qu'après avoir tout mangé
Mon cœur
La source du sang
Avec la vie dedans

Il aura mon âme au bec.

Saint-Denys GARNEAU, *Poésies*,
Fides, Montréal, 1972, 238 pages.

5.5 LA COMPASSION

La ballade des pendus

Freres humains, qui après nous vivez,
N'ayez les cuers contre nous endurcis;
Car, se pitié de nous povres avez,
Dieu en aura plus tost de vous mercis.
Vous nous voiez cy attachez, cinq, six;
Quant de la chair, que trop avons nourrie,
Elle est pieça dévorée et pourrie,
Et nous, les os, devenons cendre et pouldre.
De notre mal personne ne s'en rie,
Mais priez Dieu que tous nous vueille absouldre!

Se vous clamons freres, pas n'en devez
Avoir desdaing, quoy que fusmes occis
Par justice; toutes fois, vous sçavez
Que tous hommes n'ont pas bon sens rassis;
Excusez nous, puis que sommes transsis,
Envers le Fils de la Vierge Marie,
Que sa grace ne soit pour nous tarie,
Nous préservant de l'infernale fouldre.
Nous sommes mors; ame ne nous harie;
Mais priez Dieu que tous nous vueille absouldre!

La pluye nous a debuez et lavez,
Et le soleil dessechiez et noircis;
Pies, corbeaulx, nous ont les yeux cavez
Et arrachié la barbe et les sourcis;
Jamais, nul temps, nous ne sommes assis;
Puis ça, puis la, comme le vent varie,
A son plaisir sans cesser nous charie,
Plus becquetez d'oiseaulx que dez a couldre.
Ne soiez donc de nostre confrairie;
Mais priez Dieu que tous nous vueille absouldre!

Envoy: Prince Jhesus, qui sur tous as maistrie,
Garde qu'Enfer n'ait de nous seigneurie;
A luy n'ayons que faire ne que souldre!
Hommes, icy n'a point de mocquerie,
Mais priez Dieu que tous nous vueille absouldre!

François VILLON.

5.6 LE RIDICULE

Les grandes inventions

Écoutez comme elle craque le soir l'armoire
la grande armoire à glace
la grande armoire à rafraîchir
la grande armoire à rafraîchir la mémoire des lièvres
Il y a un lièvre dans chaque tiroir
et chaque lièvre dans le froid rafraîchi
comme un fruit glacé

comme un marron glacé
se trouve comme ça soudain
plongé dans son passé
mais ils ne se rappellent rien du tout
les lièvres
Mais l'homme savant a beau perfectionner les meubles
et supplier tremblant de fièvre
les lièvres
et faire l'aimable
Voyons voyons
Je suis le professeur Cocon
j'ai inventé le ver à soie
vous n'allez pas me faire ça à moi
allons allons rappelez-vous
d'où venez-vous
où étiez-vous autrefois
mais les lièvres ne répondent pas
Alors le professeur installe
un grand nouveau système d'horlogerie
avec un sablier à pédale
des calendriers à coulisses
et puis un très petit arbre généalogique
avec des lapins à musique
et puis l'infra-rouge
et le système bleu
mais rien ne bouge
c'est lamentable
dans la tête des lièvres
Il a beau se donner un mal de chien
le pauvre malheureux
mnémotechnicien
toutes ces petites têtes
ah vraiment c'est trop bête
n'en font qu'à leur tête
Alors il tourne autour des meubles
la tête dans ses mains
et il pleure
et il pleure
Soudain il sent ses mains mouillées par les pleurs
Tiens et voilà
que je pleure maintenant

Hélas! C'est la grande pitié
des armoires à lièvres de France
Oh! lièvres
Vous n'allez tout de même pas laisser pleurer un professeur
allons faites un petit effort
lièvres souvenez-vous du singe
ou bien du kangourou
Lièvres
ne voyez-vous pas
comme je suis malheureux
voyons faites un tout petit effort
ce n'est tout de même pas une affaire
que de se rappeler
puisque tout le monde le fait
Lièvres
je vous en prie
souvenez-vous du jour
du fameux jour
où la tortue est arrivée avant vous
Mais du tiroir aux lièvres
aucune réponse ne vient
Tristes petits ingrats
et sales petits vauriens
pense le professeur
Et il s'assoit par terre
la tête dans les deux mains
Ah vraiment il y a des soirs comme cela
où on se demande si la terre tourne bien
et pourtant elle tourne
et Dieu la fait tourner
c'est un fait
Dieu est bon et il fait bien ce qu'il fait
c'est ce sale petit monde de lièvres
qui est mauvais
Et voilà ce bon professeur
qui rêve d'une machine à perfectionner le civet
Mais tout de même il se secoue
il lutte contre le découragement
Il se répète dans son petit soi-même
En avant en avant
En avant en avant
et il refait ses calculs

il vérifie la preuve par l'œuf
et toutes les preuves qu'il faut
et ses calculs sont justes
et sans aucun défaut
Soudain il sursaute et l'inquiétude s'installe dans sa tête
et la sueur froide
Mais alors
si mes calculs sont justes
c'est sûrement mes lièvres qui sont faux
Il se précipite vers l'armoire
mais la glace est fondue
parce que c'est le printemps
tous comme un seul homme
les lièvres ont fichu le camp
Ne vous désolez pas professeur
les lièvres s'en vont
mais les tiroirs restent
C'est la vie.

Jacques PRÉVERT, *Paroles*,
Gallimard, Paris, 1972, 252 pages.

5.7 LA TRISTESSE

Le poison

Le vin sait revêtir le plus sordide bouge
D'un luxe miraculeux,
Et fait surgir plus d'un portique fabuleux
Dans l'or de sa vapeur rouge,
Comme un soleil couchant dans un ciel nébuleux.

L'opium agrandit ce qui n'a pas de bornes,
Allonge l'illimité,
Approfondit le temps, creuse la volupté,
Et de plaisirs noirs et mornes
Remplit l'âme au-delà de sa capacité.

Tout cela ne vaut pas le poison qui découle
De tes yeux, de tes yeux verts,
Lacs où mon âme tremble et se voit à l'envers...
Mes songes viennent en foule
Pour se désaltérer à ces gouffres amers.

Tout cela ne vaut pas le terrible prodige
De ta salive qui mord,
Qui plonge dans l'oubli mon âme sans remords,
Et, charriant le vertige,
La roule défaillante aux rives de la mort.

BAUDELAIRE, *Les fleurs du mal.*

La cloche fêlée

Il est amer et doux, pendant les nuits d'hiver,
D'écouter, près du feu qui palpite et qui fume,
Les souvenirs lointains lentement s'élever
Au bruit des carillons qui chantent dans la brume.

Bienheureuse la cloche au gosier vigoureux
Qui malgré sa vieillesse, alerte et bien portante,
Jette fidèlement son cri religieux,
Ainsi qu'un vieux soldat qui veille sous la tente!

Moi, mon âme est fêlée, et lorsqu'en ses ennuis
Elle veut de ses chants peupler l'air froid des nuits,
Il arrive souvent que sa voix affaiblie

Semble le râle épais d'un blessé qu'on oublie
Au bord d'un lac de sang, sous un grand tas de morts,
Et qui meurt, sans bouger, dans d'immenses efforts.

BAUDELAIRE, *Les fleurs du mal.*

Poème de séparation

Comme aujourd'hui quand me quitte cette fille
chaque fois j'ai saigné à n'en pas tarir
par les sources et les nœuds qui m'enchevêtrent.
Et je ne suis plus qu'un homme descendu à sa boue
chagrins et pluies couronnent ma tête hagarde
et tandis que l'oiseau s'émiette dans la pierre
les fleurs avancées du monde agonisent de froid
et le fleuve remonte seul debout dans ses vents.

Je me creusais un sillon aux larges épaules
au bout son visage montait comme l'horizon
maintenant je suis pioché d'un mal d'épieu
christ pareil à tous les christs de par le monde
couchés dans les rafales lucides de leur amour
qui seul amour change la face de l'homme
qui seul amour prend hauteur d'éternité
sur la mort blanche des destins bien en cible.

Je t'aime et je n'ai plus que les lèvres
pour te le dire dans mon ramas de ténèbres
le reste est mon corps igné ma douleur cymbale
nuit basalte de mon sang et mon cœur derrick
je cahote dans mes veines de carcasse et de boucane.

La souffrance a les yeux vides du fer-blanc
elle ravage en dessous feu de terre noire
la souffrance la pas belle et qui déforme
est dans l'âme un essaim de la mort de l'âme.

Ô Mon Amour Ma Rose Stellaire Ma Rose Bouée Ma Rose
Éternité
ma caille de tendresse et mon joug d'espérance
tu fus cet amour aux seins de pommiers en fleurs
dans la chaleur de midi violente

Gaston MIRON, *L'homme rapaillé*,
Les presses de l'Université de Montréal, 1970, 171 pages.

5.8 LA JOIE

Accompagnement

Je marche à côté d'une joie
D'une joie qui n'est pas à moi
D'une joie à moi que je ne puis pas prendre
Je marche à côté de moi en joie
J'entends mon pas en joie qui marche à côté de moi
Mais je ne puis changer de place sur le trottoir
Je ne puis pas mettre mes pieds dans ces pas-là et dire voilà c'est moi

Je me contente pour le moment de cette compagnie
Mais je machine en secret des échanges
Par toutes sortes d'opérations, des alchimies,
Par des transfusions de sang
des déménagements d'atomes par des jeux d'équilibre
Afin qu'un jour, transposé,
Je sois porté par la danse de ces pas de joie
Avec le bruit décroissant de mon pas à côté de moi
Avec la perte de mon pas perdu s'étiolant à ma gauche
Sous les pas d'un étranger qui prend une rue transversale.

Saint-Denys GARNEAU, *Poésies*,
Fides, Montréal, 1972, 238 pages.

Le cantique des créatures

Très haut, tout-puissant et bon Seigneur,
À toi les louanges, la gloire, l'honneur et toute bénédiction!
À toi seul, Dieu suprême, ils conviennent.
Et nul homme n'est digne de prononcer ton Nom.

Loué sois-tu, mon Seigneur, avec toutes tes créatures.
Et spécialement notre frère Messire le Soleil
Lequel nous donne le jour et par qui tu nous éclaires!
Qu'il est beau et rayonnant, et que sa splendeur
Nous révèle ta puissance infinie!

Loué sois-tu, mon Seigneur, pour nos sœurs la Lune et les Étoiles!
Dans le ciel tu les créas lumineuses, précieuses et splendides.

Loué sois-tu, mon Seigneur, pour notre frère le Vent.
Pour l'Air, les Nuages, le ciel pur et tous les temps!
Par eux tu soutiens les créatures.

Loué sois-tu, mon Seigneur, pour notre sœur l'Eau,
Laquelle est si utile, si humble, si précieuse, si pure!

Loué sois-tu, mon Seigneur, pour notre frère le Feu
Par qui tu illumines la nuit!
Il est si beau, si joyeux, si vigoureux et fort!

Loué sois-tu, mon Seigneur, pour notre sœur maternelle la Terre,
Laquelle nous porte et nous nourrit,
Riche de tant de fruits, de fleurs colorées et de plantes!

Loué sois-tu, mon Seigneur, pour tous ceux qui pardonnent
À cause de ton amour,
Et qui subissent injustice et tribulation!
Bienheureux ceux-là qui persévèrent dans la paix,
Car toi, Très-Haut, tu les couronneras!

Loué sois-tu, mon Seigneur, pour notre sœur la Mort corporelle,
À qui nul homme ne peut échapper!
Malheureux seulement ceux qui meurent en péché mortel
Mais heureux ceux qui ont accompli ta sainte volonté,
Car éternellement ils vivront avec toi!
Louez, bénissez et remerciez mon Seigneur,
Et servez-le en grande humilité.

Saint François d'ASSISE.

5.9 LE JEU

Heureusement qu'on est heureux,
Car autrement on s'rait bin malheureux. (bis)

Qui me dira pourquoi, quand la nuit tombe,
Elle tombe toujours sur moi?

Le jeu

Ne me dérangez pas je suis profondément occupé

Un enfant est en train de bâtir un village
C'est une ville, un comté
Et qui sait
Tantôt l'univers.

Il joue

Ces cubes de bois sont des maisons qu'il déplace et des châteaux
Cette planche fait signe d'un toit qui penche ça n'est pas mal à voir
Cela pourrait changer complètement le cours de la rivière
À cause du pont qui fait un si beau mirage dans l'eau du tapis
C'est facile d'avoir un grand arbre
et de mettre au-dessous une montagne pour qu'il soit en haut.

Joie de jouer! paradis des libertés!
Et surtout n'allez pas mettre un pied dans la chambre
On ne sait jamais ce qui peut être dans ce coin
Et si vous n'allez pas écraser la plus chère des fleurs invisibles

Voilà ma boîte à jouets
Pleine de mots pour faire de merveilleux enlacements
Les allier séparer marier,
Déroulements tantôt de danse
Et tout à l'heure le clair éclat du rire
Qu'on croyait perdu

Une tendre chiquenaude
Et l'étoile
Qui se balançait sans prendre garde
Au bout d'un fil trop ténu de lumière
Tombe dans l'eau et fait des ronds.

De l'amour de la tendresse qui donc oserait en douter
Mais pas deux sous de respect pour l'ordre établi
Et la politesse et cette chère discipline
Une légèreté et des manières à scandaliser les grandes personnes.

Il vous arrange les mots comme si c'étaient de simples chansons
Et dans ses yeux on peut lire son espiègle plaisir
De voir que sous les mots il déplace toutes choses
Et qu'il en agit avec les montagnes
Comme s'il les possédait en propre.

Il met la chambre à l'envers et vraiment l'on ne s'y reconnaît plus
Comme si c'était un plaisir de berner les gens.
Et pourtant dans son œil gauche quand le droit rit
Une gravité de l'autre monde s'attache à la feuille d'un arbre
Comme si cela pouvait avoir une grande importance
Avait autant de poids dans sa balance
Que la guerre d'Éthiopie
Dans celle de l'Angleterre...

Saint-Denys GARNEAU, *Regards et jeux dans l'espace*, *Poésies*, Fides, Montréal, 1972, 238 pages.

Le testament

Je serai triste comme un saule
Quand le dieu qui partout me suit
Me dira, la main sur l'épaule,
«Va-t'en voir là-haut si j'y suis»
Alors du ciel et de la terre
Il me faudra faire mon deuil
Est-il encore debout le chêne
Ou le sapin de mon cercueil?

S'il faut aller au cimetière
J'prendrai le chemin le plus long
J'ferai la tombe buissonnière
J'quitterai la vie à reculons

Tant pis si les croqu'-morts me grondent
Tant pis s'ils me croient fou à lier
Je veux partir pour l'autre monde
Par le chemin des écoliers

Avant d'aller conter fleurette
Aux belles âmes des damnées
Je rêv' d'encore une amourette
Je rêv' d'encor' m'enjuponner
Encore un' fois dire «je t'aime»
Encore un' fois perdre le nord
En effeuillant le chrysanthème
Qui est la marguerite des morts

Dieu veuill' que ma veuve s'alarme
En enterrant son compagnon
Et qu' pour lui fair' verser des larmes
Il n'y ait pas besoin d'oignons
Qu'elle prenne en secondes noces
Un époux de mon acabit
Il pourra profiter d' mes bottes
Et d' mes pantoufles et d' mes habits

Qu'il boiv' mon vin qu'il aim' ma femme
Qu'il fum' ma pipe et mon tabac
Mais que jamais, mort de mon âme!
Jamais il ne fouette mes chats
Quoique je n'aie pas un atome
Une ombre de méchanceté
S'il fouett' mes chats y a un fantôme
Qui viendra le persécuter

Ici gît une feuille morte
Ici finit mon testament
On a marqué dessus ma porte
«Fermé pour caus' d'enterrement»
J'ai quitté la vie sans rancune
J'aurai plus jamais mal aux dents
Me v'là dans la fosse commune
La fosse commune du temps

Georges Brassens, Pierre Séghers éditeur, Paris, 1963, 190 pages.

Vénus Callipyge

Votre dos perd son nom avec si bonne grâce
Qu'on ne peut s'empêcher de lui donner raison
Que ne suis-je Madame un poète de race
Pour dire à sa louange un immortel blason (bis)

En le voyant passer j'en eus la chair de poule
Enfin je vins au monde et depuis je lui voue
Un culte véritable et quand je perds aux boules
En embrassant Fany je ne pense qu'à vous (bis)

Pour obtenir Madame un galbe de cet ordre
Vous devez torturer les gens de votre entour
Donner aux couturiers bien du fil à retordre
Et vous devez crever votre dame d'atours (bis)

C'est le duc de Bordeaux qui s'en va tête basse
Car il ressemble au mien comme deux gouttes d'eau
S'il ressemblait au vôtre on dirait quand il passe
C'est un joli garçon que le duc de Bordeaux (bis)

Ne faites aucun cas des jaloux qui professent
Que vous avez placé votre orgueil un peu bas
Que vous présumez trop en somme de vos fesses
Et surtout par faveur ne vous asseyez pas (bis)

Laissez-les raconter qu'en sortant de calèche
La brise a fait voler votre robe et qu'on vit
Écrite dans un cœur transpercé d'une flèche
Cette expression triviale: «À Julot pour la vie» (bis)

Laissez-les dire encore qu'à la cour d'Angleterre
Faisant la révérence aux souverains anglois
Vous êtes patatras tombée assise à terre
La loi d'la pesanteur est dure mais c'est la loi (bis)

Nul ne peut aujourd'hui trépasser sans voir Naples
À l'assaut des chefs-d'œuvre ils veulent tous courir
Mes ambitions à moi sont bien plus raisonnables
Voir votre académie Madame et puis mourir (bis)

Coda
Que jamais l'art abstrait qui sévit maintenant
N'enlève à vos attraits ce volume étonnant
Au temps où les faux-culs sont la majorité
Gloire à celui qui dit toute la vérité

Georges Brassens, Pierre Séghers éditeur, Paris, 1963, 190 pages.

5.10 LE FOLKLORE

À ce chapitre du jeu, le folklore mérite une attention spéciale. Tout comme les comptines, il donne souvent au jeu une importance bien propre à scandaliser les prosaïques plâtrés de sérieux. Les enfants adorent jouer; les adultes aussi, sauf que la plupart de ces derniers préfèrent jouer à des jeux dits «sérieux»: jouer à la Bourse, jouer aux échecs, jouer (et surtout voir jouer) son club «national» favori composé d'une majorité d'étrangers, jouer aux diplômes, jouer à pile ou face aux examens dits objectifs, et autres jeux, pas plus drôles qu'il ne faut. Quant au folklore, il n'est certes pas écrit par des incultes et des analphabètes, diplômés ou pas (parce qu'alors ils n'auraient pu écrire), mais en général il est écrit par des gens qui se prennent moins au sérieux que les philosophes allemands et les présidents de multinationales. Étant restés normaux, ils savent que le rire et le jeu sont indispensables pour rester normaux.

Les anciens Grecs, intelligents, faisaient au comique une place aussi importante qu'au lyrique et au tragique; en sorte que pour participer aux grands concours poétiques, leurs poètes devaient présenter une tragédie et une comédie. Sinon, ils étaient considérés comme des poètes et des hommes incomplets, capables de pleurer et de faire pleurer, peut-être, mais incapables de rire et de faire rire. Si on avait ces exigences sensées à l'égard des philosophes, des psychiatres, des économistes, des politiciens et de n'importe qui, combien, pensez-vous, ne seraient pas admissibles aux concours de la vie normale?

Voici donc quelques extraits de la poésie folklorique, où les auteurs s'en sont donné à cœur ouvert.

Par un dimanche au soir, m'en allant m'promener
Et moi et puis François, tous deux de compagnée,
Chez le bonhomm' Gauthier(er), nous avons'té veiller.
Je vais vous raconter l'tour qui m'est arrivé.

Youpe! youpe! sur la rivière,
Vous ne m'entendez guère,
Youpe! youpe! sur la rivière,
Vous ne m'entendez pas.

Et ce fameux *youpe! youpe! sur la rivière* accompagnera fidèlement jusqu'au bout cette histoire marrante, qui se passe pourtant dans la cuisine du bonhomm' Gauthier, et non sur la Rivière à Claude. De quoi désorienter beaucoup de géographes, d'arpenteurs ou d'orienteurs professionnels, s'ils prennent trop au sérieux leur prosaïque diplôme universitaire.

Le premier soir des noces
Avec moi qu'elle coucha, Victoria.
Le premier soir des noces,
Avec moi qu'elle coucha, Victoria.
Ça n'va guère, ça n'va pas, ô Rébecca.

Ici encore, tout au long de cette soirée de noces, non seulement ça n'va guère, ça n'va pas, mais on ne saura jamais si c'est Victoria ou Rébecca qui n'allait guère, qui n'allait pas. Confusion qui laissera en panne plus d'un prosaïque qui n'va guère, et qui se demandera longtemps s'il doit crier: «Vive la mariée, Victoria ou Rébecca!» Tant pis pour lui qui n'va guère et qui n'ira jamais jusque là!

Mon père zé ma mère n'avaient fille que moi
N'avaient fille que moi, la destinée, la rose au bois,
N'avaient fille que moi, n'avaient fille que moi.

On finit par le savoir qu'ils n'avaient fille qu'elle! Ce qu'on ne saura jamais, c'est ce que la destinée et la rose au bois viennent faire avec elle ainsi qu'avec son père zé sa mère. Un prosaïque ne le saura jamais; un enfant et un poète, eux, le sauront tout de suite, car dans la vie réelle, ils voient souvent, tous les jours, les unes à côté des autres, bien des choses qui, logiquement, ne vont pas plus ensemble que la rose est destinée à pousser dans les bois: un honnête homme et un salaud, par exemple, un chat et un pissenlit, une âme isolée aux billets de banque ou à la prose, à côté d'une chanteuse à la gomme isolée aux oscars «moi si j'étais capitaine».

Nous avons une fillette
Youpe la la la rira!
Qui voudrait bin, la pauvrette,
Youpe la la la rira
Au plus tôt s'y marier,
Youpe, youpe, youpe, la rirette ô gué!
Marie ton gars quand tu voudras,
Ta fille quand tu pourras.

Ce *youpe la la la rira*! et ce *youpe, youpe, youpe, la rirette ô gué*! nous rappellent, en plus comique, la logorrhée dyslexique ou dysleptique de Claude Gauvreau, signalée au chapitre troisième.

J'ai une méchant' mère,
Boum, badiboum, badiba, tralala!
J'ai un' méchante mère
Qui, tous les matins,
marimicoté,
m'fait lever.
Qui tous les matins, m'fait lever, qui tous les matins m'fait lever.

Des mères ou des belles-mères *boum, badiboum, badiba, tralala*! qui n'en connaît pas? Pour n'en pas connaître, il faudrait être *marimicoté youpe la la la rira pas*.

Derrière chez ma tant' des pommes il y a (bis)
J'ai demandé à ma tant' quand on en mangera.
Sur la rim, pom, poum, pom, poum la roulette,
Sur la rim, pom, poum, pom, poum la roulé!

Manger des pommes *sur la rim, pom, poum, pom, poum la roulette*, c'est sûrement meilleur que manger des poulets aux hormones du Colonel Sanders sur la rim, ou les Big Mac de McDonald's empilés pour mâchoires à la poum. Non?

M'en allant promener relé relé
Le long du grand chemin relin relin;
Je me suis endormi reli reli
À l'om relom relombre sous relou relou d'un pin relin relin
Au bois du rossignolet relet relet
Au bois du rossignolet.

Les gens sérieux, toujours trop pressés d'en finir, n'iront sûrement pas se *promener reler reler* sur ce *chemin relin relin*. Ils n'ont jamais le temps de s'endormir *à l'om relom relombre*, ni d'écouter le *rossignolet relet relet*. Ils préfèrent rouler Esso sots sots, penser Pepsi comme si comme si Pepsi suffit. Et ils écouteront plutôt tôt tôt «Radio-Canada, la radio des gens d'action». Quels cons! «Action! Participaction! Satisfaction garantie!»

*

Et il ne sera pas impertinent de joindre à cette liste un Noël ancien, de la même sève salée que le folklore.

Lorsqu'en la saison qu'il gèle
Au monde Jésus-Christ vint,
L'ân' et l'bœuf à grande haleine
Réchauffaient l'Enfant divin.
Que d'ânes et de bœus je sais
En ce royaume de France,
Que d'ânes et de bœus je sais
Qui n'en auraient pas tant fait.

Des ânes et des bœus *qui n'en auraient pas tant fait*, vous en connaissez tous autant que moi; même si chez nous il n'y a pas d'ânes et que les bœus se font rares dans nos campagnes en la saison qu'il gêle à –40°. Mais des ânes et des bœus congelés aux diplômes, oh alors!... Et, bien naturellement, ils se chauffent uniquement à la prose; ce qui est un système de chauffage garanti pour se congeler les facultés dans un permafrost probablement éternel. Et c'est la grâce qu'on peut bien leur souhaiter charitablement, au temps qu'il gêle et au temps qu'ils ne dégèlent même pas.

5.11 LE RÉALISME POÉTIQUE

Le sommeil du condor

Par delà l'escalier des froides Cordillères,
Par delà les brouillards hantés des aigles noirs,
Plus haut que les sommets creusée en entonnoirs
Où bout le flux sanglant des laves familières,
L'envergure pendante et rouge par endroits,
Le vaste oiseau, tout plein d'une morne indolence,
Regarde l'Amérique et l'espace en silence,
Et le sombre soleil qui meurt dans ses yeux froids.
La nuit roule de l'est, où les pampas sauvages
Sous les monts étagés s'élargissent sans fin;
Elle endort le Chili, les villes, les rivages,
Et la mer Pacifique et l'horizon divin;
Du continent muet elle s'est emparée:
Des sables aux coteaux, des gorges aux versants,
De cime en cime, elle enfle, en tourbillons croissants,
Le lourd débordement de sa haute marée.
Lui, comme un spectre, seul, au front du pic altier,
Baigné d'une lueur qui saigne sur la neige,
Il attend cette mer sinistre qui l'assiège:
Elle arrive, déferle et le couvre en entier.
Dans l'abîme sans fond la croix australe allume
Sur les côtes du ciel son phare constellé.
Il râle de plaisir, il agite sa plume,
Il érige son cou musculeux et pelé,

Il s'enlève en fouettant l'âpre neige des Andes,
Dans un cri rauque il monte où n'atteint pas le vent,
Et, loin du globe noir, loin de l'astre vivant,
Il dort dans l'air glacé, les ailes toutes grandes.

LECONTE DE LISLE, *Poèmes barbares.*

PRINCIPAUX AUTEURS ET TEXTES UTILISÉS

DU MÊME AUTEUR

Les arts plastiques, Centre éducatif et culturel inc., Montréal, 1968, 285 pages, 180 illustrations.

Virgile, Centre de psychologie et de pédagogie, Montréal, 1968, 223 pages, 17 illustrations.

Biographie du père Antonin Lamarche, 1968, 24 pages.

La colombe et le corbeau, Le Cercle du livre de France, Montréal, 1971, 180 pages, 16 illustrations.

Wawatapi Hourlo, publié à compte d'auteur, 1971, 10 illustrations.

L'homme ou la loi?, publié à compte d'auteur, 1972, 48 pages.

Guide touristique du Québec (non officiel), Éditions québécoises, Montréal, 1973, 138 pages.

L'école noir sur blanc, publié à compte d'auteur, 1976, 60 pages.

Le français par cœur et par raison, publié par le campus Mingan, 1978, 34 pages.

Québécois ou francofuns?, publié à compte d'auteur, 1978, 250 pages.

Pierres vives (Archipel Mingan), Castelriand inc., Rivière-du-Loup, 1979, 76 pages, 120 photographies et fusains de l'auteur.

Paroles allant droit, Les éditions La Lignée, Mont Saint-Hilaire, 1983, 110 pages.

Paroles allant droit, Paroles allant vers, publié à compte d'auteur, 1981, 136 pages.

La poésie, publié à compte d'auteur, 1982, 143 pages.

Insomnie syndicale, publié à compte d'auteur, 1982, 32 pages.

Les médisances d'un professeur solidaire Les éditions E.I.P., Verdun, 1983, 196 pages.

Regarder jusqu'à voir clair, publié par le Cégep de Sept-Îles, 1984, 212 pages.

Réflexions pédagogiques II, publié par le Cégep de Sept-Îles, 1984, 76 pages.

Les pierres elles-mêmes le crieront, Éditions Paulines, Montréal, 1985, 155 pages.

Un mur pour vivre libre, Éditions Paulines, Montréal, 1986, 350 pages.

DIFFUSEURS EUROPÉENS

La S.A. Vander
Avenue des Volontaires, 321
B 1150 Bruxelles
BELGIQUE

Transat
19, route des Jeunes
1227, Carouge (Genève)
SUISSE

Éditions de Vecchi
20, rue de la Trémoille
7 5008 Paris
FRANCE